CW00382848

N° 77.004-3

UN SIGLO DE ECONOMIA
POLITICA CHILENA
(1890-1990)

PATRICIO MELLER

UN SIGLO DE ECONOMIA POLITICA CHILENA (1890-1990)

EDITORIAL ANDRES BELLO

Barcelona • Buenos Aires • México D.F. • Santiago de Chile

Ninguna parte de esta publicación, incluido el diseño
de la cubierta, puede ser reproducida, almacenada o
transmitida en manera alguna ni por ningún medio, ya
sea eléctrico, químico, mecánico, óptico, de grabación
o de fotocopia, sin permiso previo del editor.

Derechos mundiales en español
© EDITORIAL ANDRES BELLO
Av. Ricardo Lyon 946, Santiago de Chile

Registro de Propiedad Intelectual
Inscripción Nº 98.234, año 1996
Santiago - Chile

Se terminó de imprimir esta primera edición
de 2.000 ejemplares en el mes de noviembre de 1996

IMPRESORES: Antártica S.A.

IMPRESO EN CHILE / PRINTED IN CHILE

ISBN 956-13-1444-4

A la memoria de mis queridos padres
Matilde Bock y Herman Meller

CONTENIDO

9

CAPÍTULO 3

EL MODELO ECONOMICO DE LA DICTADURA MILITAR

CAPÍTULO 4

UNA SINTESIS TENTATIVA

PROLOGO

¿Por qué la Unidad Popular? ¿Por qué el Régimen Militar? Estas dos interrogantes inquietarán a varias generaciones de chilenos durante el próximo siglo; ¿es acaso prematuro comenzar ahora a buscar las respuestas? Es más, ¿es posible una evaluación ponderada del período transcurrido entre 1970 y 1990? En esos veinte años prevaleció un nivel de conflictividad tal que polarizó a la sociedad chilena; había dos Chiles y dos tipos de chilenos, los buenos y los malos. No había tranquilidad para un análisis sereno: abundaban las caricaturas. Tal vez hasta el país haya sido una caricatura. La intención de este libro es ir más allá de esa visión exagerada de las cosas.

La incomprensión del presente está asociada a la ignorancia del pasado; el pasado le da al presente sentido y significado[1]. El carácter fundacional de los ideologismos que predominaron en el período 1970-90 apuntó a la destrucción del pasado y de la historia. De ahí la importancia de la reconstitución de la memoria histórica; ésta cumple un papel social fundamental, por cuanto nos explica quiénes somos como país, relacionando el presente con nuestro pasado. Somos también lo que recordamos.

Por otra parte, el "peso objetivo de la historia", en el sentido hegeliano, debe ser equilibrado por un examen analítico que permita asumir este pasado de forma madura[2]. Cada generación tiene la obligación y el derecho de hacerle sus propias preguntas a la Historia, de interpretar sus fantasmas particulares y utilizarlos como material de reflexión y como fuente de conocimiento[3]. Este mismo pasado va a ser reinterpretado, entonces, por diversas generaciones.

El método histórico tradicional aplica una especie de proyección temporal regresiva: situado en el presente, el historiador estudia toda la información existente para intentar reconstituir acuciosamente el pasado que es objeto de estudio. Idealmente, el historiador querría disponer de una especie de máquina del tiempo que lo trasladara los siglos requeridos para presenciar directamente los hechos analizados, algo obviamente imposible.

Cabe entonces formularse la interrogante siguiente: ¿qué ventajas comparativas tendría un investigador del año 2094 en la comprensión de los eventos ocurridos en el período 1970-90? Suponiendo un progreso en la metodología de las ciencias sociales, el análisis del año 2094 sería más sofisticado, más distante y más sistemático que uno realizado en el presente; sin embargo, incurrirá en el riesgo de confundir la relevancia de los factores y de desconocer en toda su intensidad el entorno en el cual efectivamente transcurrieron los hechos. Quien está más próximo, quien está presente, quien ve, quien está ahí, tiene una percepción y una información insustituibles; es muy distinto vivir una experiencia que oírla o leerla cien años después. Es indudable que el historiador del presente está expuesto al sesgo, formula juicios apasionados y probablemente carece de una perspectiva global, pero, en su análisis, lo relevante ocupará un lugar más prioritario que lo irrelevante.

¿Cómo tomar distancia del presente para incrementar el grado de objetividad en el análisis actual? Nuevamente, el ideal consistiría en disponer de la máquina del tiempo, que esta vez trasladase al historiador hacia el futuro. Como esto no es factible, habrá que buscar la mejor alternativa posible: un sustituto cercano del traslado temporal sería el traslado geográfico, una aplicación concreta del concepto "tomar distancia".

Hay procedimientos diversos, no excluyentes, para llevar a cabo el traslado geográfico. El más simple consiste en que el cientista social se instala físicamente en el exterior para analizar lo sucedido en su país. Una segunda opción parte del supuesto que un país subdesarrollado como Chile a la larga va a adquirir un grado de madurez, de conciencia y de capacidad de autocrítica similar a lo observado actualmente en los países desarrollados. En este caso, el traslado es de tipo mental, examinando la evaluación y el procesamiento de analistas europeos y norteamericanos de lo sucedido recientemente aquí en Chile, o bien imitando su razonamiento; implícitamente se está suponiendo que un analista chileno de fines del siglo XXI tendrá una percepción similar. Una tercera opción se centra en encontrar experiencias similares a la chilena de 1970-90 en la historia pasada de los países desarrollados y latinoamericanos; luego se estudia el tipo de análisis realizado 50 o 100 años después.

En este libro hay un gran esfuerzo por "tomar distancia" de los eventos recientes, utilizando todos los sustitutos de la máquina del tiempo descritos, para intentar así trasladar el análisis a la percepción que habrá a mediados del siglo XXI.

El propósito central no es una mera reconstitución objetiva de lo ocurrido; más bien interesa comprender y explicar por qué sucedió lo que sucedió, y analizar los factores que inducen a la sustitución de un paradigma del conocimiento por otro totalmente opuesto. En otras palabras, en estos 20 años ha habido cambios drásticos en la forma de análisis de la economía chilena, e interesa entender por qué se razonaba de una manera determinada en un período dado y qué es lo que influye posteriormente para adoptar principios tan distintos: por qué se creía lo que se creía y por qué cambiaron las creencias. Ello permitiría aprender a anticipar un cambio futuro en las creencias actuales.

Cada uno de los tres primeros capítulos es una unidad autocontenida. En cada caso se ha utilizado como base la literatura prevaleciente en el período analizado. El Capítulo 1 proporciona una visión global de 110 años de desarrollo chileno (1880-1990). El esquema de análisis corresponde a aquel utilizado con anterioridad al año 1970, que se extiende luego de manera sintética hasta 1990. El tópico central es el análisis del desarrollo económico chileno; la interrogante principal es: ¿por qué Chile no ha logrado superar el subdesarrollo?

El Capítulo 2 cubre el gobierno de la Unidad Popular. En este capítulo se examina la evolución histórica de la cuestión social y de la cuestión política, buscando los antecedentes de los planteamientos de la Unidad Popular, puesto que ésta no surge espontáneamente en el año 1970. La visión de la Unidad Popular y la lógica de las reformas estructurales de ese período es contrastada con los eventos económicos resultantes. La propiedad privada y el derecho de propiedad constituyen uno de los tópicos más conflictivos de esa época.

15

El Capítulo 3 trata del régimen militar. Dado su comienzo, resulta necesario partir con un análisis de la destrucción de la democracia chilena. Aquí se examinan las reformas económicas estructurales distinguiendo, a diferencia de otros libros y artículos sobre el tema, las reformas estructurales realizadas en las décadas del 70 y del 80. Además, hay un examen metodológicamente novedoso sobre las causas del colapso económico de 1982-83. El tema de la libertad económica y la libertad política constituye uno de los dilemas candentes en dicho período.

En resumen, la temática y las interrogantes predominantes en cada fase son los elementos que van condicionando la estructura de cada capítulo. El uso intensivo de la literatura generada y circunscrita a cada período tiene como objetivo identificar las ideas fundamentales y la estructura lógica de los diversos planteamientos.

El Capítulo 4, finalmente, plantea una síntesis tentativa centrada en el futuro y mirando hacia este pasado. En otras palabras, se revisan los mismos períodos ya examinados, pero ahora desde el futuro, no según la óptica del período en cuestión. Esto nos conduce a la herencia de la Unidad Popular y a la herencia de la dictadura militar. En la memoria histórica del siglo XXI, las violaciones de derechos humanos van a ocupar un lugar especial.

Este libro ha sido escrito durante un período de cuatro años, 1990-93; hay varios artículos, e incluso un libro, que han sido presentados y discutidos en numerosos seminarios nacionales y conferencias internacionales, y que constituyen un material de apoyo importante para la elaboración de los distintos capítulos. Agradezco las sugerencias y discrepancias de quienes fueran los comentaristas en esos eventos académicos: Jorge Arrate, Sergio Bitar, Magnus Blomström, Vittorio Corbo, Sebastián Edwards, Ricardo Ffrench-Davis, Roberto Frenkel, Oscar Godoy, Alexis Guardia, Felipe Larraín, Rolf Lüders, Mats Lundahl, Cecilia Montero, Oscar Muñoz, Martin Paldam, Gabriel Palma, Aníbal Pinto, Francisco Rosende, Andrés Sanfuentes, Sol Serrano, Bo Sodersten. Como es tradicional, ninguna de estas personas es responsable por el contenido de este libro; en muchos casos sus discrepancias sirvieron para moderar algunos tópicos y para reforzar otros.

De manera muy especial quiero reconocer los valiosos comentarios y constructivas sugerencias de Eduardo Engel, quien ha tenido la gentileza de leer los borradores finales de los tres primeros capítulos. También deseo agradecer la eficientísima ayuda y excelente predisposición de Andrea Repetto, quien colaboró en la elaboración de los cuadros y gráficos del libro.

El entorno prevaleciente en CIEPLAN durante esos cuatro años ha sido un gran estímulo para la reflexión y el análisis. A este ambiente contribuyó la presencia de un destacado grupo de jóvenes economistas y cientistas sociales: Andrea Butelmann, Pilar Romaguera, Raúl Sáez, Andrés Gómez-Lobo, Rodrigo Valdés, Andrea Repetto, Sergio Lehmann, Bernardita Escobar, Fernando Lefort, Rodrigo Cifuentes, Dante Contreras, Cecilia Montero, Pablo Halpern, Pablo González, Héctor Schamis, Francisco Aracena, Esteban Jadresic, Miguel Basch, Carlos Budnevich, Pilar Campero, Edgardo Bousquet (Q.E.P.D.), Pablo García, Juan Jiles, Claudio Bonacic, Mauricio Hidalgo, Marcelo Henríquez, Jaime Soto. Su gran capacidad, cordialidad, espíritu de conocimiento y afán de entrega inducían a emprender tareas de investigación de gran envergadura. A todos ellos quiero expresarles mi más sincera gratitud.

El apoyo sostenido de varias organizaciones a CIEPLAN ha constituido un factor importante para la realización de esta larga investigación. Quiero agradecer y destacar específicamente a la Agencia Canadiense para el Desarrollo Internacional (ACDI), el Centro Internacional de Investigaciones para el Desarrollo (CIID-IDRC) de Canadá, la Fundación Andrew W. Mellon y la Fundación Ford de los Estados Unidos, y el SAREC de Suecia. Mención especial merece la OCDE (Organización para la Cooperación y el Desarrollo Económico), que ha autorizado la reproducción en español del material contenido en mi libro *Adjustment and Equity in Chile*, que constituye la base del Capítulo 3 de este libro.

Andrea Palet, de la Editorial Andrés Bello, ha realizado un excelente y meticuloso trabajo de edición. Rosa Jaime ha tenido una paciencia infinita para mecanografiar diligentemente los numerosos borradores y traspasar con acuciosidad las reiteradas correcciones. Patricio Badilla ha producido en el computador todos los gráficos y cuadros estadísticos. A los tres, muchas gracias.

Por último, los numerosos fines de semana destinados a estudiar y a escribir encontraron siempre gran comprensión en mi

17

familia. Además, mi esposa Clary y mis hijos Ilana, Ariel y Alan tuvieron que soportar las reiteradas lecturas a las cuales yo los sometía. Por su permanente cariño y preocupación en todo momento, quiero expresarles mi afecto eterno.

NOTAS

1. Le Goff, 1992.
2. Le Goff, op. cit.
3. Fentress y Wickham, 1992.

CAPITULO 1

110 AÑOS DE DESARROLLO ECONOMICO CHILENO, 1880-1990 [1]

INTRODUCCION

Los recursos naturales, especialmente los minerales, han tenido siempre un papel importante en la economía chilena. Durante la Conquista y la Colonia, este papel lo desempeñaron el oro y la plata; en los siglos XVIII y XIX, el cobre adquiere predominancia entre los minerales exportados[2]. Chile fue también un importante exportador de trigo.

Sin embargo, lo que cambió sustantivamente el carácter de la economía chilena fueron las exportaciones salitreras que comenzaron a realizarse en gran escala durante la década de 1880. En efecto, podría decirse que antes de ello Chile era una economía atrasada, con un crecimiento relativamente modesto. Esta aseveración se contrapone a la evaluación generalizada de los historiadores, que destacan una importante expansión económica en el período comprendido entre 1835 y 1875, e incluso un supuesto auge económico pre-1880. A modo de ejemplo, Vial habla de "los locos años 70" (se refiere a la primera parte de esa década), que generan una "fiebre de negocios" alimentada por un "riquísimo campo de plata"[3].

El gráfico 1.1 ilustra la reducida importancia relativa de las exportaciones de plata, oro y cobre durante el siglo XIX en relación a las exportaciones de salitre de fines del siglo. En moneda de igual poder adquisitivo, las exportaciones de salitre de 1900 equivalen a 8 veces, 4 veces y 16 veces el *peak* alcanzado durante el siglo XIX por las exportaciones de plata, cobre y oro respectivamente[4]. Los historiadores parecen tener una visión semilogarítmica de la historia (ver gráfico 1.1ª) que los induce a

GRAFICO Nº 1.1. VALOR PROMEDIO ANUAL DE LA PRODUCCION
MINERAL. CHILE, SIGLO XIX

GRAFICO Nº 1.1.a. VISION DE UN HISTORIADOR DEL SIGLO XIX

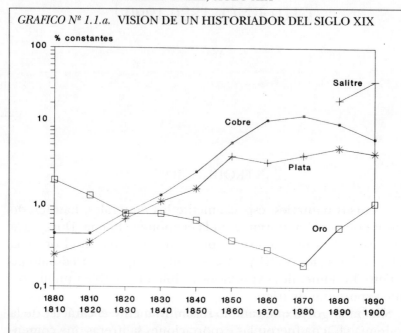

GRAFICO Nº 1.1.b. VISION DE UN ECONOMISTA DEL SIGLO XIX

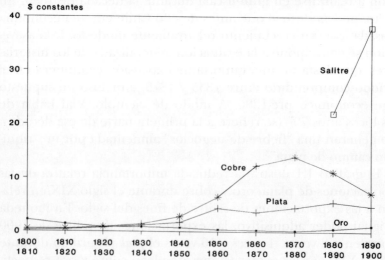

Fuente: Pederson (1966). Los valores anuales constituyen el valor anual promedio
de la década.

CUADRO 1.1.   CRECIMIENTO ANUAL PROMEDIO DE LAS EXPORTACIONES.
CHILE, 1850-1920 (PORCENTAJES)

Períodos	Behrman (1976)	Cortés et al. (1981)
1850-1870	3,5	4,8
1870-1880	2,1	0,7
1880-1900	4,7	3,3
1900-1920	6,0	8,0
1850-1880	3,0	3,4
1880-1920	5,3	5,6

Fuente: Behrman (1976); Cortés et al. (1981).

amplificar lo sucedido en un período específico perdiendo la perspectiva global (ver gráfico 1.1.b): es efectivo que, si se sigue la secuencia histórica temporal, habría habido un boom generado por la producción de plata en el período 1850-1875 en relación al período previo; pero cuando se observa el siglo XIX en su conjunto, todos esos "booms" se reducen a "boomcitos" cuando se les compara con el auge del salitre.

Hasta 1870, las exportaciones se expanden al 3% anual (ver cuadro 1.1); a fines de la década se observa un estancamiento de la economía chilena. Durante la era del salitre, las exportaciones tienen un ritmo de crecimiento anual superior al 5%. De esta forma, fundamentalmente gracias al salitre, las exportaciones chilenas se incrementan de una cifra inferior a US$ 12/persona (promedio aproximado para el período 1850-1880) a un monto exportado superior a US$ 56/persona (alrededor de 1920). En el siglo XIX, en una economía notoriamente subdesarrollada como la chilena, el sector exportador constituye el mejor indicador de su evolución.

Este capítulo cubre la evolución económica desde 1880 a 1990. En vez de seguir metodológicamente una secuencia de períodos históricos, se ha preferido utilizar un enfoque flexible centrado en la continuidad de un mismo tópico; de esta manera es posible, a nuestro juicio, una mejor comprensión de los aspectos más relevantes del desarrollo económico chileno. Para este análisis se han utilizado dos elementos centrales: el grado de apertura de la economía (la principal variable analítica utilizada

21

por la CEPAL)[5], y la naturaleza del principal agente productor. Este enfoque esquemático implica necesariamente la exclusión de variables y eventos económicos, históricos, políticos y sociológicos de gran importancia. Sin embargo, como se podrá apreciar, los elementos seleccionados son muy útiles para una visión coherente del desarrollo económico chileno en un período tan extenso. La mezcla de distintos y cambiantes intereses, ideas y eventos externos ha moldeado el patrón de crecimiento; no hay una relación permanente ni una secuencia constante entre esos tres factores.

La primera sección de este capítulo se ocupa de las exportaciones de recursos naturales y el papel de la inversión extranjera desde 1880 a 1971, centrándose en los casos del salitre y el cobre. La segunda sección presenta una reseña de la estrategia chilena de industrialización basada en la sustitución de importaciones y el creciente papel del Estado. La tercera parte describe las recientes reformas de liberalización económica y el papel que ha correspondido en ellas al sector privado.

EXPORTACIONES DE RECURSOS NATURALES E INVERSION EXTRANJERA, 1880-1971

La historia económica de Chile proporciona elementos para ilustrar la caricatura tradicional de un país en desarrollo en el que el principal motor de crecimiento –y el vínculo clave con la economía internacional– es la exportación de alguna materia prima básica bajo control extranjero. Durante el período 1880-1930, las exportaciones salitreras dominaron la economía chilena, y una parte considerable de esa industria estaba controlada por capitales británicos; entre 1940 y 1971, el principal producto de exportación fue el cobre, y las principales minas de cobre del país eran de propiedad de un par de compañías norteamericanas. En todo ese período, que se extiende por casi un siglo, el salitre o el cobre han representado más de la mitad de las exportaciones totales del país.

Una economía subdesarrollada, aislada y estancada como la economía chilena de fines del siglo XIX, ¿cómo podría conectarse con la economía mundial?, ¿qué podría intercambiar para adquirir la tecnología moderna y los nuevos bienes manufacturados?; en términos técnicos, ¿cuáles eran sus ventajas comparativas? La respuesta ha sido obvia: dada la dotación existente de recursos naturales, la exportación de bienes primarios ha constituido el mecanismo de conexión con la economía mundial. Para transformar el recurso natural en un bien exportable a gran escala, se ha requerido la intervención de un agente exógeno (empresarios extranjeros y/o inversión extranjera); es preciso explicar la necesidad de la presencia de este agente externo.

En estas circunstancias, en general, el efecto del sector exportador sobre la economía local va a depender de varios factores[6]: tamaño y ritmo de expansión del sector exportador, magnitud de la reinversión local, incorporación de tecnología moderna que aproveche las ventajas comparativas domésticas, efecto de los eslabonamientos productivos hacia atrás (*backward linkages*) relacionados con aumentos de la demanda por infraestructura, bienes de transporte e insumos locales, y eslabonamientos productivos hacia adelante (*forward linkages*) que estimularían un mayor procesamiento de los bienes, importancia relativa de la inversión extranjera, intensidad relativa de los factores productivos (tecnología intensiva en capital o trabajo), nivel de habilidad empresarial local, existencia de economías de escala. Por otra parte, el desarrollo exitoso o el fracaso de un país exportador de recursos naturales están directamente relacionados con el uso que se haga de las rentas generadas por el sector exportador, un problema que atañe al gobierno, al tipo de políticas prevalecientes y a la política económica escogida para enfrentar la inestabilidad del precio mundial del recurso natural exportable[7].

El ciclo del salitre (1880-1930)

Antes de la Primera Guerra Mundial, el nitrato natural era un insumo clave para la fabricación de explosivos, además de un fertilizante de gran importancia. Los grandes yacimientos salitreros de las provincias de Tarapacá y Antofagasta, que por entonces pertenecían a Perú y Bolivia, fueron explotados por empresarios chilenos en la década de 1860. Las primeras etapas del ciclo del salitre fueron dramáticas, y la explotación en gran escala de los depósitos disponibles no pudo iniciarse sino después de algunos años. Esto se debió a que los gobiernos de Perú y Bolivia intentaron reemplazar a los empresarios chilenos y tomar posesión de los yacimientos, considerados las fuentes de nitratos más importantes del mundo a fines del siglo XIX. El conflicto de intereses planteado condujo a la llamada Guerra del Pacífico (1879-1884), en la que Chile tomó posesión de los territorios del norte y de sus yacimientos salitreros.

Sin embargo, el desenlace de la guerra no generó la explotación de los depósitos salitreros por empresarios chilenos: la explotación a gran escala del salitre comenzó bajo control mayoritario británico después de 1880[8].

Gracias a los grandes depósitos del norte, con alto contenido de nitrato y de fácil acceso al mar (los grandes yacimientos se encontraban a una distancia de entre 40 y 80 kilómetros del océano), Chile pronto se transformó en el mayor productor de nitrato del mundo. De 1880 a 1930, las exportaciones salitreras constituyeron el área más importante de la economía chilena, elevando el nivel total de exportaciones de manera significativa y proporcionando una enorme y creciente fuente de ingresos al gobierno.

La producción de nitrato registró una tasa de crecimiento sostenida y relativamente alta durante 40 años: entre 1880 y 1920, las exportaciones salitreras crecieron a un ritmo de 6,1% al año. La explotación del nitrato requería una tecnología rudimentaria, relativamente intensiva en mano de obra[9]: en el período 1906-30, más de 40.000 personas trabajaron en los yacimientos salitreros (ver cuadro 1.2)[10]. Ya en 1890 las exportaciones salitreras constituían la mitad de las exportaciones chilenas; desde comienzos del siglo XX, y hasta la Primera Guerra Mundial, su participación en las exportaciones totales fue superior al 70% (ver cuadro 1.2 y gráfico 1.2), mientras que su contribución al Producto Geográfico Bruto (PGB) fluctuó en torno a un 30% durante el período 1900-1920.

En términos de su valor, las exportaciones salitreras aumentaron de US$ 6,3 millones en 1880 a US$ 70 millones en 1928, con un *peak* de US$ 96 millones justo antes de la Primera Guerra Mundial.

CUADRO 1.2. INFORMACIÓN ECONÓMICA BÁSICA SOBRE EL SALITRE.
1880-1930 (PROMEDIO ANUAL DE CADA PERÍODO)

	Exportaciones de salitre		Exportaciones totales		Recaudación tributaria		Empleo
	Cantidad (MM de QM)	Precio (Lib./Ton Larga)	Export. (MM de US$)	Partic. Relat. del salitre (%)	Total (MM de US$)	Partic. Relat. del salitre (%)	(miles de personas)
	(1)	(2)	(3)	(4)	(5)	(6)	(7)
1880	2,3	12,4	24,7	25,8	17,7	4,7	2,8
1881-85	4,8	8,8	37,4	43,1	25,6	22,9	5,8
1886-90	7,8	6,8	47,7	49,7	24,5	35,1	9,1
1891-95	9,9	6,4	54,1	56,8	23,9	46,0	16,1
1896-00	12,8	5,2	61,5	60,7	31,1	48,9	18,1
1901-05	14,6	6,3	77,1	71,8	38,0	47,4	25,0
1906-10	19,8	7,4	104,2	76,3	50,6	48,5	40,5
1911-15	22,9	6,5	104,9	75,3	55,4	51,9	46,9
1916-20	24,9	8,2	82,1	64,4	64,1	44,1	51,5
1921-25	17,8		89,2	59,2	81,8	36,3	44,4
1926-30			126,9	48,8			52,2
1932			27,7	18,5			

Fuentes: (1), (2) y (5) Mamalakis (1971).
(7) Cariola y Sunkel (1982).
(3) Palma (1979).

GRAFICO N° 1.2. EXPORTACIONES DE SALITRE Y TOTALES, 1890-1932
PROMEDIO ANUAL

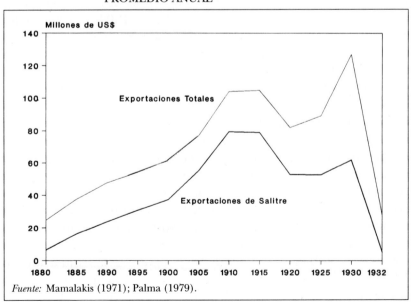

Fuente: Mamalakis (1971); Palma (1979).

En los países en desarrollo, la capacidad de los gobiernos para imponer tributación es por lo general bastante limitada. En ellos el sector externo provee una "palanca tributaria", es decir, un mecanismo simple y eficiente para la extracción y recaudación del excedente imponible. El nivel de tributación de las exportaciones salitreras aumentó desde menos de US$ 1 millón en 1880 a más de US$ 20 millones en los primeros años del siglo XX, aportando al gobierno casi el 50% de los impuestos totales entre 1895 y 1920 (gráfico 1.3); también contribuyeron indirectamente al presupuesto estatal al proporcionar divisas para la expansión de las importaciones, puesto que aumentaron la disponibilidad de recursos fiscales[11]. De este modo, los impuestos al sector externo tuvieron una participación de 60%-80% en la tributación total durante el período de auge del salitre (ver cuadro 1.3 y gráfico 1.4).

Como consecuencia de los crecientes ingresos tributarios, el gobierno chileno adquirió una mayor participación en la economía[12]. En términos relativos, la participación del gobierno en el PGB se incrementó de 5%-6% (1880) a 12%-14% (1910-20)[13]. En términos absolutos, el empleo gubernamental se expandió de 3.000 plazas en 1880 a más de 27.000 en 1919.

Otros indicadores se refieren al gasto público[14]. En 1860, había 18.000 estudiantes en las escuelas básicas, y 2.200 en las escuelas medias del sistema público. Hacia 1900, se registraban 157.000 y 12.600 estudiantes en las escuelas básicas y medias, respectivamente; en 1920, llegaron a ser 346.000 y 49.000[15]. Ferrocarriles del Estado aumentó la longitud de las vías férreas del sistema público desde 1.106 (1890) a 4.579 kilómetros (1920), comenzando a desplazar al sector privado (en 1890, cerca del 60% de los ferrocarriles chilenos estaban en manos privadas, cifra que se redujo a 44% en 1920).

En los países en desarrollo, el crecimiento del sector público ilustra el impacto de un boom de las exportaciones de un recurso, lo que a menudo ha sido ignorado por la literatura sobre el "síndrome holandés" (*dutch disease*)[16]. La abundancia de ingresos tributarios generados por el boom exportador erosiona la disciplina fiscal del gobierno; las restricciones financieras ya no son forzosas. El gobierno obtiene fondos mediante la tributación de los extranjeros (que son los que controlan las exportaciones), y los utiliza para aumentar el gasto. Así ocurrió en el caso de

GRAFICO Nº 1.3.   EMPLEO Y TRIBUTACION DEL SALITRE, 1880-1925
(PROMEDIO ANUAL)

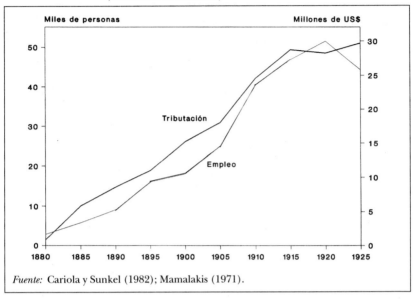

Fuente: Cariola y Sunkel (1982); Mamalakis (1971).

CUADRO 1.3.   DESCOMPOSICIÓN DE LA ESTRUCTURA TRIBUTARIA.
1880-1930

	Impuesto a la Renta (MM de US$) (1)	*Impuestos al Sector Externo*		*Tributación total* (MM de US$) (4)
		Imp. a Importaciones (MM de US$) (2)	*Imp. a Exportaciones* (MM de US$) (3)	
1880	1,9	5,5	1,1	17,7
1881-85	2,4	7,5	4,6	25,6
1886-90	1,4	7,3	11,0	24,5
1891-95	0,3	7,5	14,9	23,9
1896-00	0,2	10,2	18,0	31,1
1901-05	0,6	11,6	21,1	38,0
1906-10	1,3	17,6	29,2	50,6
1911-15	3,9	7,8	24,8	55,4
1916-20	8,5	11,3	27,7	64,1
1921-25	10,4	22,7	31,4	81,8
1926-30	14,5	44,1	21,0	151,3

Fuentes: 1880-1920: Mamalakis (1971).
1921-1930: Cariola y Sunkel (1982).
Las cifras *no* corresponden a los promedios anuales, sino que son las cifras correspondientes al último año del período; i.e., impuestos pagados por exportaciones del año 1880, 1885, 1890, etc. La excepción la constituye la columna (4), que corresponde al promedio anual del período considerado (análogo al Cuadro 1.2).

27

GRAFICO Nº 1.4.   IMPUESTOS AL SECTOR EXTERNO Y TRIBUTACION
TOTAL, 1880-1930 (PROMEDIO ANUAL)

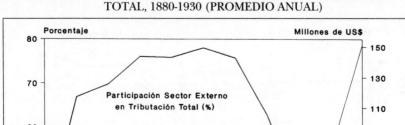

Fuente: Cariola y Sunkel (1982); Mamalakis (1971).

Chile: la sociedad chilena se acostumbró a la vigencia de bajos niveles de tributación, al mismo tiempo que crecía el gasto fiscal. La tributación al salitre sustituyó a varios impuestos existentes: se suprimieron la alcabala (transferencia de bienes raíces), la contribución de herencias y donaciones, las patentes para la maquinaria agrícola e industrial y el estanco al tabaco, además de reducirse el impuesto agrícola y de haberes mobiliarios y el impuesto a la renta[17].

No se ha hecho ninguna evaluación de la forma en que se usaron tales recursos fiscales adicionales, pero parece ser que una fracción significativa de ellos se destinó a aumentar el capital físico y humano del país. Sí está claro que un buen número de proyectos y gastos se habrían omitido si el gobierno no hubiera dispuesto de estos recursos.

En síntesis, se genera una estructura fiscal que incuba serios problemas potenciales. El gasto fiscal es creciente y con un componente bastante rígido (el aumento del empleo público es una de las causas). Por otro lado, la estructura tributaria pasa a depender fundamentalmente de un solo ítem, que está expuesto a fluctuaciones externas, lo que genera una situación fiscal inestable. Durante la era del salitre, y posteriormente durante la era del cobre (pre-1971), se considera políticamente aceptable y conveniente utilizar la tributación a la inversión extranjera como el mecanismo fundamental para financiar el gasto público; sin embargo, no se percibe que ello vincula el presupuesto fiscal a la inestabilidad del mercado mundial.

La declinación del boom del salitre comenzó con la producción de nitrato sintético durante la Primera Guerra Mundial. El golpe final vino con la Gran Depresión de 1929, cuando el valor en dólares de las exportaciones de nitrato cayó casi al nivel de 1880.

La experiencia del salitre ha sido calificada por muchos analistas chilenos como una "oportunidad perdida". La versión extrema de esa tesis sostiene que las exportaciones de nitrato generaron una gran cantidad de recursos que fueron derrochados o sacados del país por firmas extranjeras y que, en último término, "aquí no quedó nada". Esa visión corresponde a la "hipótesis del enclave": el sector exportador, dominado por la inversión extranjera, está más conectado a los países desarrollados que a la economía interna, requiere muy pocos insumos nacionales, y las utilidades se envían al exterior; en consecuencia, la economía anfitriona no se beneficia en absoluto.

Ante esta hipótesis surgen dos cuestionamientos diferentes: ¿por qué los empresarios chilenos no controlaron el negocio de la exportación de nitrato? ¿Fue realmente nula la contribución de las exportaciones salitreras al desarrollo chileno?

No es fácil entender las razones por las que Chile permitió a empresarios extranjeros adquirir una gran participación en la industria salitrera, tras una guerra que se libró y se ganó para proteger los derechos de empresarios chilenos a explotar esas riquezas[18]. Existen varias explicaciones (para una discusión detallada, ver Pinto, 1962; Mamalakis, 1971; Vial, 1981). La más relevante parece ser aquella que sostiene que la exportación en gran escala requiere de técnicas muy específicas y, aunque la tecnología requerida para la explotación salitrera era rudimentaria y conocida por los empresarios chilenos, la escala de producción y exportación era simplemente tan grande que el capital humano específico necesario —conocimiento experto de los sistemas bancarios y de comercialización, capacidad empresarial y administra-

29

tiva para coordinar numerosas operaciones internas y externas de gran envergadura, contactos externos organizativos y diplomáticos, etc.– no estaba disponible en el país[19]. Los empresarios extranjeros fueron fundamentales en la generación de una industria exportadora de nitrato en gran escala, que resultó altamente rentable: las utilidades después de impuestos se han estimado en más del 30% de las ventas brutas[20]. Dado que los inversionistas extranjeros controlaban alrededor del 70% de las exportaciones salitreras, las remesas de utilidades habrían alcanzado a cerca del 6% del PGB[21-22]. Esta cifra es más alta que la transferencia real vinculada al servicio de la deuda externa efectuada en la década de 1980 (la que fluctúa en torno del 4% del PGB).

Así como los extranjeros obtuvieron grandes retornos de su inversión, el gobierno chileno logró retener una parte importante de los excedentes. Se ha sostenido que Chile debió reclamar una participación mayor en tales excedentes, a lo que debe señalarse que el principal (y posiblemente el único) objetivo de la política del gobierno en relación al sector salitrero fue precisamente extraer el excedente chileno a través de la tributación. Los ingresos tributarios por exportaciones salitreras alcanzaron a cerca del 30% de las ventas totales de nitrato; en comparación con los ingresos anteriores del gobierno, este porcentaje puede considerarse un logro de importancia.

Como se ha mencionado, el gobierno utilizó parte de los ingresos tributarios del salitre para financiar infraestructura social y física. Algo quedó también en el sector privado chileno; aquí hay un buen número de ejemplos de recursos dilapidados en "consumo conspicuo": durante el boom del salitre las importaciones de bienes de consumo como vinos, joyas, vestuario y perfumes alcanzaron casi el doble de las de maquinaria industrial y agrícola por varios años[23].

En conclusión, el auge de las exportaciones salitreras dio un gran impulso al sector externo chileno, transformándose en el motor del crecimiento y generando dos cambios estructurales fundamentales en la economía chilena. Primero, los inversionistas extranjeros llegaron a ser agentes importantes, principalmente en el sector minero exportador. Segundo, a pesar de la ideología predominante del *laissez-faire*, el gobierno empezó a adquirir un papel cada vez más protagónico en la economía, debido a los grandes ingresos tributarios generados por las exportaciones salitreras.

El ciclo del cobre (1920-1971)

A pesar de que el cobre nunca tuvo la importancia económica relativa del salitre, el control de la Gran Minería del Cobre (GMC) por parte de empresas norteamericanas generó un conflicto político y económico creciente entre el gobierno chileno y las empresas norteamericanas (e implícitamente con el gobierno norteamericano), que se extendió incluso más allá de la nacionalización de 1971.

El cobre era ya uno de los principales productos chilenos de exportación durante la primera mitad del siglo XIX. La producción chilena de cobre provenía de un gran número de pequeñas minas, ninguna de las cuales producía más de 20.000 toneladas por año. El cobre de estos yacimientos menores era de muy alta ley (a menudo alcanzaba al 10%)[24]; la tecnología utilizada entonces era muy rudimentaria y altamente intensiva en trabajo. El cobre se usaba principalmente para utensilios de cocina y en algunos trabajos de construcción. Hacia fines del siglo XIX y comienzos del XX, se produjo un brusco aumento de la demanda mundial, debido a la aparición de la industria eléctrica y la expansión del sector de la construcción. Al mismo tiempo, una importante innovación tecnológica en Estados Unidos hizo rentable la explotación en gran escala de minerales con bajo contenido de cobre (1%-2%). Esta nueva tecnología era altamente intensiva en capital.

Firmas norteamericanas iniciaron inversiones en la mina subterránea más grande del mundo, El Teniente, en 1904; y en la mina a tajo abierto más grande del mundo, Chuquicamata, en 1911[25]. La inversión inicial en Chuquicamata fue de alrededor de US$ 125 millones, y la producción en ambas minas se expandió rápidamente: hacia 1924, El Teniente estaba produciendo 78.000 toneladas al año, y Chuquicamata producía 107.000[26]. Es decir, en 10 a 15 años las dos grandes minas de cobre estaban aportando el 80% de la producción total de cobre de Chile.

Desde entonces (hasta 1980), la producción de la GMC ha representado del 80% al 90% de las exportaciones chilenas de cobre.

Nuevamente podemos preguntarnos las razones por las que firmas extranjeras explotaron este recurso. La respuesta parece similar a la del caso del salitre. Aunque existían productores chilenos de cobre, y recursos nacionales de inversión generados por las exportaciones salitreras, la explotación de grandes minas requería inversiones relativamente mayores y la utilización de una tecnología moderna que los productores chilenos desconocían. Además, la inversión en gran escala en la minería del cobre es una actividad que requiere de muchos años de espera para los retornos del capital invertido, una diferencia notable con respecto al proceso conocido en la explotación del salitre[27]. En síntesis, no había empresarios nacionales capaces de iniciar grandes explotaciones en la minería del cobre, y que tuvieran la paciencia para esperar el lento retorno de la inversión. Una hipótesis alternativa enfatizaría la inexistencia de un mercado de capitales de largo plazo al cual pudieran tener acceso los empresarios nacionales; ello constituiría un elemento central en la ausencia de empresarios nacionales en una actividad de gran envergadura y lenta maduración como la GMC[28].

El cuadro 1.4 señala la proporción de las utilidades brutas de la producción de la gran minería del cobre que quedó retenido en Chile. Se pueden distinguir tres períodos. Antes de 1925, prevalecía una actitud de *laissez-faire*. Las exportaciones salitreras proporcionaban suficientes ingresos al gobierno durante la época en que las exportaciones de cobre se estaban expandiendo lentamente. Dado el alto monto de la inversión realizada por las firmas norteamericanas en la producción de la GMC, la tributación a este metal se mantuvo muy baja, en menos de 1% de las ventas totales; por otra parte, debido a la baja intensidad relativa de mano de obra utilizada en la GMC (ver cuadro 1.5) y a su uso intensivo de insumos importados, la participación chilena en la producción de la GMC era cercana al 11%[29].

Durante el período 1925-60, el gobierno chileno comenzó a utilizar distintos mecanismos para incrementar su participación en la producción de la GMC. Pero la explotación de ésta encaja de manera muy nítida dentro de la hipótesis del enclave, por lo que una preocupación primordial, especialmente tras la declina-

CUADRO 1.4. PORCENTAJE RETENIDO POR CHILE DE LAS UTILIDADES
BRUTAS DE LA PRODUCCIÓN DE LA GRAN MINERÍA DEL
COBRE, 1925-1971 (PORCENTAJE)*

Antes de 1925	1925-40	1941-51	1952-60	1961-70	1971
Alrededor de 11	38	58	61	66	(nacionalización)

Fuentes: 1925-1951: Reynolds (1965).
1952-1970: Ffrench-Davis (1974).
* El porcentaje corresponde a la mediana del porcentaje anual de cada período.

CUADRO 1.5. PARTICIPACIÓN CHILENA E IMPORTANCIA RELATIVA
DE LA GRAN MINERÍA DEL COBRE EN LA ECONOMÍA
CHILENA, 1925-1970 (PROMEDIO ANUAL DE CADA PERÍODO)

	Componentes de la participación chilena			Participación relativa de la Gran Minería del Cobre en:		
	Costos de insumos internos		Impuestos	Tributación total	Exportación total	
	Costos laborales	Costo total de insumos internos (% c/r a la partic. chilena)			Particip. relativa de las exportaciones	Monto
	(1)	(2)	(3)	(%) (4)	(%) (5)	(MM de US$) (6)
1925-29		68,5	31,5	4,5	27,4	127,9
1930-34		5,0	15,0	1,8	25,3	57,5
1935-39		62,4	37,6	4,8	29,3	66,8
1940-44		51,3	48,7	12,2	39,6	121,4
1945-49		57,8	42,2	16,2	50,5	265,0
1950-54	4,4	35,4	64,6	26,5	50,2	382,7
1955-59	6,4	40,1	59,9	26,3	59,8	439,2
1960-64	6,5	53,5	46,5	15,2	56,2	505,7
1965-70	4,1	44,8	55,2	19,9	56,6	936,9

Fuentes: 1925-1951: Mamalakis y Reynolds (1965).
1952-1970: Ffrench-Davis (1974).
(5) y (6) 1925-1935: Palma (1979).
1936-1943: Mamalakis y Reynolds (1965).
1944-1960: Universidad de Chile.
1961-1970: Indicadores Económicos, Banco Central.

ción de las exportaciones salitreras, fue tratar de reducir dichas características: ¿cómo conectar la GMC a la economía chilena, y cómo utilizar los excedentes generados por el cobre para impulsar el desarrollo económico? Por las características de la tecnología utilizada en la GMC, la tributación constituía el principal mecanismo para aumentar la participación chilena por lo que, en ese período, el gobierno chileno empezó a aumentar los im-

33

puestos a la producción de la gran minería del cobre. Durante la década de 1950, la tributación representó alrededor del 60% de la participación chilena en las exportaciones de la GMC, y la tasa promedio de impuestos sobre las exportaciones de la GMC fue cercana al 38%. Así, Chile captó en esa época el 61% de las utilidades brutas de las exportaciones de la GMC (cuadro 1.4).

Otro mecanismo para incrementar la participación chilena estaba vinculado a los costos salariales. De hecho, los trabajadores de la GMC han tenido desde el comienzo una remuneración relativa superior a la del resto de los trabajadores chilenos[30]; en 1924, la aplicación de un sistema comprensivo de legislación laboral y el surgimiento de sindicatos aumentó los costos laborales de la GMC, pero los efectos cuantitativos globales fueron bajos ya que menos del 1% de la fuerza de trabajo laboraba en esta actividad (ver cuadro 1.5). Además, debido al nivel tecnológico relativamente atrasado de la industria chilena, era difícil establecer una política de "comprar insumos locales".

Durante los años 50 surgió la preocupación de que las firmas norteamericanas no estuvieran expandiendo la producción de cobre chileno en concordancia con los objetivos nacionales. Se agregó entonces otro elemento a las negociaciones entre el gobierno chileno y las firmas norteamericanas: el aumento de la inversión. La lenta tasa de inversión de las empresas norteamericanas, junto con la percepción de que las divisas eran el principal cuello de botella para el desarrollo chileno (y la idea de que mayores exportaciones de cobre podían eliminar ese obstáculo), sugerían la existencia de una disparidad de objetivos entre Chile y las compañías norteamericanas. Aunque la participación nacional en las exportaciones de la GMC aumentó a 66% durante la década de 1960 (el nivel más alto registrado hasta entonces), ello no se consideró suficiente (cuadro 1.4). Se pensaba que el cobre era demasiado importante para el desarrollo de Chile como para que estuviera bajo control extranjero. De este modo, la cuestión de la participación chilena en las decisiones referentes a la producción y la inversión se transformó en el tema fundamental del proceso de negociación entre el gobierno chileno y las firmas norteamericanas de la GMC.

Las exportaciones de la GMC han adquirido una importancia creciente en la economía chilena. Desde 1945, han representado

GRAFICO Nº 1.5.   EXPORTACIONES DE LA GRAN MINERIA DEL COBRE
Y TOTALES, 1925-1965 (PROMEDIO ANUAL)

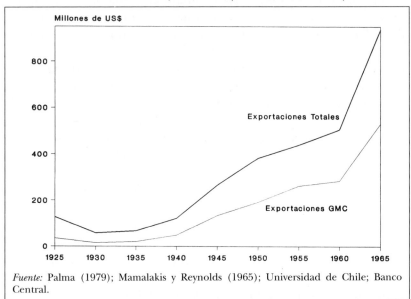

Fuente: Palma (1979); Mamalakis y Reynolds (1965); Universidad de Chile; Banco Central.

GRAFICO Nº 1.6.   TRIBUTACION DE LA GRAN MINERIA DEL COBRE,
1925-1965 (% RESPECTO A TRIBUTACION TOTAL)

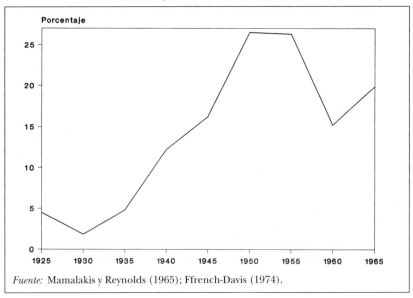

Fuente: Mamalakis y Reynolds (1965); Ffrench-Davis (1974).

más del 50% de las exportaciones totales (y aún cerca del 60% en el período 1955-59)[31]. La tributación a esta actividad aportó más del 26% de la recaudación total del gobierno en la década de 1950 (gráficos 1.5 y 1.6). Esta participación bajó a alrededor de 20% en la segunda mitad de la década de 1960, debido a un incremento del esfuerzo impositivo interno[32]. La importancia relativa de las exportaciones de la GMC en el PGB total fluctuó entre 6% y 9% en el período 1950-1970[33].

Es interesante observar más de cerca las políticas chilenas respecto a la GMC[34]. Como hemos visto, la tributación fue el principal mecanismo utilizado para extraer el excedente económico de las firmas norteamericanas, siendo los impuestos directos a las utilidades el instrumento más importante. También se usó el tipo de cambio como mecanismo impositivo. Los modos en que el tipo de cambio desempeñó esta función tributaria fueron varios: la apreciación del tipo de cambio se convirtió en una forma de que las firmas extranjeras que controlaban el sector exportador transfirieran recursos a la economía nacional; se aplicó también un sistema cambiario dual, con un tipo de cambio especial (más sobrevaluado) para las exportaciones de cobre, lo que generaba una mayor transferencia. Los gastos operacionales de las firmas de la GMC requerían la venta de divisas al Banco Central a cambio de moneda nacional, y para este fin se utilizaba el tipo de cambio especial para las exportaciones de cobre. Esto explica el uso del tipo de cambio para un propósito distinto que el de constituir un mecanismo para la asignación de recursos entre bienes transables y no transables.

Por otra parte, y para compensar lo anterior, la producción de transables para la economía interna estaba protegida por un complejo sistema de aranceles altos. Este tipo de política podría justificarse dentro del marco de referencia del "síndrome holandés", en el que el recurso natural exportado, de muy alta productividad relativa, se somete a tributación al tiempo que se le aísla del resto de la economía. Para evitar la desindustrialización, se otorgan subsidios a los demás sectores que producen transables, mediante protección arancelaria. Sin embargo, no parece haber habido ningún análisis que sugiriera el nivel de protección requerido para compensar la desprotección generada por la apreciación del tipo de cambio; además, este tipo de política obviamente desincentiva la producción de nuevos bienes exportables. Estas políticas de comercio exterior crearon importantes distorsiones en la economía chilena.

Se han formulado severas críticas a los gobiernos chilenos por no haber desarrollado una política clara respecto del cobre[35]. Hasta 1955, hubo falta de información sobre el cobre chileno y el papel que desempeñaba en el mundo en general; se decía, con razón, que era posible "aprender más sobre el cobre chileno en las bibliotecas del extranjero que en las nacionales". La información estadística era escasa y las compañías norteamericanas restringían el acceso a sus datos por razones de confidencialidad. Existía muy poca o ninguna discusión sobre la estrategia más apropiada para la explotación del cobre de acuerdo con objetivos nacionales. Se registraba también una absoluta despreocupación respecto del desarrollo de capital humano nacional, esto es, no existía una capacitación de ingenieros y técnicos especializados en el cobre. Sólo en 1955 se creó el Departamento del Cobre, para supervisar las operaciones de las firmas norteamericanas de la GMC y recopilar estadísticas sobre producción física, precios, tributación, utilidades y otros ítemes. De allí surge una tecnocracia de profesionales chilenos, ingenieros, economistas, contadores y abogados, los que progresivamente fueron capaces de analizar y verificar las planillas contables, los balances y la información económica de las compañías norteamericanas. En la década de 1960, la experiencia y la competencia del capital humano chileno habían crecido considerablemente; en este período, la mayor parte de los empleados de las firmas norteamericanas de la GMC ya eran chilenos. Por ejemplo, en la Kennecott (El Teniente) había sólo 10 extranjeros en una planta de 10.000 trabajadores, incluyendo empleados y obreros, gerentes, profesionales y técnicos[36].

Aparentemente, habrían sido necesarios cuarenta años para desarrollar una capacidad nacional de análisis del papel del cobre y formar profesionales y técnicos chilenos en la gestión de la GMC. Pero, siendo más preciso, el que los gobiernos chilenos tomaran conciencia de que el país debía crear esa capacidad demoró alrededor de treinta años (1925-1955); los diez años restantes fueron los requeridos para entrenar a los especialistas nacionales. Este lento proceso de toma de conciencia es una clara señal de subdesarrollo. Un ambiente de *laissez-faire* "justificó" durante largo tiempo la indiferencia de los gobiernos hacia la necesidad de formar especialistas chilenos en el cobre. Tal actitud respondía a la lógica siguiente: si las firmas norteamericanas necesitan tecnólogos del cobre, ellas deben resolver "su propio problema"[37].

La relación entre las empresas norteamericanas de la GMC y los gobiernos chilenos experimenta continuos cambios a través del tiempo. Veremos dos aspectos específicos: el poder de negociación y la distribución relativa de las utilidades.[38]

En cuanto al poder relativo de negociación, es posible señalar que las empresas norteamericanas tenían un alto poder de negociación en la etapa previa al proceso de inversión, pero una vez que dicha inversión se materializa y la producción alcanza un nivel proyectado y estable, comienza un lento desplazamiento en los poderes relativos de negociación. Las empresas norteamericanas tratan de mantener su alto poder relativo de negociación a través de la exclusión de especialistas chilenos en las funciones técnicas y gerenciales. En ello, como se ha dicho, hay una cierta cuota de responsabilidad de los gobiernos chilenos por no haber dispuesto que profesionales chilenos adquirieran ese tipo de habilidades. Por otro lado, las empresas norteamericanas controlan y restringen el acceso a su información estadística. Nuevamente, los gobiernos chilenos reaccionan demasiado lentamente para generar su propia información estadística básica sobre la industria cuprífera chilena. Los gobiernos chilenos concentraron la mayor parte de su esfuerzo negociador en incrementar las tasas tributarias pagadas por las compañías norteamericanas. Sin embargo, la actitud implícita –y a veces explícita– del gobierno norteamericano en apoyo de sus empresarios actuó como una especie de freno a la presión que podían ejercer los gobiernos chilenos sobre éstos[39].

Con respecto a la distribución de utilidades, hubo una percepción cambiante de lo que era una "distribución equitativa" del excedente de la GMC entre las compañías norteamericanas y el gobierno chileno[40]. Las remesas de utilidades y amortización del capital de estas compañías representaron el 1%-2% del PGB en el período 1950-1970[41], y se las consideraba relativamente altas en relación a la disponibilidad interna de recursos para la

CUADRO 1.6.   INVERSIÓN Y TASA DE RETORNO DE LAS COMPAÑÍAS
NORTEAMERICANAS MULTINACIONALES DEL COBRE
(ANACONDA Y KENNECOTT), 1945-1965

	Retorno sobre activos (promedio anual) (porcentaje)		Inversión (total del período) (US$ millones)	
	Chile	Resto del mundo	Chile	Total mundial
1945-50			35	195
1950-55	19,0	9,0	115	344
1955-60	25,9	9,5	168	519
1960-65	14,8	4,8	82	422

Fuente: Los datos básicos provienen de Morán (1974). Se ha usado un procedimiento promedio, ponderando en 60% las cifras de Anaconda y en 40% las de Kennecott. La Kennecott tiene tasas de retorno más altas en Chile y en otras partes, con lo cual el procedimiento adoptado tiende a subestimar los valores resultantes para Chile.

inversión. Dado que la inversión interna total era de alrededor del 20% del PGB, las remesas de utilidades de las firmas norteamericanas ascendían a cerca del 10% de los ahorros brutos.

Por otra parte, la rentabilidad de estas empresas en Chile era mucho más alta que en otras partes. Durante la década de 1950, las tasas de retorno de las multinacionales del cobre norteamericanas fueron de por lo menos 19% al año en Chile, mientras que en otras regiones obtenían menos de 10%. Las tasas de retorno anual para el período 1960-1965 fueron de 14,8% en Chile y de 4,8% en otras partes (ver cuadro 1.6). En consecuencia, no estaba claro por qué los niveles de inversión de las compañías norteamericanas fueran más bajos en Chile que en otras regiones. Los gobiernos chilenos sostenían que se estaba perdiendo participación en la producción mundial. De hecho, la participación chilena en la producción mundial de cobre declinó desde 21% (1945-49) a 15% (1950-59) y 14% (1960-70). Sin embargo, debe recordarse que la revolución cubana creó un ambiente desfavorable para la inversión norteamericana en toda América Latina durante la década de 1960, lo que podría ser una explicación parcial para esas tasas de inversión decrecientes.

Parece haber una profecía autocumplida en el patrón de inversiones de las multinacionales norteamericanas del cobre en Chile. Viendo la creciente participación de los impuestos chilenos en la renta del cobre, éstas pueden haber restringido su inversión intentando retirar las más altas utilidades mientras fuera posible. Esto condujo a su vez a una tributación más alta y, finalmente, a la conflictiva nacionalización de 1971. ¿Pudieron las cosas haber sido diferentes? El proceso de nacionalización del petróleo venezolano fue relativamente moderado. ¿Pudo haberse logrado una nacionalización del cobre chileno tan moderada como la venezolana?, ¿o fue la nacionalización venezolana tan moderada porque sus protagonistas aprendieron la lección del conflictivo proceso de nacionalización chileno?[42]

Aparte de la nacionalización de la GMC, hay varios otros episodios de intervención del gobierno norteamericano en la economía chilena vinculados al cobre[43]. En primer lugar, durante la Gran Depresión (1932), el gobierno norteamericano estableció un impuesto suntuario de 4 centavos de dólar por libra de cobre importada; dado el precio internacional del cobre en aquel entonces, este impuesto era equivalente a una tasa *ad valorem* del 70% a las importaciones cupríferas. Las importaciones norteamericanas de cobre se redujeron desde 87.000 toneladas (1931) a 5.000 toneladas (1933); las exportaciones chilenas de la GMC, que alcanzaban a US$ 35 millones anuales en el período 1925-29 (ver cuadro 1.5) se reducen a US$ 8 millones en 1933 y a un promedio anual inferior a US$ 20 millones anuales durante el resto de la década del 30. Durante la Segunda Guerra Mundial, además, un acuerdo norteamericano-chileno (1942) impuso un precio tope de 12 ¢/libra de cobre. Como compensación, el gobierno norteamericano estuvo de acuerdo en eliminar el impuesto suntuario antes señalado, pero éste fue efectivamente eliminado sólo en 1946. La cota de 12 ¢/libra estuvo vigente hasta ese mismo año, y la pérdida económica experimentada por Chile debido a este control de precios ha sido estimada en cerca de US$ 300 millones[44], esto es, cerca del 5% del PGB durante un período de 5 años. También durante la Segunda Guerra Mundial, las reservas internacionales chilenas depositadas en los bancos norteamericanos (cerca del 7% del PGB) fueron congeladas hasta 1946. El acceso a estas reservas internacionales fue permitido sólo después de que fueran descongelados los precios de la economía norteamericana, lo cual obviamente deterioró el poder adquisitivo de las reservas. En cuarto lugar, durante la Guerra de Corea (1950), el gobierno norteamericano fijó el precio del cobre en 24,5 ¢/libra. Hasta entonces, eran las empresas norteamericanas de la GMC las que efectuaban las operaciones de comercialización y venta del cobre. En 1952, el gobierno chileno decidió hacerse cargo de ello comprando la producción de las empresas norteamericanas al precio (reducido) del mercado de Nueva York y vendiéndola al precio del mercado mundial, una operación que le generó una ganancia de US$ 190 millones en el período 1952-55.

Este tipo de comportamiento del gobierno norteamericano indujo en Chile a la generalizada apreciación de que el libre comercio y el sistema de precios libres se aplicaban sólo cuando eran convenientes para la economía norteamericana..., pero se suspendían cuando podían beneficiar a la economía chilena. Chile tenía que absorber los costos relacionados con precios del cobre deprimidos pero no podía aprovechar convenientemente los precios en períodos de auge. Este es uno de los elementos que enfatizan los cientistas sociales latinoamericanos de la teoría de la dependencia.

Principales lecciones de las experiencias del salitre y del cobre

El cuadro 1.7 presenta una comparación de la importancia relativa del salitre y del cobre (GMC) en la economía chilena durante sus respectivos períodos *peak*. Todos los indicadores muestran una importancia relativa mucho mayor de las exportaciones salitreras, principalmente por el hecho de que éstas representaron alrededor del 30% del PGB, mientras que las exportaciones de la GMC constituían alrededor del 8%. Sin embargo, el relativamente bajo PGB de la era del salitre sobreestima la importancia del nitrato, en comparación con las exportaciones cupríferas. De hecho, en términos de dólares de igual valor adquisitivo, las exportaciones anuales de la GMC durante el período 1950-1970 fueron similares a las exportaciones anuales del salitre durante el período 1900-1920[45].

En ambos casos se ha sostenido que las fluctuaciones de la exportación han generado inestabilidad en la balanza de pagos y en los ingresos del gobierno. En los períodos pertinentes de este

CUADRO 1.7.   COMPARACIÓN DE LA IMPORTANCIA RELATIVA DEL SALITRE
Y DEL COBRE (GMC) EN LA ECONOMÍA CHILENA
(PORCENTAJE)

	Participación de las exportaciones en el PGB (1)	Participación en las exportaciones totales (2)	Participación en los impuestos totales PGB (3)	Utilidades extranjeras como % del PGB (4)
Salitre 1900-20	25 a 35	65 a 80	45 a 53	5 a 7
Cobre (GMC) 1950-70	7 a 9	55 a 65	15 a 30	1 a 2

Fuentes: Palma (1979); Reynolds (1965); Mamalakis (1971); Ffrench-Davis (1974).

estudio, los precios mundiales del nitrato fueron relativamente estables[46], no así los precios del cobre; sin embargo, el valor de las exportaciones de ambas materias primas ha tenido en promedio una evolución relativamente estable. Pero, en realidad, para la evolución macroeconómica de corto plazo interesan más las fluctuaciones anuales que los valores promedio con evolución estable en una década. Para visualizar el efecto macroeconómico de las fluctuaciones anuales, se ha realizado el siguiente análisis empírico. Supongamos que se hubiera conocido previamente la evolución futura promedio del salitre (en el período 1885-1915) y el cobre (en el período 1940-1970)[47]. Midiendo las fluctuaciones anuales de las respectivas exportaciones con respecto a dicha tendencia teórica anual, se observa que: 1) en el caso del salitre, en 2 de cada 3 años las exportaciones de nitrato presentan desviaciones con respecto a la tendencia promedio superiores al 10%; suponiendo constante el valor del resto de las exportaciones, esto genera fluctuaciones superiores al 10% (con respecto a la tendencia) para el total de las exportaciones chilenas en 1 de cada 3 años. Con respecto al impacto fiscal, se observan fluctuaciones en cuanto a la tendencia promedio de las recaudaciones tributarias del salitre superiores al 20% en 2 de cada 5 años. 2) En el caso del cobre, en 1 de cada 2 años las exportaciones cupríferas presentan desviaciones con respecto a la tendencia promedio superiores al 20%. Con respecto al impacto fiscal, se observan fluctuaciones en relación a la tendencia promedio de las recaudaciones tributarias del cobre superiores al 20% para 1 de cada 2 años; incluso para 1 de cada 6 años las fluctuaciones son superiores al 40%. Suponiendo constante (para el año respectivo) el monto del resto de la recaudación tributaria, esto genera fluctuaciones superiores al 5% (con respecto a la tendencia) en la recaudación tributaria total en 3 de cada 7 años (ver anexo estadístico).

Luego, efectivamente las fluctuaciones anuales del valor de las exportaciones salitreras y cupríferas generaron desequilibrios macroeconómicos fiscales y externos no anticipables; además, los shocks externos tuvieron efectos monetarios que, combinados con desequilibrios fiscales que poseen componentes de gastos (asimétricos –flexibles al alza pero rígidos a la baja– y crecientes) de alta rigidez, han sido factores fundamentales en la generación del persistente fenómeno inflacionario que ha acompañado a la economía chilena en los últimos 110 años. Durante la casi totalidad de este largo período, los gobiernos chilenos no adoptaron medidas de política económica para neutralizar el impacto de estos shocks externos[48].

Para la era del salitre no es posible rechazar la hipótesis nula de términos de intercambio sin tendencia[49]; por otra parte, el gráfico 1.7 muestra la evolución del precio internacional del salitre, la que tampoco exhibe una tendencia declinante. Durante el período de la GMC controlada por empresas extranjeras, se observa en cambio una clara evolución positiva de los términos de intercambio[50], y el gráfico 1.8 muestra la evolución positiva del precio internacional del cobre.

En síntesis, de la hipótesis central de la CEPAL en torno a que las economías latinoamericanas monoexportadoras de materias primas estarían expuestas a dos graves problemas (el deterioro de los términos de intercambio y la inestabilidad del valor de sus exportaciones), sólo sería aplicable en el caso chileno el segundo problema. Para abordarlo, como se señaló previamente, el análisis debería concentrarse en los aspectos macroeconómicos de corto plazo; al asignarle prioridad exclusiva al primer problema, el análisis de la CEPAL se concentra en el largo plazo ("desarrollo hacia afuera" versus "desarrollo hacia adentro"), ignorando así el

GRAFICO Nº 1.7.   TERMINOS DE INTERCAMBIO Y PRECIO DEL SALITRE, 1885-1915

GRAFICO Nº 1.7.a.   EVOLUCION DE LOS TERMINOS DE INTERCAMBIO, 1885-1915

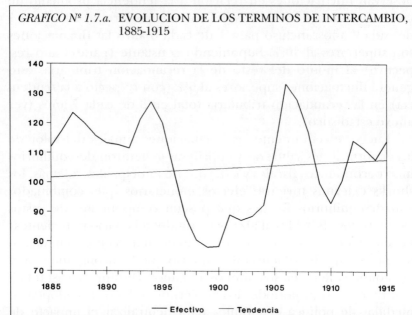

GRAFICO Nº 1.7.b.   EVOLUCION DEL PRECIO DEL SALITRE, 1885-1915

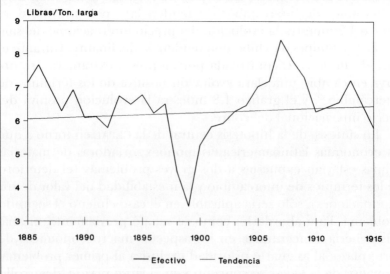

Fuente: Palma (1979), Mamalakis (1971); Cariola y Sunkel (1982).

GRAFICO Nº 1.8. TERMINOS DE INTERCAMBIO Y PRECIO DEL COBRE, 1940-1970

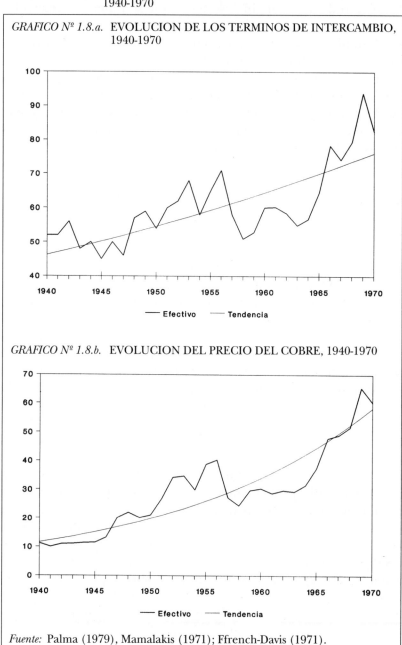

GRAFICO Nº 1.8.a. EVOLUCION DE LOS TERMINOS DE INTERCAMBIO, 1940-1970

GRAFICO Nº 1.8.b. EVOLUCION DEL PRECIO DEL COBRE, 1940-1970

Fuente: Palma (1979), Mamalakis (1971); Ffrench-Davis (1971).

45

problema crucial de corto plazo. Además, a nuestro juicio el planteamiento de la CEPAL, incluso en lo que se refiere al desarrollo de largo plazo, no aborda realmente los efectos generados por el predominio de una materia prima en la canasta de exportaciones, como sucedió en el caso chileno.

El fin del boom salitrero se vincula a la aparición del nitrato sintético, producto que por su costo relativamente menor desplazó al nitrato natural chileno del mercado mundial. El error chileno, en ese contexto, consistió en haber basado casi todo el progreso del desarrollo nacional en las exportaciones salitreras[51]; el papel predominante desempeñado por el salitre en la economía chilena, y la característica casi monoexportadora del país, generaron una economía altamente vulnerable. Pero, a pesar de los problemas de inestabilidad de las exportaciones salitreras, y del aspecto fantasmal que adquirieron las ciudades nortinas después del colapso, Chile dio un paso importante en su trayectoria de desarrollo gracias a las exportaciones de nitrato. A principios del siglo XX, pasó a estar entre los países económicamente más avanzados de América Latina, después de haber sido uno de los más atrasados[52].

En el caso del cobre, el principal problema se relaciona con la profunda discrepancia entre las empresas norteamericanas y el gobierno chileno respecto de las decisiones de inversión y de expansión de la producción. Durante el período 1950-1970, la GMC, bajo control de las firmas norteamericanas, registró una tasa anual de crecimiento de la producción inferior a 2%; después de la nacionalización, entre 1971 y 1989, esta tasa fue mayor del 4%.

La explotación del salitre y de la GMC por inversionistas extranjeros se dio principalmente por la ausencia de empresarios nacionales que pudieran dedicarse a esas operaciones de gran escala. Desde la perspectiva chilena, la inversión extranjera era la mejor alternativa disponible en ese momento. Además, la hipótesis del enclave subestima los efectos de desarrollo derivados para Chile de las exportaciones de nitrato y cobre bajo control extranjero[53]. Sin embargo, si los gobiernos chilenos hubieran adoptado una actitud más activa, conducente a un desarrollo más temprano del capital humano y de la capacidad empresarial nacional, la economía chilena podría haber obtenido una participación mayor en el excedente generado por el sector exportador de recursos naturales.

El control del sector productivo más importante de la economía chilena por parte de inversionistas extranjeros introdujo en Chile el concepto de "nacionalización" ya a comienzos del siglo XX[54]. Sin embargo, entonces la nacionalización implicaba el control de las principales actividades productivas por parte del sector privado chileno. La prolongada presencia norteamericana en la GMC puede haber constituido el chivo expiatorio para los problemas internos; un ejemplo de ello lo constituye la tributación a las exportaciones, que posterga reformas básicas vinculadas a la estructura tributaria. Desde el punto de vista político, se estima preferible que tributen los extranjeros a los nacionales, pues son éstos quienes participan en las elecciones.

Por otra parte, las repetidas interferencias del gobierno norteamericano en el mercado del cobre proporcionaron elementos y estímulos a quienes postulaban la autonomía política y económica. A nivel conceptual, fueron el sustento de la teoría de la dependencia, la cual plantea, durante la década del 60, que América Latina no debe ser un peón en la confrontación Este-Oeste: los latinoamericanos debían decidir su propio destino. "Dependencia" implicaba que América Latina era dependiente de Estados Unidos; luego la "independencia" suponía cortar dichos vínculos[55]. Hubo algunos que, en una extraña argumentación lógica, sugirieron cambiar la "dependencia norteamericana" por la "dependencia soviética". Esto genera a nivel latinoamericano un entorno hostil a la inversión extranjera, especialmente norteamericana, y termina en las experiencias de nacionalización de la década del 70.

INDUSTRIALIZACION Y FUNCION DEL ESTADO (1930-1973)

El impacto de la Gran Depresión de los años 30 sobre la economía chilena fue tan severo que produjo un cambio completo en el patrón de desarrollo: el "desarrollo orientado hacia adentro" reemplazó al "desarrollo orientado hacia afuera". La industrialización pasó a ser considerada la fórmula para desarrollar la economía nacional, transformándose en el motor del crecimiento, y la industrialización basada en la sustitución de importaciones (ISI) marcó la primera etapa de este nuevo proceso de desarrollo.

Debido a la reacción relativamente lenta del sector privado, y a la percepción generalizada de que grandes industrias básicas en sectores claves de insumos energéticos e intermedios eran un prerrequisito para el éxito de una ISI, el Estado comenzó a adquirir un papel de creciente importancia en el proceso económico.

El impacto de la Gran Depresión

Un informe de la Liga de las Naciones demostró que Chile fue el país más golpeado por la Gran Depresión. Tomando como referencia el promedio de los años 1927-1929, la situación económica en 1932 (el año en que la economía chilena llegó al fondo de la depresión) era la siguiente: el PGB cae en un 38,3%; el nivel de exportaciones e importaciones se reduce en 78,3% y 83,5%, respectivamente; el PGB per cápita desciende a cerca de un 60% del nivel de 1927-1929; los volúmenes de exportación de nitrato y cobre caen casi 70%, y los precios internacionales de estos productos se reducen a cerca del 60% y del 70%, respectivamente (ver cuadro 1.8).

La recuperación fue rápida, al menos para las variables internas. Hacia 1938, el PGB había remontado al nivel que tenía antes de la depresión, aunque el PGB per cápita era todavía un 6% inferior[56]. Las variables relativas al sector externo se recuperaron más lentamente: las exportaciones estaban alrededor del 70% de los valores pre-depresión; la recuperación de las importaciones fue incluso más lenta, alcanzando sólo el 40% del nivel anterior.

La severidad de la Gran Depresión se relaciona con la gran magnitud de los shocks externos. Sin embargo, la política nacional magnificó los efectos internos: el dogmatismo económico llevó a Chile a mantener el patrón oro y la plena convertibilidad aún después de que se habían abolido en el Reino Unido. Díaz-Alejandro (1982) señala que aquellos países latinoamericanos que aplicaron rápidamente políticas heterodoxas resultaron menos afectados que aquellos que se mantuvieron apegados a sus políticas ortodoxas hasta el final. Pero incluso aquellas eco-

CUADRO 1.8. IMPACTO DE LA GRAN DEPRESIÓN SOBRE LA ECONOMÍA
CHILENA (PORCENTAJE)

	Situación en el año 1932 c/r a		Situación en el año 1938 c/r a	
	1929[a]	1927-29[b]	1929[a]	1927-29[b]
PGB	-45,8	-38,3	-7,3	+5,5
Exportaciones	-81,4	-78,3	-38,4	-28,2
Precios exportación salitre	-59,0	-61,1	-45,2	-48,0
Volumen exportación salitre	-78,5	-74,0	-56,8	-47,7
Precios exportación cobre	-69,3	-63,4	-44,8	-34,3
Volumen exportación cobre	-71,4	-68,6	-10,1	-1,2
Importaciones	-86,8	-83,5	-68,7	-60,7
PGB/Cápita	-48,2	-42,0	-16,1	- 6,0

Fuente: Sáez (1989). Ver ese trabajo para las referencias de datos básicos.
Nota: Las cifras que se muestran corresponden al porcentaje de variación con respecto al
nivel de referencia, esto es, un -45,8% para el PGB significa que el PGB de 1932 cayó
45,8% con respecto al nivel 100 de 1929.
[a] (1929 = 100).
[b] (Promedio 1927-29 = 100).

nomías con una tradición dogmática ortodoxa como la chilena
debieron violar principios básicos. En efecto, era absurdo mantener la convertibilidad plena y el patrón oro cuando las reservas
internacionales del Banco Central se estaban acabando y se había detenido el flujo de crédito externo. También resultaba absurdo equilibrar el presupuesto fiscal cuando había una severa
contracción del sector externo, la principal fuente de recaudación tributaria[57].

La Gran Depresión condujo al brusco abandono de la estrategia orientada a la exportación de recursos naturales y de las
políticas de *laissez-faire*. Ello no obedeció a una motivación ideológica, sino que fue una imposición de la naturaleza y gravedad
de los problemas económicos generados por la Gran Depresión:
seguir apoyándose en las exportaciones (del nitrato o el cobre)
como el sector líder que mantuviera en movimiento la economía
nacional, no era ya posible. El efecto perjudicial de los shocks
externos evidenciaba cuán vulnerable era la economía chilena.
En consecuencia, de acuerdo al entorno internacional de la época, las prioridades del desarrollo tendrían que orientarse hacia
los sectores que producían para el mercado interno.

Mientras los países desarrollados emergían de la Gran Depresión con la meta de evitar grandes desempleos, los países latinoamericanos parecían haber decidido reducir su dependencia del sector externo. Una de las consecuencias de este proceso fue el cambio gradual del papel de los gobiernos en la esfera macroeconómica, desde el liberalismo al restriccionismo, y desde el restriccionismo al intervencionismo. Además, el sector público se transformó en un agente productivo importante conectado a la evolución de largo plazo.

Industrialización basada en la sustitución de importaciones

Revisemos esquemáticamente la estrategia de la ISI. Algunos países latinoamericanos, entre ellos Chile, siguieron esa estrategia ya en la década de 1930, *antes* de que se formularan, en los años 50, el marco conceptual y las recomendaciones de política de la CEPAL[58]. Los comienzos de la ISI fueron inducidos desde el exterior. La Primera Guerra Mundial, la Gran Depresión y la Segunda Guerra Mundial crearon una aguda escasez de productos importados, cuyos precios relativos subieron, aumentando así la rentabilidad de la inversión en la ISI. Particularmente durante la Gran Depresión, la enorme contracción de las importaciones creó un vacío que permaneció aun cuando la demanda local disminuyó: la ISI vino a llenar ese vacío. Esta primera etapa fue generada por incentivos de mercado: los precios y los diferenciales de utilidad fueron los mecanismos que canalizaron recursos hacia las manufacturas.

En la segunda etapa de la ISI los gobiernos jugaron un papel más activo. Las estrategias latinoamericanas de desarrollo buscaban alcanzar dos objetivos: independencia económica respecto de los mercados mundiales y reducción de la vulnerabilidad externa. La ISI era el modo más fácil de alcanzar estos dos objetivos. De hecho, antes de la década de 1960 se creía que era el único mecanismo conducente a la industrialización; la industria naciente debía ser protegida. Este había sido el patrón de desarrollo de los países industriales en el siglo XIX. Los principales instrumentos utilizados para promover esta estrategia fueron una alta protección arancelaria, incentivos especiales a las manufacturas mediante crédito barato y acceso especial a las divisas e inversión pública en infraestructura, orientada a complementar la producción industrial.

La racionalidad de la ISI es la siguiente: este es un proceso que se autosustenta, la ISI genera automáticamente más ISI. Se comienza con la producción de bienes de uso final (etapa fácil); luego, a través de los eslabonamientos (*linkages*) hacia atrás se incorpora la producción de insumos industriales, para finalizar con la producción de maquinaria y bienes de capital (etapa difícil de la ISI).

La promoción de la industria manufacturera fue indiscriminada, es decir, no hubo ningún intento de orientar los incentivos hacia aquellas industrias que poseyeran ventajas comparativas potenciales. Se pensaba que cualquier producción interna que reemplazara importaciones acrecentaría el bienestar nacional. Este esquema produce "la ISI a cualquier costo"; los beneficios vendrán después.

Existe una polémica en la literatura chilena sobre cuándo empezó realmente la ISI en Chile, si antes o después de la Gran Depresión[59]. El sector industrial representaba alrededor del 11% del PGB en 1908, registrando entre 1908 y 1925 una tasa anual de crecimiento de 3,5%. Aunque prevalecía entonces un régimen de libre comercio, en el período 1880-1930 el arancel de importación implícito fluctuó entre 15% y 25%[60]. El alto costo del transporte constituía una barrera adicional para la producción manufacturera rudimentaria. Como ya se ha mencionado, el efecto de gasto del boom del salitre puede también haber estimulado la producción de bienes manufacturados de baja calidad. Esto correspondería a una ISI inducida por incentivos de mercado. Por otra parte, en dicho período (pre-1930) la ISI estaba claramente desincentivada por el "síndrome holandés" generado por las exportaciones salitreras.

Pero, durante la Gran Depresión, el contexto de las políticas chilenas cambió completamente. La ISI y una economía de sector externo controlado, casi cerrada, desplazaron a la economía abierta y monoexportadora como estrategia de desarrollo económico. Aunque antes de la década de 1930 existían aranceles de importación e impuestos a las exportaciones, no había otras políticas restrictivas, y se aplicaba un tipo de cambio unificado. Durante la

CUADRO 1.9. CRECIMIENTO ANUAL DE LA INDUSTRIA
Y DE LA ECONOMÍA (PGB). 1908-70 (PORCENTAJES)

	Industria	PGB
1908-25	3,5	2,6
1940-50	4,4	3,7
1950-60	5,9	3,3
1960-70	5,4	4,4
1940-70	5,2	3,8

Fuentes: 1908-25: Ballesteros y Davis (1965).
1940-60: Instituto de Economía (1963).
1960-70: ODEPLAN (1971).

década de 1930, Chile aplicó las principales herramientas de la ISI, mientras que la mayoría de los países latinoamericanos sólo lo hicieron después de la Segunda Guerra Mundial. Las políticas restrictivas del sector externo eran consideradas las más eficientes para promover la ISI, y para mantener y asignar las escasas divisas.

La cuestión de fondo, por tanto, no es si había o no había industria antes de 1930, sino cuál era su papel como motor de crecimiento, y cuando comienza a asumirlo es después de 1930. (Ver cuadro 1.9).

En el período 1932-1973 se utilizó todo tipo de mecanismos restrictivos[61]. Durante la Gran Depresión se introdujeron controles cambiarios, mantenidos hasta 1990 aunque en algunos momentos se ha registrado alguna flexibilización en el control. Tipos de cambio múltiples, alta y amplia dispersión de aranceles, muchos impuestos y diferentes sobrecargas a las importaciones, licencias, cuotas y depósitos previos, listas de importaciones permitidas y prohibidas, subsidios implícitos y explícitos, excepciones y regímenes especiales, impuestos directos a las exportaciones y devoluciones de impuestos, reglamentaciones especiales para la inversión extranjera y los movimientos de capital relacionados... todas estas medidas forman parte de la batería de instrumentos utilizados.

Sin embargo, a pesar de que Chile partió temprano con la ISI no le fue posible alcanzar los objetivos perseguidos debido a la escasez de divisas y a que la maquinaria necesaria sólo pudo importarse después de la Segunda Guerra Mundial. Hasta ese

GRAFICO Nº 1.9.   CRECIMIENTO INDUSTRIAL Y CRECIMIENTO
ECONOMICO (PGB) (CRECIMIENTO ANUAL)

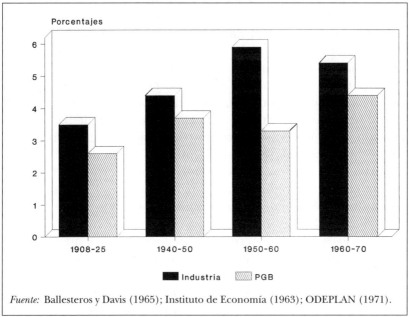

Fuente: Ballesteros y Davis (1965); Instituto de Economía (1963); ODEPLAN (1971).

momento, la única alternativa era una ISI de bajo nivel tecnológico[62]. Durante la década de 1940, la tasa anual de crecimiento de la industria fue de 4,4%, magnitud levemente superior a la del período 1908-1925. Durante 1950-1970, esta tasa se elevó al 5,6%, superando el 4,0% de la tasa de crecimiento anual del PGB (cuadro 1.9 y gráfico 1.9)[63].

La estrategia de ISI aumentó la importancia de la industria manufacturera en la economía chilena; su participación en el PGB, que era de alrededor de 13% en 1925, subió a más de 25% hacia 1970. Sin embargo, el ritmo global de crecimiento del PGB se consideraba insatisfactorio, y los incrementos de la productividad interna eran muy bajos. Mientras para toda América Latina el crecimiento de la productividad total durante 1950-1973 fue de 1%-1,5% al año, en Chile fue inferior a 1%. En los países desarrollados la productividad total aumentó en 2%-3% durante el mismo período. La economía chilena mostró una tasa relativamente lenta de incorporación de la tecnología moderna a sus sectores productivos[64].

53

Durante los años 60, se empezó a criticar la estrategia de ISI. Había signos generalizados de ineficiencia en la industria nacional. La ISI no había logrado independizar a la economía interna del sector externo; en el mejor de los casos, el grado de dependencia no había cambiado. La persistente vulnerabilidad de la economía interna respecto del sector externo después de un largo período de ISI obedece a varias razones. La participación de las exportaciones en el PGB se redujo pero, a raíz de las políticas de sesgo antiexportador de la ISI, la estructura de baja diversificación de la canasta de exportaciones siguió siendo la misma: un recurso natural (el cobre) constituía más del 65% de las exportaciones totales. El coeficiente de importaciones de la economía chilena se redujo en comparación con el de antes de la Gran Depresión, pero hubo también un cambio importante en la estructura de esas importaciones, que pasaron a estar dominadas por los insumos intermedios necesarios para mantener en marcha la producción, y por las importaciones de bienes de capital, que pasaron a ser cruciales para el crecimiento. Por lo tanto, las crisis de la balanza de pagos generaban una contracción de las importaciones y, de este modo, una reducción de los niveles presentes de producción y de las tasas futuras de crecimiento.

Así, después de casi cuarenta años de ISI, la tasa de crecimiento de la economía era todavía dependiente del crecimiento de las exportaciones, necesarias ahora para quebrar el cuello de botella generado por la escasez de divisas. Por otra parte, cada crisis de la balanza de pagos generaba nuevas reglamentaciones proteccionistas. Los problemas externos se resolvían aumentando en forma aislada barreras que sólo aportaban soluciones parciales; el cuadro completo constituía una situación progresivamente caótica.

La evolución de las restricciones en la política comercial es un claro ejemplo de la creciente burocratización de la economía chilena, que condujo a una compleja red de reglamentaciones, a inestabilidad extrema en las decisiones del gobierno, arbitrariedad e incentivos para la corrupción. El sistema de políticas aplicadas para promover la ISI no fue flexible frente a condiciones cambiantes; una vez otorgada la protección, era muy difícil de remover. Esto llevó a la configuración de una sociedad motivada por la idea de obtener ganancias fáciles, donde las utilidades dependían más de "una conexión adecuada" que del desarrollo de un espíritu empresarial productivo.

Además, la distorsión en los precios y en las señales del mercado generó una estructura productiva con una industria oligopólica no competitiva, protegida por altas barreras arancelarias y para-arancelarias, en la que el costo de oportunidad de una unidad (marginal) de divisas ahorradas por actividades de la ISI era 2 a 4 veces más alto que el tipo de cambio oficial[65].

El sector industrial no fue eficiente en el uso de los recursos económicos, y cargó con la culpa del fracaso de la transformación de Chile en una economía desarrollada. Generó relativamente poco empleo y no produjo suficientes bienes básicos (a precios bajos) para satisfacer las necesidades de la mayor parte de la población chilena. Después de un largo período de incentivos preferenciales según la política de ISI, la industria todavía requería un alto nivel de protección en los comienzos de la década de 1970. Es difícil encontrar razones para explicar por qué, después de cuarenta años de ISI, la siempre incipiente industria chilena nunca llegaba a madurar. Como resultado de este fracaso, los consumidores nacionales tenían que pagar precios más altos por productos industriales de más baja calidad. Había, además, un sector industrial "excesivamente diversificado, con plantas industriales ineficientes y subutilizadas que se mantienen financieramente a flote mediante insumos subsidiados, particularmente el crédito, y un sistema de precios monopólicos que es posible debido a las restricciones de importación"[66].

Parece existir una paradoja en el hecho de que el sector privilegiado por la mayoría de los incentivos económicos haya terminado a comienzos de la década del 70 con un nivel relativamente más alto de ineficiencia. ¿Es éste un problema intrínseco de la ISI y/o de la forma en que ésta se aplicó en Chile?[67]

El papel del Estado

Para entender el papel del Estado en la economía chilena es conveniente examinar brevemente la situación sociopolítica vigente con anterioridad a 1940[68]. Antes del ciclo del salitre, el régimen económico predominante era básicamente el heredado de los tiempos coloniales, esto es, una mezcla de oligarquía terrateniente y mercantilismo. El trigo se había convertido en un importante producto de exportación, y la oligarquía agraria controlaba el gobierno. La mayor parte de la población vivía en áreas rurales; no fue sino hasta 1940 que más del 50% de los chilenos ya residía en áreas urbanas.

Durante el boom del salitre, la influencia económica de la agricultura comenzó a disminuir, por dos razones diferentes. En el mercado internacional, las exportaciones chilenas de trigo fueron desplazadas por exportaciones competitivas desde Australia y Argentina[69]. Y al interior del país, la expansión de otras actividades nacionales como la minería, las actividades comerciales y financieras y la industria, crearon nuevos grupos con mayor poder económico relativo que la oligarquía agraria.

Además, como hemos visto, fueron los impuestos a las exportaciones salitreras los que aumentaron el tamaño y la capacidad organizativa del Estado. El gobierno utilizó gran parte de esos recursos para incrementar el grado de urbanización del país, lo que condujo a la expansión de la clase media, especialmente la vinculada al empleo público.

En 1883 se creó una organización empresarial para el sector industrial, la Sociedad de Fomento Fabril (SOFOFA), que utilizó desde el principio su influencia política para lograr el establecimiento de aranceles específicos a fin de proteger industrias nacionales incipientes. Algunos de los nuevos empresarios industriales eran extranjeros –inmigrantes o inversionistas–, vinculados a bancos extranjeros o firmas comerciales establecidas en el país. Pero la mayor parte de los nuevos empresarios eran capitalistas nacionales, cuya riqueza provenía de la minería o la agricultura, y que mantenían estrechos lazos sociales con la oligarquía agraria. No hubo, por lo tanto, una relación conflictiva entre empresarios industriales y agricultores terratenientes[70].

La existencia de actividades mineras e industriales con una concentración relativamente alta de trabajadores (con la correspondiente urbanización) llevó al surgimiento de colectividades políticas de naturaleza muy diferente a las de la oligarquía terrateniente conservadora. En 1887 se creó el Partido Democrático, y en 1912, el Partido Obrero Socialista. El Partido Radical, un partido de clase media que existía desde la década de 1850, experimentó un cambio fundamental en 1906, al abandonar el liberalismo económico para adherir al socialismo de Estado. En 1909 se creó, además, la primera organización nacional de trabajadores (la FOCH, Federación Obrera de Chile). Hacia 1930, y aunque era ilegal, la FOCH reunía a 200.000 trabajadores, pertenecientes a 1.200 sindicatos.

La tensión política entre el trabajo y el capital empezó tempranamente en Chile, en especial en sectores como la minería y la industria. Entre 1890 y 1925 se registró un promedio de 9 huelgas al año. En el período 1925-35, este promedio había subido a 45 huelgas al año[71]. Este ambiente introdujo "la cuestión social" en el debate político aun antes de la Gran Depresión. De hecho, en 1925 tuvieron lugar cambios institucionales de trascendencia: a pesar de la oposición de la oligarquía terrateniente, se aprobó una nueva Constitución (vigente hasta el golpe militar de 1973) y nuevas leyes sociales y laborales.

Desde el auge del salitre y hasta la Gran Depresión, el Estado actuó principalmente como intermediario entre los inversionistas extranjeros y la sociedad chilena, utilizando su poder para captar una parte importante de los excedentes de las exportaciones salitreras. Ciertos grupos internos trataron de beneficiarse tanto como fuera posible del patrón de gasto e inversión del sector público, de modo que el juego político se orientó en parte a influir en las decisiones estatales relativas al gasto y la inversión. El Estado también se transformó gradualmente en la fuente más importante de empleo de trabajadores de cuello y corbata; como vemos, en una economía subdesarrollada que genera pocos empleos para la clase media el control del Estado constituye un importante mecanismo de poder político[72].

En 1938 se eligió un nuevo gobierno, con el apoyo de la clase media y los obreros. Estos nuevos grupos sociales consideraban al Estado como el mecanismo que podía contrapesar el poder de los grupos oligárquicos. Había, por lo tanto, apoyo político y presión para potenciar la actuación del Estado en la economía. La depresión y sus secuelas también concurrieron a generar algún consenso respecto de la necesidad de un papel más activo para el Estado.

Para sacar a Chile de la depresión, el Estado había impuesto restricciones y medidas de control relativas al sector externo en la década de 1930. En la década siguiente fue más lejos, asumiendo un papel directo en el proceso productivo y en la promoción del desarrollo. En este contexto, la creación de una corporación nacional para el desarrollo, la CORFO (Corporación de Fomento de la Producción, 1939), implicó un cambio institucional de gran trascendencia.

Las funciones de esta agencia gubernamental serían la formulación de un programa nacional de desarrollo y la asignación de recursos para actividades productivas incluidas en dicho programa. La CORFO fue la primera institución pública que contó explícitamente con recursos para financiar actividades de inversión.

Es interesante observar la discusión política en torno a la creación de CORFO[73]. Los empresarios industriales, reunidos en la SOFOFA, estuvieron de acuerdo con un papel más activo del Estado si se trataba de aumentar la protección a la producción nacional. Estuvieron también de acuerdo con un Estado que formulara un programa nacional de desarrollo, mientras los recursos se canalizaran hacia el sector privado. Pero se opusieron a la idea de que existieran empresas del Estado, porque eso implicaría una competencia desleal entre las firmas privadas y públicas. Por otra parte, la principal preocupación de la oligarquía terrateniente era evitar el surgimiento de problemas sociales en la agricultura. Así se llegó a una transacción política: los parlamentarios de la oligarquía terrateniente apoyaron la creación de la CORFO a cambio de la promesa de que el gobierno no presionaría para la formación de sindicatos en la agricultura. Así, la oligarquía terrateniente mantendría su poder en las áreas rurales, en tanto que los grupos de ingreso medio aumentarían su poder en las áreas urbanas. Debieron pasar más de 25 años hasta la creación de sindicatos efectivos en la agricultura, en 1965.

La CORFO se transformó en el principal instrumento para promover el crecimiento a través de políticas de desarrollo. Creó las mayores empresas estatales en los sectores intermedios industriales básicos –ENDESA (Empresa Nacional de Electricidad, 1944), CAP (Compañía de Acero del Pacífico, 1946), ENAP (Empresa Nacional del Petróleo, 1950), IANSA (Industria Azucarera Nacional, 1952)– y, durante el período 1939-1973, dominó la vida económica chilena a través de la inversión directa en sus empresas estatales y la asignación de créditos. En el período

1939-1954, la CORFO controlaba el 30% de la inversión total en bienes de capital, más del 25% de la inversión pública y un 18% de la inversión bruta total[74].

En resumen, entre 1940 y 1970 el Estado adquirió nuevas funciones en el proceso productivo, transformándose en el impulsor de un crecimiento gradual pero continuo, y aplicando numerosas reformas sociales de diverso carácter. Primero fue el Estado-promotor, que proporcionaba el crédito para la inversión industrial privada; luego, el Estado-empresario, a través de las empresas estatales; finalmente, el Estado-programador, que definía el horizonte de largo plazo del patrón chileno de desarrollo y especificaba adónde debía ir la inversión futura, fuese pública o privada, utilizando incentivos especiales de crédito, impuestos y subsidios. Hay que destacar que el Estado no siempre se equivoca en todo: durante la década de 1960 se favorecieron los sectores forestal y pesquero, que hoy se han transformado en sectores exportadores líderes. El Estado también fue clave en el desarrollo de la infraestructura básica relacionada con la electricidad y las telecomunicaciones (nacionales e internacionales), así como en el entrenamiento de profesionales que adquirieron capacidades tecnológicas y empresariales que serán fundamentales para el proceso posterior de expansión de las exportaciones.

En 1970 asume un nuevo gobierno apoyado por una coalición de izquierda, la Unidad Popular. Esta estimaba que el patrón de desarrollo económico vigente era demasiado lento, y que este crecimiento relativamente retardado estaba asociado con el control de la economía, y específicamente de la GMC y la industria manufacturera, por monopolistas extranjeros y nacionales. Para acelerar el crecimiento se requerían cambios estructurales profundos, lo que significaba que el Estado debía tener un mayor control de la economía, transformándose en el Estado planificador central. Para la Unidad Popular, ésta era también una condición necesaria para la construcción de una nueva sociedad socialista.

El cuadro 1.10 muestra el gran incremento del papel del Estado en 1972 en el control de la mayoría de los sectores productivos. La participación de las empresas estatales en el PGB subió de 14,2% a 39%. El trágico desenlace de esta historia es bien conocido: el experimento socialista terminó con el golpe militar de 1973.

CUADRO 1.10. PARTICIPACIÓN DE LAS EMPRESAS ESTATALES EN EL PGB
DE CHILE (PORCENTAJE)

	1965	1972
Minería	13,0	85,0
Manufacturas	3,0	40,0
Servicios públicos	25,0	100,0
Transporte	24,3	70,0
Comunicaciones	11,1	70,0
Finanzas	–	85,0
Todas las empresas estatales	14,2	39,0

Fuente: Hachette y Lüders (1987).

LIBERALIZACION Y FUNCION DEL SECTOR PRIVADO
(1973-1990)

El modelo económico instaurado en Chile después del golpe militar de 1973, que enfatiza el papel del sector privado, los mercados libres, la liberalización del sector externo y la desregulación en gran escala de la economía, puede considerarse una versión extrema de la "receta pura de libro de texto", tradicional y ortodoxa, recomendada por los organismos multilaterales (FMI y Banco Mundial) para los países en desarrollo.

Tras un desempeño inicial exitoso durante el período 1976-1981, en el que se habló mucho de un "milagro chileno" y se consideró al modelo implantado por los *Chicago boys* como un ejemplo para la mayoría de los países en desarrollo, la economía chilena experimentó un colapso casi total en 1982.

Después de una profunda y prolongada recesión a la que siguió un ajuste de alto costo[75], la mayor parte de las características de este modelo de mercado libre y economía abierta al exterior se han mantenido. Aunque los niveles de PGB e ingreso per cápita, y la situación de la deuda externa chilena de 1990, son comparables a los que se observan en otros países latinoamericanos, Chile tiene una situación macroeconómica relativamente mucho mejor, y posee una base estructural más sólida para las perspectivas de crecimiento y desarrollo en la década de 1990. Sin embargo, el futuro depende críticamente del comportamiento y desempeño del sector privado, al que se considera ahora como el principal agente económico.

Políticas de reforma estructural (1973-1982)

Desde 1940 y hasta 1973, la economía chilena se caracterizó por el papel creciente del sector público y por una estrategia de ISI apoyada en altos niveles de aranceles y otras barreras no arancelarias. Estas características se reforzaron durante el período 1970-1973, en el que el número y la cobertura de las intervenciones y controles del gobierno alcanzó un nivel extremadamente alto. En 1973 la economía chilena experimentó un giro desde una situación de fuerte control estatal a un régimen de libre mercado, precios libres y economía completamente liberalizada, con un claro predominio del sector privado sobre el Estado y el sector público.

Todas las medidas de liberalización y desregulación se aplicaron en medio de un severo programa de estabilización antiinflacionario, con tasas de inflación de tres dígitos entre 1973 y 1976. El cuadro 3.2 presenta una descripción esquemática de las reformas posteriores a 1973[76]. La mayor parte de los cambios estructurales y reformas de política económica que se describen en ese cuadro se instituyeron en un lapso muy breve (dos a cuatro años), y fueron impulsados por un grupo de economistas chilenos formados en la Universidad de Chicago, que pasaron a ser conocidos como los *Chicago boys*. La liberalización económica y el esquema de privatización fueron impuestos en forma simultánea a la vigencia de severas restricciones políticas: los partidos políticos, las organizaciones sociales y los derechos y libertades humanas estaban siendo reprimidos con dureza.

Resulta paradójico que una dictadura militar, en la que todo el poder se centraliza en la cumbre, pueda apoyar un modelo económico basado en la descentralización y la atomización de las decisiones económicas. Las Fuerzas Armadas son una institución del Estado, además, y parece contradictorio su respaldo a economistas que sostienen que todo lo relacionado con el Estado es ineficiente. ¿Por qué los militares y los economistas de Chicago se complementaron mutuamente en forma tan nítida? ¿Cómo lograron éstos introducir cambios estructurales tan profundos sin ninguna resistencia por parte de la comunidad empresarial? ¿Podrían haberse aplicado todas estas reformas bajo un régimen democrático?[77]

Liberalización de la balanza comercial [78]

El sistema de protección que prevalecía en Chile hasta 1973 consistía en una tasa arancelaria nominal promedio de 105% y una tasa arancelaria nominal máxima de 220% (pero incluso había algunos ítemes con aranceles de hasta 750%). Además, más del 60% de todas las importaciones estaban sujetas a restricciones cuantitativas; entre ellas, las más importantes eran un depósito previo de 10.000% del valor CIF de los bienes importados, a 90 días, sin devengar intereses, y la prohibición de importar más de 300 bienes.

Las restricciones cuantitativas, las prohibiciones, los derechos antidumping y compensatorios y las barreras no arancelarias fueron prácticamente eliminados hacia 1976. A fines del mismo año el arancel nominal promedio era de 36%, y el máximo, de 66%: cerca de la tercera parte del nivel que tenían en 1973. En 1979 (junio), Chile introdujo un arancel nominal uniforme de 10% para todas las importaciones, con excepción de los automóviles. De este modo, se instauró en poco tiempo una drástica liberalización de la balanza comercial (ver cuadro 1.11)[79].

Ha habido controversia en torno a varios aspectos de esta drástica reforma del sector externo. Aquí se analizarán brevemente dos de esas cuestiones. La primera se refiere al sector industrial. Si las políticas de ISI generaron en Chile un sector industrial vastamente ineficiente, ¿cómo se han ajustado las manufacturas nacionales para enfrentar la competencia importada? ¿Cuán severo ha sido el proceso de desindustrialización? La segunda cuestión se refiere a las exportaciones. ¿Cuál va a ser la composición de la canasta de exportaciones? ¿Habrá un retorno al patrón monoexportador de materias primas básicas? ¿Pueden transformarse nuevamente las exportaciones en el motor del crecimiento?

CUADRO 1.11. REFORMA COMERCIAL CHILENA, 1973-79

Situación Pre-Reforma (1973)	*Situación Post-Reforma (1979)*
TARIFAS NOMINALES	
Tarifas elevadas y alta dispersión	Estructura pareja
Rango: 0 ÷ 750%	Media = Moda = 10%
Media: 105%	
50% Tarifas: > 80%	
4% Tarifas: < 25%	
Tarifa implícita[*]: 17%	
BARRERAS NO ARANCELARIAS	
Depósito previo para 60% importac.: 10.000%	No existen barreras no arancelarias
Lista importaciones prohibidas: 300 bienes Banco Central tiene que aprobar 50% import. Existen 290 exenciones: regímenes especiales, etc.	Existen pocas exenciones (FF.AA., zonas libres)
TIPO DE CAMBIO	
Hay tipo de cambio múltiple	Existe tipo de cambio único
Existen 8 tipos de cambio oficiales: en que el diferencial entre el máximo y el mínimo es de 1.000%	

Fuente: Behrman (1976); Cauas y De la Cuadra (1981); De la Cuadra y Hachette (1986).
[*] Monto recaudado por aranceles dividido por el valor total de las importaciones.

La industria fue el sector más afectado por la liberalización de la balanza comercial. De hecho, durante la década de 1970, ésta correspondió mayoritariamente a una liberalización de importaciones industriales. Existió también una especie de "síndrome holandés" en relación al gran flujo de crédito externo, proceso que presionó hacia una apreciación del tipo de cambio real[80]. En este caso no había un sector interno exportador que estuviera viviendo un boom, pero el efecto fue el mismo porque se produjo una disminución del precio relativo de los transables respecto a los no transables, lo que condujo al estancamiento de los niveles de producción de transables.

Hay dos vías por las que las importaciones afectan el nivel de la producción interna de transables. La primera es la sustitución

63

directa de bienes e insumos nacionales por importados. La segunda se refiere a la utilización de insumos intermedios importados en el proceso de producción, con lo que se eliminan algunas etapas de la producción nacional, sustituyendo directamente valor agregado nacional[81].

Ha existido algún grado de desindustrialización en la economía chilena. Durante los años del auge de las importaciones (1977-1981), mientras las importaciones reales crecían a 19% al año, la industria exhibía una tasa anual de crecimiento de 3,5%. La participación de la industria en el PGB disminuyó desde más de 25% a fines de los 60 a alrededor de un 20% durante la década de 1980. El sector industrial generó empleo a una tasa de 2,9% al año en la década de 1960; durante el proceso de liberalización comercial, en cambio, hubo una tasa anual de "destrucción de empleos" industriales de casi 2%.

El papel de las exportaciones en la economía chilena se modificó notablemente tras la aplicación de las políticas de reforma estructural de la década del 70, por varias razones. Las reformas al comercio exterior eliminaron las políticas de sesgo antiexportador del régimen de ISI. Especialmente durante la década de 1980, un tipo de cambio real depreciado ofreció incentivos claros y estables a los exportadores. La GMC, bajo control estatal, expandió significativamente su producción: la participación del cobre chileno en la producción mundial total (excluyendo las antiguas economías de planificación central) aumentó desde 14% a fines de la década de 1960 a más de 20% durante los años 80. El ambiente económico imperante, con precios de libre mercado, libre comercio, desregulación y desburocratización, elevó la eficiencia global de la economía.

La participación de las exportaciones en el PGB subió desde 12% en la década de 1960 a más de 30% durante la década de 1980. A pesar del importante crecimiento de las exportaciones de cobre, su participación en las exportaciones totales declinó desde más de 75% a menos de 45% en el mismo período. La composición de las exportaciones chilenas durante la década de 1980 es la siguiente: minería, 56%; agricultura, 12%; productos forestales y madera, 11%; pesca y productos marinos, 10%. Hubo también un incremento de las exportaciones industriales. La composición de las exportaciones de este sector a fines de la década de 1980 es la siguiente: papel, madera y productos de madera, 31%; harina de pescado y productos alimenticios, 30%; productos metálicos básicos, 9%. En otras palabras, el 70% de las exportaciones industriales está relacionado con materias primas de recursos naturales.

Las ventajas comparativas de Chile a fines de los 80 son estructuralmente las mismas de siempre, esto es, cerca del 90% de la canasta de exportaciones depende de la dotación de recursos naturales del país. Sin embargo, hay dos diferencias importantes respecto al pasado. Primero, una clara diversificación de los bienes de recursos naturales contenidos en la canasta de exportaciones, de modo que las fluctuaciones de los precios mundiales de las materias primas no expongan tanto a la economía chilena a shocks externos. Así, el colapso del mercado de una materia prima no tendrá efectos tan perjudiciales como ocurrió con la aparición del nitrato sintético en la década de 1920. En segundo lugar, la mayor parte de las exportaciones chilenas provienen de empresas de propiedad chilena, por lo que la mayor parte del excedente puede ser potencialmente reinvertido en el país.

El papel del sector privado

Durante el período de la ISI los empresarios privados nacionales fueron bastante pasivos. Hasta 1970, no percibían al Estado como una amenaza, sino más bien eran pesimistas respecto de sus propias posibilidades de sobrevivir y expandirse sin apoyo estatal. La alta protección de que gozaba la economía chilena y el predominio de un modelo de sociedad pendiente de la búsqueda de privilegios (*rent seeking*) reforzaban tal pasividad, que estimulaba aún más la expansión del sector público.

Detrás de la transformación de los empresarios privados nacionales de sujetos pasivos y dependientes del Estado a agentes económicos activos y autónomos hay varios factores[82]. Uno de ellos se refiere a la aplicación de una política de precios libres en una economía abierta, lo que obliga al sector privado a ser más autónomo y activo. La competencia creciente también estimula el aumento de la eficiencia, al menos en promedio, ya que los empresarios pasivos son eventualmente desplazados del merca-

65

do. Por otra parte, los empresarios son muy sensibles a los incentivos; la mantención de incentivos adecuados y estables constituye una clara señal para la asignación de recursos. Además, ha habido una transferencia importante de recursos estatales al sector privado nacional: en el período 1974-1989 Chile ha experimentado dos procesos de reprivatización y dos de privatización, y el monto de los subsidios distribuidos en tales procesos de enajenación ha sido considerable[83]. Un aspecto negativo de este período lo constituiría el hecho de que los principales empresarios privados nacionales parecen haber operado bajo un principio de riesgo moral, por el cual las utilidades privadas se han privatizado, en tanto que la mayor parte de las pérdidas privadas se han socializado.

Un cuarto factor detrás del surgimiento de empresarios activos se relaciona con la disponibilidad de capacidad nacional de gestión. En este sentido, debe señalarse que el tipo de empresario que realmente necesita una economía latinoamericana no es el innovador "schumpeteriano", sino un gerente con habilidades organizativas, que selecciona personal responsable y calificado y que está bien informado de las últimas tecnologías y avances de los países industriales. En las economías semiindustrializadas, es más importante hacer bien estas cosas que ser un innovador: la incompetencia y la ineficiencia en la capacidad empresarial constituyen un obstáculo para la expansión[84].

Es prematuro avanzar un juicio crítico sobre el éxito o el eventual fracaso futuro del sector privado en su conducción de la economía chilena hacia un patrón de crecimiento alto y estable. Revisando la experiencia de los años 70, se observa que el sector privado chileno puede crecer..., y también puede quebrar. Las cosas podrían ser diferentes durante la década de 1990, dado que casi 4.000 empresarios participan ahora en actividades exportadoras, mientras que entonces la mayor parte de ellos se dedicaba a la especulación. Y la economía chilena se desarrollará sólo cuando los empresarios nacionales adopten un horizonte de largo plazo[85].

VISION GLOBAL DE 110 AÑOS

El esquema dicotómico utilizado en este capítulo –régimen del sector externo e identificación del principal agente económico– permite presentar una historia hilada del desarrollo económico chileno, que muestra cómo se pasa de una etapa a otra. Pero está pendiente la respuesta a la pregunta formulada desde comienzos del siglo XX: ¿por qué Chile no ha logrado superar el subdesarrollo?. Planteada en términos más positivos, "¿por qué Chile no es una gran nación industrial?"[86].

Esta es una interrogante más general, válida para toda América Latina. Para sistematizar el análisis, Hirschman (1961) sugiere dividir dicha pregunta en dos partes: 1) ¿qué factores explican la brecha existente con los países desarrollados? ¿por qué ésta no se cierra? 2) ¿qué es necesario hacer para eliminar esa brecha?

Una revisión esquemática de las respuestas a estas preguntas permite observar una alternancia entre los factores internos y externos. En las explicaciones predominantes hasta 1930, los factores internos son considerados la causa del subdesarrollo. Destaca por su extremo simplismo la hipótesis racista de Encina[87], quien sostiene que la mezcla de las razas española e indígena habría generado una inferioridad racial irreversible. Una hipótesis distinta, previamente ilustrada, se refiere a la escasez de mano de obra calificada, y en particular a la escasez o inexistencia de empresarios propiamente tales. Los empresarios chilenos son una especie de aventureros que quieren hacerse ricos de la noche a la mañana. Esta es la imagen proyectada por Encina, quien es particularmente severo con ellos: "el empresario chileno tiene la misma psicología que el conquistador español; la obsesión de lograr una fortuna de un golpe o en una aventura extraña" (...) "no vacila en recorrer mares y tierras desconocidas tras de un tesoro quimérico, pero renuncia a adquirirlo si para ello es necesaria la labor metódica de algunos años"; el trabajo metódico y permanente "repugna al chileno". Pero las soluciones planteadas para cerrar la brecha del subdesarrollo formuladas en aquel entonces están totalmente desconectadas del diagnóstico. Para salir del subdesarrollo se sugiere imitar a los países desarrollados, lo que implica establecer y mantener políticas económicas como el *laissez-faire*, comercio libre y patrón oro, además de atraer inversión extranjera. Si el diagnóstico de Encina era correcto, la solución obvia consistía en promover la inmigración masiva, como lo hicieron entonces otros países del continente americano.

Entre 1930 y 1973, los factores externos (inversión extranjera y empresas multinacionales, inestabilidad de los mercados mundiales, intercambio desigual y dependencia de los países desarrollados) pasan a ser considerados la causa central del subdesarrollo. En este caso la solución sugerida es la industrialización orientada hacia el mercado interno, minimizando el papel de las exportaciones de recursos naturales. Paralelamente surge el planteamiento de la necesidad de realizar reformas estructurales para romper la inercia del sector productivo local y corregir la distribución inequitativa del ingreso; esto implicaba, entre otras cosas, reforma agraria, nacionalización de la GMC y mayor presencia del Estado en la actividad productiva.

De 1973 a 1990, nuevamente los factores internos constituyen la explicación básica del subdesarrollo; en este caso se refieren a políticas económicas erróneas generadoras de distorsiones y a un papel excesivo e inadecuado del Estado en la actividad económica. La solución radica en realizar reformas estructurales, pero de signo opuesto a las sugeridas anteriormente: mercados libres, economía abierta y predominancia del sector privado permitirán replicar la trayectoria exitosa observada en los países exportadores asiáticos.

Como se puede apreciar, estas explicaciones coinciden con la historia del desarrollo económico previamente revisada, y evidencian la racionalidad vinculada a cada etapa, pero ninguna de ellas proporciona la respuesta definitiva a la interrogante inicial. Veamos otras hipótesis, algunas de ellas no mencionadas previamente en la literatura chilena.

Resulta sorprendente en la discusión sobre el desarrollo económico chileno, y latinoamericano en general, la ausencia de la incidencia del crecimiento poblacional. Este puede neutralizar las ganancias generadas por todos los otros factores productivos: si se parte de una situación inicial de subdesarrollo, el crecimiento demográfico puede mantener o incluso incrementar dicha situación. La evidencia histórica revela que el progreso industrial es un proceso sumamente lento y costoso; en términos comparativos, el mejoramiento de la salud ha sido más rápido y más económico, lo que ha producido un brusco descenso en la tasa de mortalidad, especialmente la infantil, con una abrupta expansión del crecimiento demográfico en los países subdesarrollados. Esto puede implicar que "la revolución industrial de un país subdesarrollado sea neutralizada por la contrarrevolución maltusiana"[88].

El rápido crecimiento demográfico implica la necesidad de canalizar mayores recursos hacia el consumo, reduciendo por tanto la inversión y el crecimiento. Existe la percepción de que el crecimiento económico chileno, que ha oscilado en torno al 4% anual durante el período 1940-1980, ha sido mediocre. Sin embargo, las exitosas economías escandinavas exhiben tasas sólo levemente superiores en ese mismo período. Una comparación particularmente interesante es aquella entre el PGB per cápita de Chile y el de Finlandia, cuyos niveles eran prácticamente similares en 1950, pero en los que se observa una brecha superior al 50% 35 años después. Un ejercicio hipotético revela que si Chile hubiera mantenido el mismo ritmo de crecimiento económico observado en el período 1950-1980, pero con el mismo crecimiento demográfico de los países escandinavos, el ingreso per cápita chileno habría superado los US$ 6.600 en 1980 (superior al de España y cercano al de Italia), y Chile sería considerado un país desarrollado[89].

Otro aspecto no suficientemente enfatizado en la literatura del desarrollo económico chileno se relaciona con las desventajas de iniciar el crecimiento desde una situación de subdesarrollo. La literatura tradicional sobre desarrollo enfatiza exclusivamente las ventajas de partir después[90]: un país tecnológicamente atrasado puede avanzar a un ritmo muy elevado adquiriendo y copiando la tecnología existente, con la gran ventaja de no tener que utilizar recursos para desarrollar las tecnologías modernas y exitosas, evitando el despilfarro de recursos en procesos fallidos; incluso pueden saltarse etapas y evitar los errores cometidos por los países líderes. Esta es la esencia de la "hipótesis de la convergencia" (*catching up*), que sostiene que habría una relación inversa entre la tasa de crecimiento y el nivel inicial de productividad: mientras más atrasado es un país mayor será el crecimiento de su productividad al introducir las tecnologías más avanzadas. Según algunos analistas, Chile habría tenido esa oportunidad a comienzos del siglo XX; el despilfarro de los excedentes del boom salitrero constituiría una "oportunidad perdida" para haber iniciado la trayectoria de la convergencia.

En realidad, un país atrasado no es que no quiera introducir la tecnología moderna para crecer más rápido; lo que sucede es que no puede hacerlo. La preocupación prioritaria de Chile en el siglo XIX consiste en definir la nacionalidad chilena[91]. Nótese la diferencia: los daneses ya saben en el siglo X que lo son, y comprenden las implicancias de ello; esto les permite en un momento dado elaborar estrategias vinculadas a inducir la revolución industrial y destinadas a beneficiar a toda la nación danesa. En los países europeos, la nacionalidad antecede al Estado; en Chile, "el Estado es la matriz de la nacionalidad", y el grueso de la atención y de los esfuerzos está centrado en ello.

La introducción de la tecnología moderna requiere necesariamente de empresarios no aversos a la innovación, y de la existencia de mano de obra calificada para operar dicha tecnología. Sólo en la década de 1980 se puede hablar de una cantidad importante de empresarios privados innovadores. En los países escandinavos el analfabetismo había sido prácticamente eliminado a mediados del siglo XIX; esto sucede en Chile sólo un siglo después. ¿De dónde habrían salido los técnicos chilenos para operar y reparar la tecnología moderna a comienzos de este siglo?

El atraso relativo de un país subdesarrollado en un mundo en el que existen países desarrollados plantea un serio problema: la asimetría en el efecto de demostración, en el que el patrón de consumo es imitado rápidamente, pero no sucede lo mismo con el patrón productivo. "Quedamos refinados para consumir, pero primitivos para producir"[92]. Esto genera una "revolución de expectativas crecientes", que induce a un desequilibrio severo entre aspiraciones y posibilidades; en última instancia, se traduce en una brecha visible de consumo entre las clases sociales. Cuando ésta es exacerbada por la competencia política, los resultados son inevitablemente desastrosos. El consumo conspicuo (de bienes importados) de los grupos de ingresos altos y medios tiene un efecto similar al del elevado crecimiento demográfico: mayores niveles de consumo implican inevitablemente menores recursos para inversión. Pero, por otra parte, ¿quién decide lo que es "correcto" y/o "conspicuo" en cuanto a bienes de consumo? El automóvil y el televisor a color eran considerados como bienes suntuarios por amplios grupos sociales en la década del 60; hoy se han transformado en bienes indispensables para gran parte de la población.

Una constante del desarrollo económico chileno durante estos 110 años es el gravitante papel desempeñado por los recursos naturales; al iniciar la década de 1990, cerca del 90% de la canasta exportadora está basada en ellos. Las ventajas comparativas de Chile están claramente en su dotación de recursos naturales; es más, algunos de estos recursos poseen un elevado nivel de productividad relativa, permitiéndole a Chile gozar de importantes rentas ricardianas[93]. En una economía abierta, la existencia de recursos naturales con una elevada productividad relativa internacional afecta la producción interna de bienes transables y condiciona de esta forma el patrón de desarrollo económico.

El salitre primero y luego el cobre, transformaron a Chile en una economía monoexportadora durante buena parte del siglo XX. ¿Por qué ello no convirtió a Chile en un país desarrollado?, ¿cuáles son los problemas de ser una economía monoexportadora, o exportadora de recursos naturales? Un conjunto de hipótesis pareciera sugerir que la posesión de minerales de cobre sería una especie de "castigo divino", por lo que sería conveniente prescindir de ellos, o, en términos menos extremos, no basar el desarrollo económico en la exportación de recursos naturales. A nuestro juicio, es una ventaja para Chile poseer abundantes recursos naturales; el país estaría mucho peor si no hubiera tenido salitre y cobre. Pero en realidad es irrelevante la discusión en torno a si Chuquicamata y El Teniente constituyen un premio o un castigo divino. La cuestión central radica en la definición de las políticas adecuadas para administrar y aprovechar las rentas generadas por la posesión de estos recursos naturales, y éste no es en absoluto un problema de fácil solución.

La disponibilidad de recursos naturales con alta productividad relativa genera tres problemas distintos: 1) El "síndrome holandés", en el que un boom en el precio internacional del recurso natural exportado deprime el precio interno de los bienes transables y desincentiva su producción. Sin embargo, este deterioro de los precios relativos internos de los bienes transables no es consecuencia exclusiva de fluctuaciones de los precios internacionales, sino que está principalmente vinculado a la mayor productividad relativa *interna* de la explotación de los recursos naturales respecto de la producción de los otros bienes transables. Por tanto, mientras no se agote la oferta productiva de recursos naturales, y mientras éstos mantengan niveles positivos de rentas ricardianas[94], una estrategia exportadora de recursos naturales exitosa va a deteriorar el precio interno de los bienes transables, desincentivando la producción industrial. La otra alternativa posible consiste en incrementar fuertemente la productividad de los factores productivos utilizados en los bienes transables; pero, en una economía abierta, con precios libres y sin incentivos específicos, no existe la motivación para ello dada la mayor rentabilidad relativa de la explotación de los recursos naturales. 2) La pugna entre distintos agentes económicos por captar la mayor parte de la renta ricardiana; en el caso del cobre antes de 1970, la protagonizaron las empresas norteamericanas, el gobierno chileno y los trabajadores de las minas. 3) En el caso de que el gobierno capte una cantidad importante de la renta ricardiana, como sucede con la GMC, surge el dilema en torno al uso de estos recursos; gran parte de ellos es transferida a la sociedad a través de menores impuestos y mayor expansión del gasto público.

En un país que posee importantes rentas ricardianas asociadas a la disponibilidad de recursos naturales se generan incentivos para adoptar un comportamiento "rentista"; lo más simple y rentable, desde el punto de vista productivo, es "recoger y transportar" dichos recursos naturales a los mercados internacionales. ¿Durante cuánto tiempo ha vivido Chile de las rentas ricardianas del cobre?, ¿quiénes debieran captar, y en qué proporciones, las rentas ricardianas generadas por los recursos naturales?

En un interesante trabajo, Ground (1988) sugiere que la existencia de rentas ricardianas induce a una pugna por el privilegio de captar dichas rentas. Esto significa que la rentabilidad de una actividad productiva se focalizaría en adquirir el privilegio de contar con el monopolio de la explotación de un determinado recurso natural. En la literatura económica este problema es analizado a nivel más general a través del concepto de "búsqueda del ventajismo rentista" (*rent seeking* y/o *directly unproductive profitable* (DUP) *activities*)[95] o también de "tráfico de influencias", actividades que realizan grupos privados para que el gobierno adopte ciertas medidas o les proporcione concesiones que generan ventajas o rentas extras a dichos grupos. Esta búsqueda del ventajismo rentista es realmente una competencia por la distribución del ingreso, que tiene un impacto negativo sobre el nivel global de bienestar social[96]. La socialización de las pérdidas por parte del sector privado es otra dimensión del ventajismo rentista.

Pero el problema parece más general: "todo grupo y clase ha aprendido que el Estado tiene que protegerlo"[97]. De ahí la importancia que adquiere para el Estado el poder captar parte de las rentas ricardianas; para algunos grupos, éste ha sido en algunos momentos de la historia la fuente más importante de ingresos y riqueza.

Como es usual, no hay una respuesta única a una interrogante aparentemente tan simple. Son varios los factores, internos y externos, que intervienen y explican la persistencia del subdesarrollo chileno: escasez de empresarios, rápido crecimiento demográfico, nación joven que parte tarde, comportamiento rentista inducido por la disponibilidad de recursos naturales. Dado que varios de estos problemas han sido superados, cabría visualizar un futuro más promisorio. Pero hay que tener presente que un país está saliendo del subdesarrollo cuando sigue una trayectoria de crecimiento sostenible elevado y, al mismo tiempo, está resolviendo la situación aflictiva del 40% más pobre de la población.

OBSERVACIONES FINALES

Es fácil ser demasiado severo en una evaluación del desempeño del pasado. En nuestra opinión, la etapa inicial de la economía chilena moderna comenzó en 1880, cuando el país estaba muy atrasado. Dadas las condiciones iniciales, un crecimiento rápido estaba fuera de lugar. La inversión extranjera en el salitre y en el cobre cumplió un papel importante, conectando la economía nacional con el resto del mundo. A pesar de que los inversionistas extranjeros remesaron utilidades relativamente altas, Chile no tenía alternativa en ese momento histórico.

Los gobiernos chilenos desplegaron sus mejores esfuerzos para retener la mayor cantidad posible del excedente de las exportaciones. Su principal error estuvo en no saber cómo cambiar la situación existente, y en no identificar los obstáculos para el avance del desarrollo y de las relaciones con los inversionistas extranjeros.

La "gran contradicción" del proceso de desarrollo chileno[98], que ha unido una rápida evolución política con un lento mejoramiento económico de la mayoría de la población, impulsó la intervención del Estado en el proceso productivo para acelerar el crecimiento y modificar la desigual distribución del ingreso. Nuevamente, dadas las condiciones, los resultados fueron satisfactorios en términos de crecimiento y de reducción de la desigualdad. Sin embargo, las medidas económicas que eran apropiadas para las décadas de 1930 a 1950 ya no lo eran en la década de 1960. Una vez más, la falla estuvo en no percibir cuándo y cómo transformar la situación existente. Además, la competencia político-ideológica generó expectativas económicas no realistas. Se volvieron a adoptar las mismas políticas de antes, incrementando el papel de los controles y del sector público, lo que terminó por producir un caos económico completo.

La profunda crisis de 1973 fue utilizada como señal para una reversión total de las políticas de desarrollo. En este proceso se aplicó la ley del péndulo: en menos de diez años, Chile pasó de un extremo al otro.

El establecimiento de un régimen de economía abierta de libre mercado es apropiado para la pequeña economía chilena en el contexto de una economía mundial de alta interdependencia, como la de la década de 1990. Sin embargo, la instauración del modelo ha tenido un alto costo. Ahora, el sector privado nacional tiene la responsabilidad de mostrar que es capaz de hacer lo que sus símiles han hecho en los países industriales y en los países del Este asiático. La prueba final será comprobar si la mayoría de los chilenos llega a compartir los beneficios de un desarrollo exitoso de las exportaciones. Un desarrollo estable a largo plazo y un horizonte también de largo plazo para los inversionistas privados requiere, en un régimen democrático, de la erradicación de la pobreza y de un patrón distributivo más equitativo.

NOTAS

1. Este capítulo es una versión revisada, modificada y ampliada de mi artículo "Una perspectiva de largo plazo del desarrollo económico chileno, 1880-1990" (en M. Blomström y P. Meller, eds., 1990).

2. Durante los siglos XVI y XVII, la producción promedio anual de oro habría sido de 1.270 kg. y 350 kg., respectivamente. En el siglo XVIII, las producciones promedio anuales de oro y plata habrían sido de 920 kg. y 2.000 kg. respectivamente; la producción promedio anual de cobre del siglo XVIII habría alcanzado a 6.200 ton. métricas (Pederson, 1966).

3. Vial, 1981, p. 349.

4. En el siglo XIX, la producción promedio anual de oro y plata habría alcanzado a 1.200 kg. y 76.000 kg., respectivamente. La producción promedio anual de cobre del siglo XIX habría sido de 19.200 ton. métricas (Pederson, 1966).

5. La clasificación básica utilizada por la CEPAL distingue entre "desarrollo hacia afuera" y "desarrollo hacia adentro"; en términos convencionales esta clasificación corresponde a "economía abierta" y "economía cerrada" (o altamente protegida).

6. Mynt, 1964; Meier, 1976.

7. Lewis, 1989; Bliss, 1989.

8. Pinto, 1962; Vial, 1981; Cariola y Sunkel, 1982.

9. Ver Vial, 1981.

10. Esta cifra representa alrededor del 4% de la fuerza de trabajo.

11. "La suma de recursos fiscales originados por el salitre significó que, literalmente, nadásemos en la abundancia" (Vial, 1981; p. 381).

12. Mamalakis, 1971; Vial, 1981; Cariola y Sunkel, 1982.

13. En el período 1910-15, las exportaciones salitreras representan alrededor del 25% del PGB. La tributación total cuantitativamente representaba cerca del 50% de las exportaciones de dicho período. Las exportaciones salitreras tienen una tasa media anual de crecimiento superior al 6% a partir de 1880, mientras que la del PGB es inferior al 2%. Durante la década del 80, la tributación total representaba cuantitativamente alrededor del 70% de las exportaciones salitreras.

14. Cariola y Sunkel, 1982.

15. La población chilena en esos años era de: 1.635.000 (1860); 2.959.000 (1900); 3.785.000 (1920). En consecuencia, el porcentaje de estudiantes en las escuelas públicas respecto a la población total aumentó de 1,3% (1860) a 10,5% (1920). Había también un pequeño porcentaje adicional de estudiantes en escuelas privadas.

16. Las consecuencias generadas por el descubrimiento de un recurso natural, cuya explotación genera un influjo masivo de divisas, han sido denominadas en la literatura económica como "síndrome holandés" (por el impacto que tuvo sobre la economía holandesa el descubrimiento de petróleo en el Mar del Norte en la década de 1970). Uno de sus principales efectos es la *apreciación cambiaria* inducida por la gran oferta de divisas. Esto desincentiva la producción local de bienes transables, que pierden competitividad ante el abaratamiento de las importaciones. Luego, puede producirse la paradoja de que el descubrimiento y la explotación de un recurso natural y el enriquecimiento del país generen la contracción del sector industrial y

desempleo, y un menor crecimiento del sector productor de bienes transables.

17. Se llega a hablar de un "caso único en la historia financiera", en el que un país libera a sus habitantes del pago de tributos mientras simultáneamente expande sus gastos (Vial, 1981, p. 382).

18. Ha habido acusaciones de que la corrupción gubernamental ayudó a los inversionistas extranjeros. Sin embargo, como lo señala Pinto (1962), ¿dónde estaban los empresarios nacionales que deberían haber contrarrestado esas operaciones? Si hubieran existido, ellos habrían dispuesto de gran poder y podrían haber neutralizado los sobornos. Una argumentación pública planteando en beneficio de quién se libró la Guerra del Pacífico habría sido muy difícil de responder.

19. Vial señala que los empresarios chilenos de la época carecían del espíritu de riesgo y especulación necesarios para embarcarse en una actividad en la que los beneficios potenciales no eran inmediatos. "Imperios estilo North no calzaban con la cazurra prudencia, característica en nuestros hombres de negocios". "Comprendieron que la partida salitrera se jugaba a un nivel demasiado alto para ellos; intervenían grandes capitales y capitalistas, grandes especuladores bursátiles, grandes mercados y mercaderes, grandes empresas navieras y grandes distribuidores. Ante esto, los empresarios chilenos sacaron sus modestas fichas del tapete". Ante la crítica ex-post de por qué no participaron en el negocio del salitre, habrían respondido: "los críticos, hablando, no arriesgaban su propio dinero" (Vial, 1981, p. 379). Sin embargo, como lo señala Pinto (1962), North "realizó la fantástica especulación que lo transformó en el 'rey del salitre' con capitales chilenos, provistos por el Banco de Valparaíso" (p. 85).

20. Las ventas por exportaciones salitreras se descompondrían de la siguiente forma (Mamalakis, 1971): 1/3 para costos de producción, 1/3 en impuestos al gobierno y 1/3 de utilidad para los productores.

21. Mamalakis, 1971.

22. Las exportaciones salitreras representaban de 25% a 35% del PGB. Un 60% a 70% de la producción salitrera pertenecía a extranjeros. Suponiendo que las firmas extranjeras eran un 10% más eficientes que las nacionales, y que las utilidades después de impuestos representaban 1/3 de las ventas totales, se obtiene el porcentaje del 6% del PGB. Mamalakis (1971) agrega la amortización del capital, que supuestamente debiera estar incluida entre los costos de producción, y obtiene la cifra de 7% del PGB para las remesas de utilidades.

23. Pinto, 1962.

24. En la primera mitad del siglo XIX, los yacimientos cupríferos existentes poseían por lo general una muy alta ley; en Inglaterra se observan valores que fluctúan entre 8% y 9% (Schmitz, 1986).

25. Las minas de El Teniente y Chuquicamata poseen leyes estimadas en 2,50% y 2,12% respectivamente, que son de las más elevadas para los yacimientos conocidos en la primera parte del siglo XX. Estudios de esa época proyectan una disponibilidad de existencia cuprífera para un período de 78 años para El Teniente, y 87 años para Chuquicamata (Schmitz, 1986).

26. Para información más detallada sobre la historia del cobre chileno, ver Vera (1961), Reynolds (1965), Morán (1974), Grunwald y Musgrove (1970), Sutulov et al. (1978).

27. Reynolds, 1965.
28. Este punto ha sido sugerido por Eduardo Engel: la aversión al riesgo no es cuestión genética, ¿o sí lo es?
29. Reynolds, 1965.
30. En 1920, las remuneraciones de los mineros de Chuquicamata y El Teniente eran en promedio un 58% y un 11% superiores a la remuneración nacional promedio obtenida por los mineros que trabajaban en minas de cobre (Reynolds, 1965).
31. Como se ha señalado, las exportaciones de la GMC constituyen del 80% al 90% de las exportaciones totales de cobre. Por lo tanto, la participación de las exportaciones totales de cobre en las exportaciones totales de Chile ha sido superior al 70% a partir de 1955, alcanzando incluso cerca del 80% en algunos años del período 1955-1970 (gráfico 1.5).
32. Ffrench-Davis, 1974.
33. Morán (1974) ha hecho la siguiente analogía: las 500 corporaciones más grandes de los EE.UU., según *Fortune,* no juegan en la economía norteamericana un papel tan importante como el que tuvieron las dos firmas norteamericanas que explotaban la GMC en la economía chilena durante el período 1950-1970.
34. Para una discusión más a fondo de este tema, ver Ffrench-Davis (1974).
35. Ffrench-Davis, 1974.
36. Morán, 1974.
37. La paradoja es que esta actitud de *laissez-faire* coexiste con la etapa de industrialización basada en la sustitución de importaciones, con un Estado más activo. Probablemente esto sea consecuencia del sesgo existente en esta estrategia, en la que hay un gran descuido con respecto a todo aquello que esté vinculado al sector exportador.
38. Morán, 1974.
39. Morán, 1974.
40. Morán, 1974.
41. Ffrench-Davis, 1974.
42. Para una revisión y discusión de los distintos procesos de nacionalización en América Latina, ver Sigmund (1980). Para la racionalidad y los principios legales de la nacionalización de la GMC, ver Vargas (1974).
43. Pinto, 1962; Reynolds, 1965; Morán, 1974.
44. Hay una gama de estimaciones que van desde US$ 100 millones hasta US$ 500 millones. Las diferencias se relacionan con el uso del precio del cobre en el mercado norteamericano o en el mercado mundial. En términos *per cápita,* la contribución chilena al financiamiento de la Segunda Guerra Mundial sería más alta que el plan Marshall de ayuda para la reconstrucción de Europa (Morán, op. cit.).
45. Ver Cortés *et al.* (1981).
46. Ver en Vial (1981) las "combinaciones" realizadas por los productores de salitre chileno para controlar el nivel del precio internacional de este producto.
47. Implícitamente se está suponiendo que los gobiernos chilenos habrían estimado que las exportaciones de salitre se expandirían anualmente alrededor del 6,5% a partir de 1885; esto les permitiría estimar cuáles serían los efectos fiscales y de balanza de pagos del salitre. En el caso del cobre, se supone una expansión anual algo inferior al 4% (ver Anexo Estadístico).

48. Una excepción la constituiría el FEC (Fondo de Estabilización del Cobre), establecido por sugerencia del Banco Mundial a fines de la década de 1980. Sobre este tema, ver Engel y Meller (1992).

49. Una regresión simple entre un índice de términos de intercambio y una variable de tendencia para el período 1885-1915 proporciona los siguientes resultados (estimación por Cochran-Orcutt; los valores entre paréntesis corresponden al estadígrafo t) (ver anexo estadístico):

$$\ln TI = \quad 4,62 \quad + \quad 0,002 \, t \qquad R^2 = -0,03$$
$$ (18,0) \qquad (0,18)$$

50. Una regresión simple entre un índice de término de intercambio y una variable de tendencia para el período 1940-1970 proporciona los siguientes resultados (estimación por Cochran-Orcutt; los valores entre paréntesis corresponden al estadígrafo t) (ver anexo estadístico):

$$\ln TI = \quad 3,8 \quad + \quad 0,02 \, t \qquad R^2 = 0,27$$
$$ (39,3) \qquad (3,39)$$

51. Chile no aplicó el principio básico de diversificación de portafolio y se lo jugó todo casi exclusivamente al salitre. Por otro lado, una estrategia forzada de diversificación de exportaciones hubiera entrado en conflicto con el principio de ventajas comparativas y de canalización de inversiones hacia el sector que tenía mayor rentabilidad relativa (sobre este tema ver Engel y Meller, 1992).

52. En las primeras décadas del siglo XX, las exportaciones per cápita de Chile eran equivalentes a 2,2 veces el promedio de exportaciones per cápita de América Latina; Chile ocupaba el 3er. lugar latinoamericano en exportaciones per cápita detrás de Argentina y Cuba. Ver Ground (1988).

53. Hay consenso sobre este punto en la literatura chilena; ver Muñoz (1968) y Palma (1979).

54. Pinto, 1962.

55. Para una revisión exhaustiva de la literatura de la "dependencia", ver Blomström y Hettne (1990).

56. Esto es equivalente al período de recuperación de la depresión de la década de 1980; sin embargo, la caída del PGB en este caso fue "sólo" de 16% (1982-1983).

57. Díaz-Alejandro, op.cit. Para un análisis y revisión profundos de la situación macroeconómica chilena durante la Gran Depresión, ver Marfán (1984) y Sáez (1989).

58. Resulta absurda la crítica a la CEPAL por haber influido en la implementación de la estrategia ISI; lo que hace la CEPAL en la década del 50 es simplemente proporcionar la racionalidad a lo que estaba ocurriendo en varias economías latinoamericanas. Los artículos clásicos sobre este tema son: Prebisch (1950), Hirschman (1968), Baer (1972), Bianchi (1973).

59. Ver Muñoz (1968); Palma (1984).

60. Behrman, 1976.

61. Behrman, 1976; Ffrench-Davis, 1973.

62. Behrman, 1976.

63. Durante ese mismo período el sector industrial latinoamericano tiene una tasa media de crecimiento de 6,7% por año; la producción industrial brasileña se expande al 8% por año (CEPAL).

64. Marshall, 1984.

65. Para una reseña y análisis del régimen comercial chileno durante la ISI, ver Behrman (1976) y Ffrench-Davis (1973).
66. Banco Mundial, 1979.
67. Para una discusión más a fondo, ver Behrman (1976), Mamalakis (1976) y Marshall (1984).
68. Para una revisión y análisis más a fondo, ver Pinto (1965), Vial (1981), Cariola y Sunkel (1982), Villalobos (1984), Moulián (1985), Muñoz (1988), Atria y Tagle (1991).
69. Resulta realmente sorprendente que, siendo Chile el productor de nitratos (insumo-fertilizante básico) más importante del mundo, la agricultura chilena haya perdido su competitividad internacional. Este es un tópico que no ha sido siquiera planteado por los analistas, y que requiere una investigación.
70. Según Enzo Faletto, en Chile no ha habido un conflicto entre la "oligarquía terrateniente" y la "burguesía empresarial industrial", sino una asimilación entre ambas, de manera que el empresariado burgués se ha "aristocratizado" mientras que la oligarquía terrateniente se ha "aburguesado". Citado por Pinto (1985).
71. Bianchi et al., 1989.
72. Pinto, 1985.
73. Para detalles, ver Muñoz y Arriagada, 1977.
74. Mamalakis, citado en Bianchi et al. (1989).
75. Para una revisión y análisis más completos de las políticas de ajuste de la década de 1980, ver Meller (1990); este tema también se analiza en el Capítulo 3.
76. Para una discusión más detallada, ver Foxley (1982), Edwards y Cox (1987) y Morandé y Schmidt-Hebbel (1988); ver también las referencias que se presentan en esos trabajos.
77. Estas interrogantes se examinan en los Capítulos 3 y 4.
78. Para una reseña y análisis de experiencias anteriores chilenas de liberalización comercial, ver Behrman (1976). Para una reseña más detallada de las políticas de liberalización comercial, ver De la Cuadra y Hachette (1988), Banco Mundial (1979) y Meller (1991). Este tema se analiza en el Capítulo 3.
79. Para una revisión más profunda de la reforma comercial chilena, ver Meller (1992).
80. Todavía hay una discusión en Chile respecto al tipo de relación entre el déficit de la cuenta comercial y el superávit de la cuenta de capital, esto es, cuál fue la causa inicial y cuál el efecto. Para diferentes opiniones sobre este tema, ver Edwards y Cox (1987), Morandé y Schmidt-Hebbel (1988) y Meller (1989). Este tema se analiza en el Capítulo 3.
81. El procedimiento usual que se aplica en América Latina para medir el PGB industrial mediante el uso de indicadores de producción física no incorpora este mecanismo de sustitución, y las cifras oficiales pueden mostrar tasas crecientes de producción industrial mientras que, en la práctica, puede haber una disminución del valor agregado en el sector industrial. Para una discusión más profunda de este tema, ver Meller, Livacich y Arrau (1984).
82. Muñoz, 1988; Montero, 1990.
83. Para una discusión de este punto, ver Larraín (1988) y Marcel (1989).
84. Ray, 1988; Kilby, 1988.

85. Selowsky (1989) lo ha planteado así: la trayectoria de crecimiento sostenido de largo plazo será alcanzada cuando el empresariado privado nacional prefiera invertir productivamente en la economía local que invertir en recursos financieros colocados en el exterior.
86. Véliz, 1963.
87. Encina (1986). La obra clásica de Francisco A. Encina fue escrita en 1911.
88. Gerschenkron, 1962.
89. Ver Blomström y Meller, 1990. Un supuesto importante en el cálculo anterior es la existencia de una oferta de trabajo altamente elástica en el mercado chileno; dada la baja tasa de participación, especialmente femenina, éste no sería un supuesto muy restrictivo.
90. Ver Agarwala y Singh, 1963; Gerschenkron, 1962.
91. Góngora, 1981.
92. Véliz, 1963.
93. La renta ricardiana corresponde a la diferencia resultante entre el ingreso y la suma de todos los costos correspondientes al proceso productivo, incluyendo depreciación del capital, pago normal al factor empresarial y utilidades normales. Se genera debido a la no homogeneidad existente entre los recursos naturales. Como el precio del bien final está determinado por el costo marginal del recurso natural de menor productividad relativa que está en actividad, el diferencial intramarginal de productividades genera la renta ricardiana. Por ejemplo, en el caso del cobre, la elevada ley de los yacimientos chilenos genera para Chile una renta ricardiana, dada su mayor productividad relativa, basada en la no existencia de yacimientos con una ley similar o en la no existencia de una tecnología que permita reducir a un nivel similar los costos de extracción de otros yacimientos en explotación.
94. En el caso de la producción de algunos recursos naturales, como las frutas, la renta ricardiana tiende a desaparecer debido al incremento del precio de la tierra. Sin embargo, Chile tiene una renta ricardiana proveniente de la secuencia de estaciones climáticas inversa a la de los países del hemisferio norte.
95. Para una cobertura de este tema, ver Colander (1984).
96. Una consecuencia de este proceso sería, según Véliz (1963), la marginación de los trabajadores de los beneficios del crecimiento: "Bestia de carga para el minero, animal de carga para el terrateniente, ignorante e ignorado", nunca pudieron influir en el destino del país.
97. Alba, 1961.
98. Pinto, 1962.

CAPITULO 2

LA VIA AL SOCIALISMO DE LA UNIDAD POPULAR

BREVE REVISION DE LA CUESTION SOCIAL

Existencia de pobres y ricos

La crítica social vinculada a las desigualdades entre ricos y pobres surge en Chile a mediados del siglo XIX[1]: "El mal gravísimo que mantiene al país en la triste condición en que le vemos, es la condición del pueblo: la pobreza y degradación de los nueve décimos de nuestra población" (...) "En todas partes hay pobres y ricos, pero no en todas partes hay pobres como en Chile. En Chile ser pobre es una condición, una clase, que la aristocracia chilena llama rotos" (...) "El pobre no es ciudadano; los pobres no tienen partido, ni son pipiolos ni pelucones... son pobres"[2]. "De una manera muy visible se han formado esas clases altas que nadan en la opulencia y esas clases bajas que se ahogan en la miseria; dueñas las unas del poder y desarrollándose las otras en una atmósfera servil"[3]. "En Chile hay una clase privilegiada, cuyo privilegio no está en la ley ni en los derechos de que goza, sino en el hecho, en la costumbre (...) y autoriza en unos el desprecio y en otros la superioridad con que miran (...) a todo aquel que no lleva un nombre antiguo o conocido". Apoyándose en esta "superioridad" y en la riqueza, "se han arrogado el derecho de influir en los negocios públicos porque son los únicos que tienen que perder y que arriesgan en cualquier trastorno"[4]. "Desde la Independencia, el gobierno ha sido de los ricos. Los pobres han sido soldados, han labrado la tierra, han hecho acequias, han laboreado minas –han permanecido ganando real y medio–, los han azotado y encepado cuando se han desmandado, pero en la República no han contado para nada. Han gozado de la gloriosa independencia tanto como los caballos que en Chacabuco y Maipú cargaron a las tropas del Rey"[5]. "El fatalismo domina en las creencias populares y envuelve a las masas en una atmósfera de una enervante indiferencia; en esa resignación silenciosa de los pueblos orientales, sin iniciativa, sin esfuerzo por mejorar su condición. Los hijos están irrevocablemente condenados. Sus padres los ven nacer sin placer y los ven morir sin dolor"[6].

Durante la mayor parte del siglo XIX, la economía chilena es fundamentalmente agrícola. Casi el 80% de la población vive en zonas rurales antes de 1880; incluso hasta 1930 la población rural supera a la urbana. En la agricultura predomina la hacienda o latifundio, en el que prevalecen relaciones sociales de tipo semimedieval: hay un señor-patrón o latifundista e inquilinos o campesinos[7]. El latifundista proporciona a sus inquilinos una choza y algo de tierra; además, los protege y cuida de ellos cuando están enfermos o viejos. Por su parte, los inquilinos obedecen y reverencian a su patrón, y viven y mueren en la tierra[8]. Su nivel de vida es bastante precario, y están aislados de la vida urbana, cultural, educacional y política; esta situación dura hasta bien entrado el siglo XX[9].

La situación material y laboral a principios del siglo XX no es mucho mejor para los trabajadores urbanos. Con posterioridad a 1880 el acelerado crecimiento de la población urbana genera serios problemas habitacionales; los conventillos y cités son una de las soluciones. En 1910, en Santiago, el 25% de la población (100.000 personas) vive en 25.000 piezas de conventillos; esto da un promedio de 4 personas por habitación, pero "aún en 1922 había conventillos que albergaban hasta 10 personas por pieza"[10]. Estos conventillos eran "piezas alineadas a ambos lados de una estrecha callejuela como las cabinas de los vapores; con su mugre, su criminalidad, su indefensión ante el cólera y la viruela; con sus muros ruinosos; con sus mujeres cocinando en cuclillas en plena calle"[11]. La tasa de mortalidad infantil alcanzaba allí al 30%, y había un 35% de nacimientos ilegítimos[12].

Hasta 1920, las condiciones laborales presentaban las siguientes características[13]: a) No había convenios colectivos, todos los acuerdos eran individuales y *verbales*; los contratos escritos eran absolutamente desconocidos[14]. b) No había previsión social para los trabajadores, ni indemnización por accidentes laborales, ni normas de higiene o seguridad que se respetasen en campos, minas y fábricas. c) No había duración máxima para la jornada diaria; ésta oscilaba entre 9 y 12 horas. d) No era obligatorio el descanso dominical; el Parlamento tardó 14 años en aprobar la ley que lo regulaba. e) No estaba prohibido pagar las remuneraciones en especies, o en vales o fichas canjeables sólo en la "pulpería" o almacén del patrón. f) El trabajo infantil no estaba reglamentado, y representaba el 8,5% del empleo total en 1908[15].

Sobre este tópico, la descripción de un escritor proporcionada por Vial es bastante elocuente: "en una fábrica de botellas, después de medianoche vi una cantidad de pequeñuelos, *algunos de 8 años,* tal vez, que al lado de los hornos de fundición, semidesnudos, sudaban copiosamente, con sus caras tiznadas, sus semblantes demacrados, sus ojitos soñolientos, y que debían seguir en su tarea (...) hasta aclarar el nuevo día". En 1917, una comisión parlamentaria "que visitó las salitreras pudo ver niños por miles, y *hasta de 7 u 8 años,* que desempeñaban labores no sólo superiores a sus fuerzas, sino extremadamente peligrosas e insalubres"[16].

El cuadro 2.1 proporciona algunas cifras sobre salarios relativos y costo de vida en los primeros años del siglo XX. Si se considera que el costo del arriendo representa un 25% a 30% del ingreso, es posible apreciar que la mayoría de los trabajadores vivía en condiciones económicas sumamente precarias; esto es incluso válido para aquellos sectores que podrían ser considerados como de clase media (empleados públicos y trabajadores calificados), los cuales probablemente no vivían en conventillos y debían cargar con un mayor costo de arriendo. En este cuadro es posible apreciar también que los campesinos tenían una remuneración monetaria inferior a la de un niño de la zona urbana.

Vial sugiere que no hay que ser demasiado severo para juzgar la sociedad chilena de aquel entonces. "Miremos las fallas con los ojos de su tiempo, no con los actuales; no sólo Chile, todo el mundo era así, y no había un modelo para copiar o adaptar"[17]. Con todo, existía un gran diferencial de remuneraciones entre el campo chileno y el campo argentino, lo cual ilustra que no todo el mundo era así y que no era obvio que un campesino tuviera

CUADRO 2.1. SALARIOS RELATIVOS Y COSTO RELATIVO DE VIDA
EN CHILE, PRINCIPIOS DEL SIGLO XX
(TRABAJADOR CALIFICADO URBANO = 100)

Trabajador del salitre	125
Trabajador calificado urbano	100
Empleado público (correo)	70
Trabajador no calificado urbano	50
Mujer o niño (zona urbana)	25
Campesino*	20
Arriendo pieza conventillo (Santiago)	30

Fuentes: Jobet (1951); Aylwin *et al.* (1986).
* Adicionalmente el campesino recibe alimentación, vivienda, derecho a tierras. Un peón gana el mismo sueldo y no tiene derecho a estas franquicias adicionales.

que ganar menos que un niño; de hecho, ese diferencial estimuló la migración campesina a Argentina a comienzos de este siglo.

Cabe preguntarse por qué en gran parte de la agricultura chilena no había competencia por la mano de obra, esto es, ¿por qué el sector agrario de esa época operaba como una especie de monopsonio si había numerosos grandes predios pertenecientes a distintos dueños? La explicación estaría en la existencia de una oferta de mano de obra perfectamente elástica al salario de subsistencia. En una economía pobre y subdesarrollada, los niveles de ahorro e inversión y de incorporación de tecnología son bajos, originando bajos niveles de productividad a los cuales corresponden bajos niveles de salarios.

A comienzos del siglo XX, las clases sociales chilenas podrían clasificarse así: el caballero (de la aristocracia), el siútico (de la clase media)[18] y el roto (del pueblo)[19]. La cuestión social comienza a ser enfrentada sólo cuando la clase media adquiere una cuota importante del poder político, lo que sucede a partir de 1920. Desde entonces, gracias al predominio y la consolidación de la clase media, ha surgido una mayor preocupación por los grupos sociales marginados, que han aumentado su incorporación a aquélla. Como resultado de ello, a fines del siglo XX la mayoría de la población se considera de clase media, y los partidos políticos tratan de posicionarse en el Centro del espectro político para captar los votos de esta clase.

La cuestión agraria

La estructura social de Chile, desde los tiempos de la Conquista y de la Colonia, se estableció sobre bases agrarias; esta herencia social moldea el modo de vida chileno incluso durante gran parte del siglo XX. Una descripción, algo exagerada, pero que capta las percepciones sobre la estructura predominante (para el 60% a 70% de la población) hasta comienzos del siglo XX es la siguiente: "Existía una aristocracia dueña de la tierra, que mantenía el control de la vida nacional; y, completamente separada de ella, otra clase más baja, que formaba el inquilinaje permanente de las propiedades rurales. Cualquiera que fuese la ocupación de un hombre o donde quiera que residiese (en las zonas rurales), pertenecía a una u otra de las dos clases: era amo o criado. Los dueños de la tierra mandaban, y a los que nada poseían les correspondía obedecer"[20].

La hacienda o latifundio asegura la mantención de este orden social. El latifundio es un sistema que posee elementos autárquicos y de economía de trueque, los cuales rigen incluso durante la primera mitad del presente siglo[21]: la jornada de trabajo es de sol a sol; cerca del 70% de la remuneración de los campesinos es pagada en especies y no en dinero; los acuerdos contractuales son verbales, la palabra del patrón es la ley y la tradición centenaria inmutable es la Constitución; la existencia de almacenes-pulperías, administrados por los patrones, es otro mecanismo que aísla a los campesinos del mercado y les crea deudas permanentes, que les impiden abandonar la hacienda. Por otra parte, prácticamente no existen organizaciones sindicales campesinas antes de 1965. Y, hasta 1990, tampoco el requerimiento legal de contabilidad escrita para la actividad agraria; los impuestos no se pagan sobre la renta efectiva sino sobre la renta presunta, según estimaciones realizadas por los mismos agricultores.

El latifundio retarda la evolución económica, social y política de Chile[22]. En lo económico, utiliza tecnologías primitivas para la explotación de la tierra; dados los bajos salarios de los campesinos, no hay incentivos para la introducción de la tecnología moderna, que ahorraría mano de obra. En lo social, prevalece un régimen semipatriarcal, en el cual la máxima aspiración de

85

un campesino es tener un "buen patrón". En lo político, una reducida oligarquía latifundista controla a una gran masa de campesinos, gozando por un largo período de una gran cuota de poder político.

El cuadro 2.2 ilustra la distribución de la tenencia de la tierra en 1925 y en 1965 (gráfico 2.1). En términos relativos, se observa que menos del 10% de los propietarios es dueño de más del 90% de la tierra. (Incluso podría inferirse que esta distribución es relativamente más concentrada en 1965 que en 1925). Entre esos años es posible apreciar un significativo incremento en el número de propietarios agrícolas; hay un 2,3% de expansión anual en el número de estos propietarios. Sin embargo, en 1965 casi el 50% de los propietarios agrícolas eran minifundistas cuyos predios tenían un tamaño promedio de 1,7 hectáreas[23].

Al comienzo de la segunda mitad del siglo XX, entonces, la situación de la tenencia de la tierra en Chile puede resumirse así: considerando un total de 400.000 familias campesinas, un 5% es dueña de los grandes fundos, un 30% es minifundista, otro 30% es propietaria de fundos de tamaño mediano, y un 35% de las familias carece de tierra (son medieros, afuerinos, etc.); recordemos que una alta concentración de tierra implica simultáneamente una alta concentración sobre la propiedad y el uso del agua[24].

Dados estos antecedentes, no es de extrañar que el tema de la reforma agraria haya surgido en Chile ya en la década de 1930. "Sólo una reforma agraria profunda puede salvar al país del desastre; los hacendados chilenos encaran hoy (década del 30) la alternativa de entregar voluntariamente y sin compensaciones una parte de sus tierras, o perderlas por completo"[25]. En la campaña presidencial de 1938, el candidato triunfante utiliza el tema de la reforma agraria como uno de los pilares de su programa. Los partidos de izquierda comienzan a explicar el retraso y el lento crecimiento económico como debidos al predominio del latifundio, el que es considerado el responsable de la estructura semimedieval y semicolonial que persistía en el campo chileno[26].

Con posterioridad a 1940, una serie de indicadores económicos ilustran un comportamiento mediocre del sector agrícola (cuadros 2.3 y 2.4): 1) El sector agrícola crece más lento: mien-

GRAFICO N° 2.1.   TENENCIA DE LA TIERRA EN CHILE

AÑO 1925 (25.425.000 HECTAREAS)

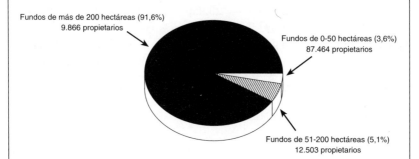

Fundos de más de 200 hectáreas (91,6%)
9.866 propietarios

Fundos de 0-50 hectáreas (3,6%)
87.464 propietarios

Fundos de 51-200 hectáreas (5,1%)
12.503 propietarios

AÑO 1965 (30.649.000 HECTAREAS)

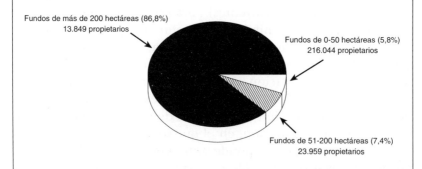

Fundos de más de 200 hectáreas (86,8%)
13.849 propietarios

Fundos de 0-50 hectáreas (5,8%)
216.044 propietarios

Fundos de 51-200 hectáreas (7,4%)
23.959 propietarios

Fuente: Jobet (1951), Aranda y Martínez (1970).

87

CUADRO 2.2.   TENENCIA DE LA TIERRA EN CHILE. 1925, 1965

Tamaño del predio (hectáreas)	Nº de propietarios (% sobre total)		Nº de hectáreas (miles) (% sobre total)	
	1925	1965	1925	1965
0 - 50	87.464 (79,6)	216.044 (85,2)	836,0 (3,3)	1.763 (5,8)
51 - 200	12.503 (11,4)	23.959 (9,5)	1.288,0 (5,1)	2.284 (7,4)
Mayor de 200	9.886 (9,0)	13.489 (5,3)	23.301 (91,6)	26.602 (86,8)
Total	109.853	253.492	25.425	30.649

Fuentes: Jobet (1951), Aranda y Martínez (1970).

tras el resto de los sectores crece anualmente al 4,3%, la agricultura tiene una expansión anual de sólo 1,9%. 2) El sector exhibe una tasa *decreciente* de generación de empleo (-0,4% anual); en cambio, el resto de la economía genera ocupaciones a un ritmo anual de 1,9%. 3) La productividad media de la mano de obra agrícola es sólo un 35% de aquella correspondiente al resto de la economía. 4) Las importaciones de alimentos representan en las décadas del 50 y del 60 cerca del 30% del déficit comercial, creando problemas en la balanza de pagos.

En los años 50 y 60 se consolidan dos explicaciones distintas (no necesariamente excluyentes) para esta deficiente *performance* del sector agrícola. La hipótesis estructuralista pone el énfasis en la estructura de la tenencia de la tierra, la cual perpetúa un sistema productivo arcaico. La hipótesis microeconómica neoclásica centra la explicación en la evolución desfavorable de los precios relativos en la agricultura, y en la existencia de incentivos negativos: la mantención de controles de precios como mecanismo para frenar la inflación, en el que los precios de los alimentos ocupan un papel preponderante, genera una evolución de precios relativos desfavorable para la agricultura; a esto se agregaría el elemento de incertidumbre respecto del nivel al cual se establecerían los futuros precios del sector. El cuadro 2.4 sugiere que este argumento sólo tiene validez empírica en la década de 1960.

CUADRO 2.3. CRECIMIENTO Y EMPLEO EN EL SECTOR AGRÍCOLA
Y EN LA ECONOMÍA CHILENA. 1940-70 (PORCENTAJES)

| | Crecimiento económico anual | | Expansión anual del empleo[a] | |
	Agricultura	PGB[b]	Agricultura	Empleo total[b]
1940-1950	2,2	3,4	0,4	2,2
1950-1960	1,6	4,1	0,3	1,7
1960-1970	1,9	5,5	-1,8	1,8
1940-1970	1,9	4,3	-0,4	1,9

Fuentes: Banco Central; Meller y Rahilly (1974) y Léniz y Rozas (1974).
[a] La expansión anual del empleo está referida a los años 1940-52 y 1952-60.
[b] Excluye al sector agrícola.

CUADRO 2.4. PRODUCTIVIDAD RELATIVA Y PRECIOS RELATIVOS
EN EL SECTOR AGRÍCOLA. 1940-70

| | Productividad media del trabajo (miles de $-1965/persona) | | Precios agrícolas/Precio (PGB-no agrícola) |
	Agricultura	Resto sectores econ.	
1940	35,4	100,0	100,0
1950	42,3	111,4	106,5
1960	48,4	139,1	101,7
1970	70,0	199,0	85,8

Fuentes: Elaborado en base a Meller y Rahilly (1974) y Léniz y Rozas (1974).
Nota: Para obtener el empleo de 1950 se utilizaron las tasas de crecimiento anual del empleo entre 1940-52.

La discusión sobre la cuestión agraria pareciera exagerar el papel de la agricultura en la evolución económica chilena. De acuerdo al análisis del capítulo anterior, a partir de 1880 las exportaciones de productos mineros (salitre y cobre) transformaron el patrón de desarrollo económico nacional. No es en absoluto obvio el mecanismo por medio del cual el sector agrícola latifundista logra captar los beneficios del crecimiento monoexportador o, por otra parte, que actúe como cuello de botella de un crecimiento acelerado. Es más, las tensiones sociales que surgen a partir de 1880 se originan en las minas y en los centros urbanos. Desde comienzos del siglo XX, el debate político se concentra en las zonas urbanas. La gran habilidad política de los latifundistas radica justamente en aislar la zona rural del debate político-social incluso hasta la década de 1960. Obviamente, ésta no era una situación sostenible de modo indefinido; en el siglo XX, con el avance de los medios de transporte y de comunicación, era imposible que en un mismo país coexistieran una estructura social semimedieval arcaica con una estructura urbana moderna. Esa gran masa pasiva y fatalista de campesinos finalmente tomó conciencia de que las cosas podían ser distintas; ésa es la gran diferencia entre un árbol enraizado en la tierra y un campesino que ha vivido en el mismo terruño en las mismas condiciones toda su vida.

De la cuestión social a la crisis social

Ya en el siglo XIX surgen duras críticas al liberalismo económico. "¿Es posible dejar que se desenvuelva tranquilamente una situación social en la que el inquilinaje es un ideal? La doctrina de la indiferencia impasible, el *laissez-faire*, sugiere que eso lleva al óptimo social; óptimo, ¿para quién?, ¿para los patrones y para los inquilinos o sólo para alguno de éstos?"[27]. En efecto, "¿qué es lo que necesitan los grandes para explotar a los chicos, los fuertes a los débiles, los empresarios a los obreros, los hacendados a los inquilinos, los ricos a los pobres? Sólo una cosa: libertad, o sea la garantía de que el Estado no intervendrá en la lucha por la existencia para alterar el resultado final en favor de los desvalidos. Eso es lo que el sistema de libre mercado da a los más poderosos"[28].

¿Y cómo ayudar a los más desvalidos a mejorar su situación? Es necesaria la intervención del Estado para el establecimiento de nuevas condiciones económicas y sociales (fomento de la industria y solución de la cuestión agraria), "que saquen a las bajas capas sociales de la situación asfixiante en la que se encuentran"[29]. Se requiere de la protección del Estado para que posibilite la igualdad de oportunidades en un mundo de desiguales: "no hay desigualdad mayor que la de aplicar un mismo derecho a los que de hecho son desiguales". En síntesis, "la política no es el arte de establecer un sistema de libre mercado; es el arte de satisfacer necesidades sociales"[30].

Las primeras huelgas surgen después de 1880; las primeras explosiones sociales, en la primera década del siglo XX. Eventos similares están ocurriendo en Europa, lo que sin lugar a dudas influye ideológica y pragmáticamente en el entorno nacional. Todo ello contribuye a la formulación, durante la década de 1920, de importantes reformas institucionales (la Constitución de 1925) y de una legislación social inexistente hasta entonces. Posteriormente, la cuestión social se transforma en la bandera de lucha de los partidos de izquierda, los cuales "no aceptan la legislación reformista como solución definitiva, sino que comienzan a propiciar una alteración revolucionaria de la sociedad chilena"[31].

A partir de 1950, surge una crítica doble al patrón de desarrollo: por una parte, se estima que el ritmo de crecimiento es muy lento; por otra, se observa que la situación distributiva no ha variado sustancialmente. Hasta entonces se había creído que la industrialización sacaría a Chile del subdesarrollo: la expansión del sector industrial constituiría un polo de atracción económico que generaría un incremento de ingresos y de empleos, presionando sobre el resto de la economía, particularmente las zonas rurales, en las que el fenómeno migratorio mejoraría la situación de los no migrantes. Sin embargo, se observaba que la industria creaba relativamente pocos empleos en relación a la tasa de crecimiento de la fuerza de trabajo; además, los obreros industriales ganaban salarios sólo algo superiores a los de subsistencia.

Podría decirse entonces que la solución utópica, la industrialización, funcionaba muy lentamente y no resolvía los problemas existentes; había que buscar soluciones más efectivas. Pero en realidad, en los años 50 y 60 la percepción de una crisis que iba más allá de un ritmo de crecimiento lento o de una democracia que funcionaba imperfectamente flotaba en el aire[32]; algunos formulan la existencia de una crisis económico-socio-política integral[33], otros creen estar frente a una crisis de todos los valores y certezas[34], y otros postulan el fracaso del sistema capitalista.

A partir de 1920 comienza a generarse un desequilibrio creciente entre la progresiva incorporación de grupos sociales al proceso político y el lento mejoramiento económico de dichos grupos. En términos aritméticos, esto implica que el aumento del número de votantes es significativo y progresivamente supe-

91

rior al incremento de bienestar económico experimentado por estos nuevos votantes; ello se traduce en mayores presiones por el mejoramiento socioeconómico de los grupos postergados. Se da también una especie de aceleración en las aspiraciones y expectativas de la población, inducidas por el efecto de demostración canalizado por los medios de comunicación y de transporte y por la mayor urbanización, particularmente de Santiago, así como por la competencia política por los votos, que promete soluciones para todos[35].

En consecuencia, a pesar de los grandes cambios sociales y económicos observados con posterioridad a 1940 en relación al período previo, no se han producido todos los resultados que gran parte de la población deseaba y esperaba. Esto produce un estado de gran frustración por cuanto existe evidencia suficiente que ilustra "que el proceso de transformación económica y cambio social que se realizó durante las últimas décadas (...) no ha conseguido mejorar significativamente la situación económica y social de las mayorías"[36]. Es más, la política económica ha fracasado en lograr estabilidad y crecimiento. Aníbal Pinto sintetiza las percepciones existentes: "Ni estabilidad, ni desarrollo"; "Chile, un caso de desarrollo frustrado".

BREVE REVISION DE LA CUESTION POLITICA

Las distintas posiciones políticas

Durante el siglo XIX y hasta 1920, se da un predominio prácticamente total de la oligarquía en el manejo de la cosa pública. A partir de 1938, la clase media se consolida como principal actor político. El período 1920-38 constituye una especie de transición en la transferencia del poder entre ambas clases, institucionalizada a través de cambios constitucionales y de una nueva legislación política y social. Este período es precedido por un lapso de aproximadamente treinta años, en el que se observa un importante aumento de la efervescencia social: numerosas huelgas y violentos desórdenes callejeros son reprimidos de manera sangrienta.

La Independencia suprime institucionalmente los títulos de nobleza y los mayorazgos. Sin embargo, por más de un siglo persiste la misma estructura estamental en la que las diferencias sociales están básicamente marcadas por los apellidos, los prejuicios y las costumbres. De 1830 a 1920 prevalece en Chile el "orden oligárquico": domina un grupo "superior" ligado a la tierra, conservador y católico, "apegado a abolengos y prestigios"[37]. La imagen histórica arraigada de dicha época es la portaliana tradicional: Chile es un país institucionalmente ordenado y estable, con gobiernos fuertes, basados en la idea de una autoridad abstracta que sería una especie de sustituto de la anterior y lejana monarquía española, esto es, "se obedece y respeta no a las personas como tales que detentan el mando, sino al gobernante por el simple hecho de serlo". Este principio permite eludir el personalismo como base del gobierno; las acciones de éste estarían respaldadas y limitadas por la Constitución[38]. Villalobos cuestiona este mito portaliano y su visión institucionalista ordenadora; para Portales, "las Constituciones serían entelequias formales que los gobernantes pueden atropellar cuando juzguen que las circunstancias son extremas".

Hasta 1920, la política era una especie de pasatiempo o deporte de la oligarquía, un mecanismo para dar realce a la posición social. "Los partidos eran alianzas entre hacendados; una combinación política favorable podía conceder beneficios a ciertas familias"[39]. "Las crisis de gabinete, los duelos verbales en el Congreso, incluso las elecciones mismas eran vividas como algo en que no se arriesgaba nada definitivo"[40]. Las decisiones importantes no se tomaban en La Moneda o en el Congreso, sino en los centros sociales concurridos por los notables (Club de La Unión, Club Hípico), y/o en las tertulias de las mansiones de prominentes hombres públicos; frecuentemente existían vínculos familiares entre Presidentes, ministros y parlamentarios.

No obstante, en esta etapa hay logros fundamentales. Se consolida la unidad geográfica del país por la vía de la colonización y de conquistas territoriales, constituyéndose el actual Chile geográfico. También se consolida institucionalmente la república, observándose transferencias ordenadas y regulares del poder ejecutivo. Por último, es el Estado quien asume y cumple la función de definir la nacionalidad chilena.

93

Pero las protestas de los trabajadores remecen a Chile de extremo a extremo, "y la sangre de los que se habían rebelado cae en el desierto, en las calles y en las solitarias llanuras australes; ¿a qué se debe esta transformación del antiguo dócil inquilino en un obrero belicoso?"[41]. Estos cambios y presiones de los nuevos estratos sociales, hasta entonces sumamente pasivos, no tienen sentido para la clase dirigente, que "sigue creyendo que está viviendo en medio del pueblo de cuarenta años atrás; se ha acostumbrado a considerarse a sí misma intangible en su situación, y piensa que el pueblo permanecerá como antes, tranquilo, sin exigencias y totalmente subordinado a sus patrones"[42].

Lo anterior explica los planteamientos de la derecha de la década de 1930[43]: 1) La democracia y el sufragio universal implican el reemplazo del gobierno de los hombres capaces por los demagogos. Para evitarlo, habría que restablecer el "voto plural", esto es, algunas personas con determinadas condiciones ("familias bien constituidas, con educación y propiedades") debieran tener derecho a más de un voto[44]. 2) Defensa de la propiedad privada sin limitaciones; el Estado puede intervenir en la economía sólo para proteger la propiedad privada. 3) La pobreza es algo inevitable, un hecho natural. El presidente del Partido Conservador expresa textualmente en 1933: "El hecho social que más hiere la vista es el gran número de pobres frente al reducido número de ricos. Pero que esto sea así es un hecho natural inevitable, que existirá mientras el mundo sea mundo; está dentro del plan providencial que así sea" (...) "Si todos fuéramos ricos (...) la humanidad se moriría de hambre, y pagaría así su rebelión contra el castigo divino que la condenó a ganar el pan con el sudor de su frente. Para que los hombres puedan vivir sobre la tierra, es indispensable que haya pobres y ricos. Así, unos trabajarán por el incentivo de la riqueza, y otros por el aguijón de la pobreza"[45].

En Chile, la evolución y la expansión de los partidos del centro y de la izquierda están asociadas al patrón de desarrollo y al papel protagónico que va adquiriendo el Estado; Pinto (1970) señala a este respecto una diferencia importante entre los casos chileno y argentino. A fines del siglo XIX, el incremento de las exportaciones argentinas es generado por agricultores argentinos, lo cual margina al Estado del proceso económico; en el caso chileno en cambio, es el Estado el principal agente nacional que logra captar, administrar, gastar y distribuir parte importante de los recursos generados por las exportaciones (de salitre y cobre) en manos de inversionistas extranjeros. El sector público vinculado al Estado pasa a constituir una base de apoyo importante para los partidos de centro; a su vez, la concentración de grandes grupos de trabajadores mineros es la base de apoyo de los partidos de izquierda. Cabe señalar que en Chile surgen partidos obreros antes de la revolución rusa de 1917. Todos estos elementos configuran a principios del siglo una estructura sociopolítica relativamente avanzada en un país económicamente subdesarrollado.

El Partido Radical es el primer partido importante de centro, y se transforma (entre 1920 y 1950) en el portavoz de la clase media urbana; sus planteamientos podrían sintetizarse así[46]: 1) Crítica al capitalismo, pero no a la democracia liberal; a través de reformas sucesivas es posible mejorar el bienestar social de los trabajadores. 2) El "capitalismo individual" debiera ser sustituido por un régimen de solidaridad social; esto implica privilegiar el papel del Estado como conductor e impulsor de la economía. El Estado es un instrumento crucial para materializar aspiraciones económicas y sociales; debe ser mediador y árbitro en la cuestión económico-social. 3) Se reconoce un derecho de la propiedad privada *limitada*, para así limitar el poder político del capital; con ello se obtendría una distribución del ingreso más equitativa, que generaría mayor armonía entre las clases sociales.

El programa económico del Partido Radical incluía los siguientes elementos: 1) La estrategia de desarrollo estaría basada en la industrialización; esto implicaba específicamente disminuir la importancia relativa de la agricultura y de la minería. Hay una especie de correspondencia entre industrialización, áreas urbanas y localización del aparato público, que corresponde a la base de apoyo del centro político. 2) Expansión significativa de la educación pública; "gobernar es educar" es el lema del primer Presidente radical. La educación es considerada el principal mecanismo para lograr la movilidad económica y social. 3) Adopción de políticas de corte populista para mejorar la situación distributiva de la clase media y de los trabajadores, aliviando así (transitoriamente) las tensiones sociales. Esto incluía la expansión del empleo público, aumentos de remuneraciones superiores a los aumentos de la productividad y establecimiento de controles de precios (especialmente de los bienes de consumo masivo: alimentos, transporte, servicios de utilidad pública).

A partir de la década de 1960, la Democracia Cristiana sustituye al Partido Radical como principal partido de centro; problemas fundamentales que no fueron acometidos por el Partido Radical, como la cuestión agraria y la "chilenización" de la GMC, quedaron pendientes para ser abordados por la Democracia Cristiana[47].

Ahumada (1958, 1966) proporciona una interpretación global de la "crisis integral" que experimenta Chile, la que constituye la base conceptual del proyecto democratacristiano. Esta "crisis integral" de Chile tiene varias dimensiones. En primer lugar, la crisis económica, vinculada a un crecimiento lento con una persistente desigualdad distributiva. En segundo lugar, una crisis sociopolítica generada por dos elementos distintos: por un lado, una excesiva concentración del poder, debida a que grupos poderosos logran captar "una proporción del esfuerzo colectivo que es exagerada en relación a su contribución, y conduce a quienes carecen de poder al ostracismo y la marginación" (1958, p. 515). El poder es función de la organización; los grupos no organizados no tienen ningún poder. En el Chile rural pre-1960, los campesinos tienen un poder nulo; su aislamiento y su falta de organización han consolidado una situación de pobreza e ignorancia[48]. Por otro lado está la crisis de participación social. Es importante tener derecho a voto para elegir a aquellos que lo representen a uno, pero también es fundamental asegurarse que los elegidos "efectivamente lo representen a uno", esto es, que cumplan lo que han prometido en la campaña. La demagogia y el incumplimiento de las promesas generan escepticismo en la gente; comienza a dar lo mismo quien asuma el poder. Una tercera dimensión de la "crisis integral" radica en la falta de solidaridad de la sociedad chilena. La solidaridad es el sentimiento que "actúa como amortiguador y lubricante de la solución de los inevitables conflictos que existen entre los distintos miembros de la sociedad. Hay insuficiente solidaridad si no es posible movilizar los esfuerzos comunes del grupo para realizar tareas que son importantes para la vida del grupo" (p. 516).

La "revolución en libertad" constituye la propuesta de solución de esta crisis integral. Ahumada (1966, p. 519) señala: "La revolución en libertad no es contra la propiedad privada, ni contra el mercado, ni pro-capitalista, ni pro-estatista, ni pro-comunista. ¿A favor de qué está?, ¿en contra de qué está?" (...) "Está a favor de una sociedad justa en la que se haga efectiva la igualdad de oportunidades para que todo ser humano, independientemente de su cuna, pueda dar de sí todo lo que es capaz; en la que se haga efectiva la igualdad ante la ley y la voluntad de las mayorías. Está a favor de una sociedad eficiente que aproveche las ventajas de la tecnología moderna. Está a favor de una sociedad libre, con libertad para criticar, disentir, cambiar; libre para someter a quienes en nombre de esa misma libertad interfieren con la libertad. Está a favor de una sociedad digna".

Hay gran similitud en los objetivos fundamentales del Partido Radical y de la Democracia Cristiana: ambos quieren realmente la "modernización social", la incorporación a la sociedad de los sectores marginados. Sin embargo, para la derecha son bastante más tolerables las reformas y modernizaciones sociales que propugna el Partido Radical que las de la Democracia Cristiana; esto explica el hecho de que la derecha "permita" que, en 1938, con un triunfo electoral de sólo 13.000 votos, llegue al gobierno "un viejo político, radical y masón, apoyado por una masa de plebeyos"[49]. La esencia del programa del Partido Radical la constituían la industrialización y la expansión de la educación pública; como subproducto de éstas se alcanzaría la modernización social. En cambio, los instrumentos de modernización social de la Democracia Cristiana abarcaban reforma agraria, sindicalización campesina y creación de cuerpos institucionales para organizar y canalizar las demandas de los sectores populares.

Una característica fundamental de los partidos de centro ha sido su reiterada defensa de la democracia liberal, sistemáticamente cuestionada por algunos grupos tanto de la derecha como de la izquierda. Mientras algunos miembros de la derecha han objetado el sufragio universal, porque "¿cómo es posible que el voto de un roto tenga el mismo valor que el voto de un caballero?", desde la izquierda se ha objetado la democracia formal burguesa, porque "votando cada 4 años sólo se da la apariencia de que hay cambios, cuando en verdad todo continúa igual: siguen habiendo explotados y explotadores". Derecha e izquierda han coincidido en su cuestionamiento a los partidos de centro por la adopción de posiciones ambiguas. Sin embargo, ha sido precisamente el centro político el que ha mantenido más firmemente su convicción en la democracia, velando y luchando por ella de una manera clara e inequívoca. También han sido los partidos de centro, apoyados por la izquierda, los que han promovido e impulsado la profundización de la democracia a través de la incorporación masiva de nuevos votantes (ver cuadro 2.5) y de la organización e incorporación de los grupos marginados a la sociedad.

Desde la década de 1930, el conjunto de los partidos de izquierda "postula el socialismo como su ideal de sociedad"[50]. Para ellos, los problemas económico-sociales del país están vinculados a su estructura semifeudal y semicolonial; el latifundio y el imperialismo son la causa de todos los males. Mientras no se destruyan esos cimientos de opresión no podrá instaurarse un nuevo sistema que permita aumentar el bienestar efectivo de la clase trabajadora[51]. De aquí se infieren nítidamente objetivos programáticos básicos del proyecto izquierdista: expropiación y nacionalización.

Es efectivo que la izquierda cumple una función importante en la profundización democrática y en la creación de la institucionalidad formal chilena del siglo XX. Sin embargo, desde inicios del siglo, algunos altos dirigentes de la izquierda cuestionan la efectividad de la democracia como mecanismo para resolver la situación de los trabajadores. La democracia formal sólo sirve para conservar y cuidar los privilegios de los capitalistas burgueses[52], sólo funciona para la reducida clase privilegiada que ha tenido el control de todos los medios de comunicación, de producción y de cambio, pero no para los trabajadores ni para el pueblo[53]. La dolorosa lección histórica que ha aprendido toda la izquierda es que, confrontada a la dictadura, la democracia formal, aunque lenta para resolver los problemas económicos, es realmente válida, y fundamental para evitar las violaciones terribles de derechos humanos.

El contexto externo

Se dice que Chile ha sido un eterno imitador de patrones externos. "Se jugó a la literatura francesa, al parlamentarismo inglés y a la comuna suiza. Y todo acabó en un remedo caricaturesco y fallido de las formas originales"[54]. Probablemente ello explique los ímpetus de originalidad observados a partir de la década del 60: "la revolución en libertad", "la vía chilena al socialismo", "la vía monetarista para sacar a Chile de América Latina".

La revolución rusa de 1917 estimula la creación de partidos comunistas en toda América Latina; se introduce así en Chile la noción de la lucha de clases, y los trabajadores visualizan un ejemplo sobre cómo acceder al poder. La Gran Depresión, por su parte, sugiere que el sistema capitalista-democrático de los países desarrollados ha experimentado una profunda crisis, estimulando la visión de futuros gobiernos de trabajadores por todas partes. De hecho, los Frentes Populares suben al poder en España y Francia. Lo mismo sucede en Chile en 1938, con un Frente Popular constituido por el Partido Radical y la izquierda.

La "guerra fría" que prevalece tras la Segunda Guerra Mundial constituye el marco de referencia para las invasiones de los *marines* norteamericanos a países latinoamericanos (durante la década del 50), con el fin de evitar el control del gobierno por miembros o simpatizantes de partidos de izquierda: la democracia sólo funcionaría en América Latina cuando los elegidos fueran simpatizantes de Estados Unidos. Esta actitud estimula el sentimiento antinorteamericano, el que se acentúa en los años 60 con el triunfo y la consolidación de la revolución cubana. Entre 1810 y 1820, América Latina obtuvo la independencia política de España; ahora, el modelo cubano ilustraba la vía que debería seguir América Latina para lograr la independencia económica de Estados Unidos. En síntesis, la revolución cubana genera un desplazamiento hacia la izquierda de todo el espectro político, en toda América Latina. Las elites políticas perciben que gran parte del electorado es partidaria de cambios profundos en la estructura económica del país; los programas de los distintos partidos comienzan a incluir tópicos como reforma agraria y chilenización-nacionalización de la GMC[55].

Para neutralizar el sentimiento antinorteamericano en América Latina, el gobierno de Estados Unidos decide a comienzos de la década del 60 impulsar el programa Alianza para el Progreso, orientado a acelerar el proceso de crecimiento económico en la región. Un mayor crecimiento económico ayudaría a erradicar la pobreza y, de esta manera, restaría adherentes a los partidos de izquierda y a los simpatizantes de la revolución cubana. La Alianza para el Progreso promovía dos reformas estructurales básicas: la reforma agraria y la reforma tributaria.

Aumento de la participación política

En Chile, el cuasi-monopolio del sufragio es el mecanismo que otorga a la derecha el control del gobierno durante casi un siglo; este cuasi-monopolio se acaba en 1938. Como lo señala Hamuy (1967), el principal efecto del paso de un sistema electoral restringido a uno ampliamente representativo es la generación de presiones por mayores cambios. Esto se debe a que por primera vez una gran cantidad de gente adquiere de manera súbita "algo que jamás ha poseído y experimentado: poder. Poder para generar las autoridades políticas" (p. 494).

Cuando esta gran masa pasiva previamente marginada se incorpora al sistema electoral, comienza a ejercer presión a través del voto, exigiendo al Estado que responda a sus demandas sociales y generando requerimientos sobre los recursos existentes. "La masa que se ha incorporado tan repentinamente al proceso electoral chileno está transformando y trastornando todo. Trastornó a la vez el *establishment* y la solución de los problemas de desarrollo"[56].

En el período previo a 1920, considerando la población en edad de votar, el porcentaje de votantes era igual o inferior al 9%; de acuerdo a las cifras, no habría habido un incremento significativo en el número relativo de votantes por un período de 45 años (ver cuadro 2.5). En otras palabras, en el orden oligárquico la "democracia protegida" marginaba del sistema de elecciones a más del 90% de la población en edad de votar; esto es lo que se ha descrito como "el cuasi-monopolio del sufragio (por parte de la derecha), que habría permitido el acceso al gobierno sólo de los más capaces". Sería interesante contar con estudios que examinaran cuál era el mecanismo de selección de los más capaces y que además efectuaran una evaluación crítica de los resultados de dicho proceso de selección.

A medida que el centro va adquiriendo mayor poder político, se va produciendo un incremento significativo en el número absoluto y relativo de votantes; esto es lo que se ha denominado "profundización democrática". Los treinta años de efervescencia social de 1890-1920 habrían conseguido duplicar el porcentaje relativo de votantes en los dieciocho años siguientes (se llega a cerca del 15%). Una vez que el centro llega al gobierno (1938), este proceso se acelera notablemente; en poco más de una década se ha más que triplicado el porcentaje de votantes de 1920. El reconocimiento del derecho a voto de la mujer (1947) explica parte importante de este incremento. Posteriormente, en sólo veinte años el porcentaje relativo de votantes alcanza al 56% de la población en edad de votar (ver cuadro 2.5 y gráficos 2.2 y 2.3): en 1970 hay un aumento de *7 veces* respecto al número relativo de votantes de 1920[57].

El quiebre del "cuasi-monopolio del sufragio" de la derecha habría generado una paulatina disminución de su poder político, como se aprecia en el cuadro 2.6 y en el gráfico 2.4. En efecto, a medida que hay una mayor profundización democrática[58] disminuye de manera correspondiente la votación relativa obtenida por la derecha. Un modelo econométrico simple permite cuantificar esta relación[59]: un aumento de 10 puntos porcentuales en el porcentaje relativo de votantes (o sea, un aumento del porcentaje de inscritos de un 20% a un 30%) ha generado una disminución de 6,4 puntos porcentuales en el porcentaje relativo obtenido por la derecha en el período previo a 1970, suponiendo, para simplificar, que las personas que votan una vez por un determinado partido político siguen votando de la misma manera[60]. Los resultados econométricos son estadísticamente significativos y permiten sugerir una hipótesis muy simple: la mayor participación electoral sería entonces el factor fundamental que explicaría la pérdida de poder político de la derecha en el siglo XX, en el que se observa la drástica reducción de su votación en las elecciones parlamentarias desde un 70% en el período pre-1920 a un porcentaje inferior al 30% en la década de

101

CUADRO 2.5. VOTANTES Y POBLACIÓN CHILENA (MILES DE PERSONAS)

| | | | Participación relativa de votantes en | |
Población Total[a] (1)	Población en edad de votar[ab] (2)	Votantes (3)	Población Total (%) (4) = (3)/(1)	Población en edad de votar (%) (5) = (3)/(2)
1870	1.943	919	31	1,6	3,3
1876	2.116	1.026	80	3,8	7,8
1885	2.507	1.180	79	3,1	6,7
1894	2.676	1.304	114	4,3	8,7
1915	3.530	1.738	150	4,2	8,6
1920	3.730	1.839	167	4,5	9,1
1932	4.425	2.287	343	7,8	15,0
1942	5.219	2.666	465	8,9	17,4
1952	5.933	3.278	954	16,1	29,1
1958	7.851	3.654	1.236	15,7	33,8
1964	8.387	4.088	2.512	30,0	61,4
1970	9.504	5.202	2.923	30,8	56,2
1989	12.961	8.240	7.142	55,1	86,7

Fuente: Borón (1971).
[a] Para aquellos años que no coinciden con un censo poblacional, se estimó la población total y en edad de votar en base a las tasas de crecimiento poblacional entre censos.
[b] Población en edad de votar son habitantes de 21 años y más antes de 1970, y de 18 años y más para el período posterior; estimada en base a la información sobre población mayor de 15 y 20 años de edad, asignando proporcionalmente los años adicionales correspondientes a 18, 19 y 21 años.

CUADRO 2.6. RESULTADOS DE ELECCIONES PARLAMENTARIAS CHILENAS, 1912-1969 (PORCENTAJES)

	Derecha	Centro	Izquierda
1912	75,6	16,6	0,0
1918	65,7	24,7	0,3
1921	54,6	30,4	1,4
1925	52,2	21,4	0,0
1932	32,7	18,2	5,7
1937	42,0	28,1	15,3
1941	31,2	32,1	28,5
1945	43,7	27,9	23,0
1949	42,0	46,7	9,4
1953	25,3	43,0	14,2
1957	33,0	44,3	10,7
1961	30,4	43,7	22,1
1965	12,5	49,0	29,4
1969	20,0	36,3	34,6

Fuente: Borón (1971) y Valenzuela (1978).
Nota: En la derecha se incluyen los partidos Liberal y Conservador; en el centro, los partidos Radical, Agrario Laborista y Demócrata Cristiano; en la izquierda, los partidos Socialista y Comunista. A partir de 1965, la mitad de los votos radicales son incluidos en la Izquierda y otra mitad en el Centro. Los porcentajes no suman 100% por cuanto no incluyen a los independientes o partidos políticos no mencionados previamente.

GRAFICO Nº 2.2.   PARTICIPACION ELECTORAL, CHILE, 1870-1970
VOTANTES/POBLACION TOTAL

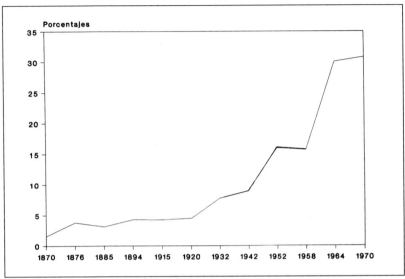

GRAFICO Nº 2.3.   PARTICIPACION ELECTORAL, CHILE, 1870-1970
VOTANTES/POBLACION EN EDAD DE VOTAR

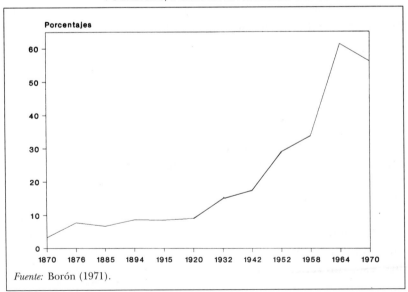

Fuente: Borón (1971).

103

GRAFICO Nº 2.4. VOTACION DE LA DERECHA, 1918-1969
(ELECCIONES PARLAMENTARIAS)

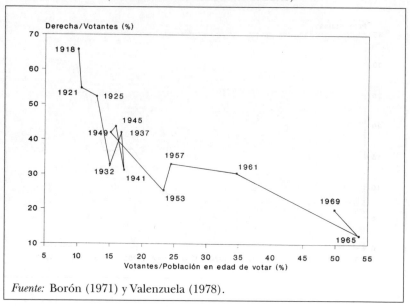

Fuente: Borón (1971) y Valenzuela (1978).

1960. Obviamente, es necesario un análisis más profundo para explicar las causas de este fenómeno.

Según el sistema electoral vigente, era posible que un candidato llegara a la Presidencia con menos del 50% de los votos. Esta situación quiso modificarse para la elección presidencial de 1970, estableciéndose una segunda vuelta eleccionaria entre aquellas dos primeras mayorías relativas, cuando la primera mayoría fuera inferior al 50%; sin embargo, la iniciativa no tuvo el apoyo parlamentario de la derecha ni de la izquierda.

El cuadro 2.7 proporciona las votaciones absolutas y relativas de los dos primeros candidatos en tres elecciones presidenciales del período 1938-70. En 1938, el candidato del Frente Popular, Pedro Aguirre Cerda, gana con un 48,1% de los votos y una diferencia de 13.000 votos sobre el segundo (Gustavo Ross); estos 13.000 votos representan un 2,9% del total. En 1958, el candidato triunfante, Jorge Alessandri, obtiene un 31,6% de los votos y una diferencia de 33.000 votos sobre el segundo (Salvador Allende); esta diferencia representa un 1,1% del total de votos. En 1970, Salvador Allende gana con un 36,4% de los votos y una diferencia de 39.000 votos sobre el segundo (Jorge Alessandri); éstos representan un 1,3% del total. Si se utiliza como porcentaje de referencia el número de votos obtenidos por los ganadores de estas elecciones presidenciales en relación a la población en edad de votar[61], se observa lo siguiente: el candidato triunfante de 1938 obtiene el 7,2% de los votos de la población en edad de votar; este porcentaje aumenta al 8,8% en 1958 y al 20,5% en 1970. Por otra parte, la diferencia porcentual entre la primera y segunda mayoría representa un 0,4% de la población en edad de votar en 1938, un 0,7% en 1958 y un 0,8% en 1970 (ver gráfico 2.5).

Por lo tanto, el triunfo de Salvador Allende en las elecciones presidenciales de 1970, por un margen relativamente estrecho, era consistente con la trayectoria histórica chilena reciente; podría incluso aducirse que la representatividad de Allende en 1970 es superior a la de Alessandri en 1958 y Aguirre Cerda en 1938. Sin embargo, cuando lo que está en juego es el cambio del sistema imperante, el Presidente electo supuestamente debiera requerir de un apoyo electoral muy significativo.

LOS DOS GOBIERNOS PREVIOS A LA UNIDAD POPULAR

Durante el período 1950-70, la economía chilena se caracterizó por una alta inflación crónica, crecimiento moderado y frecuentes crisis de la balanza de pagos. De hecho, constituía uno de los casos tipo en la vieja controversia estructuralista-monetarista, vinculada a los factores determinantes de la inflación.

Jorge Alessandri (1958-64), candidato independiente, fue elegido con el apoyo de la derecha. La prioridad económica de su gobierno la constituía el control de la inflación. Su perspectiva de largo plazo incluía dos elementos principales: i) el éxito del programa antiinflacionario, que se estimaba generaría un mejor entorno económico que estimularía automáticamente el crecimiento, y ii) los problemas distributivos se resolverían principalmente a consecuencia de la expansión económica: el crecimiento de la "torta" y el correspondiente rebalse (o "chorreo") erradicarían la pobreza y resolverían la cuestión social.

GRAFICO Nº 2.5. REPRESENTACION ELECTORAL EN TRES
ELECCIONES PRESIDENCIALES, 1938-1958-1970

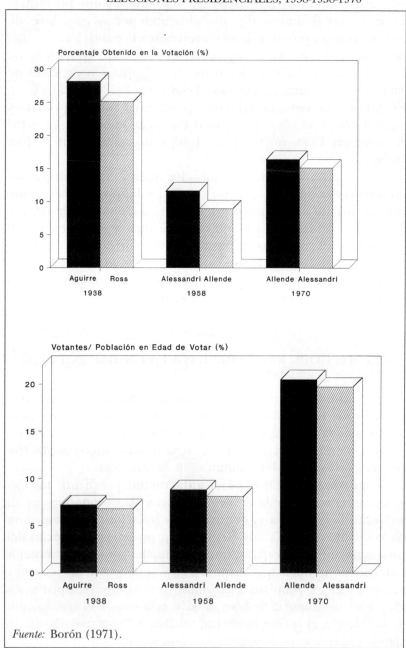

Fuente: Borón (1971).

CUADRO 2.7. RESULTADOS DE TRES ELECCIONES PRESIDENCIALES, 1938-1958-1970

	Nº votos (miles)	Votos/ Total (%)	Votos/ Pobl. edad votar (%)
1938			
P. Aguirre:	212	48,1	7,2
G. Ross:	199	45,1	6,8
Total Votos:	441	–	15,0
1958			
J. Alessandri:	390	31,6	8,8
S. Allende:	357	28,9	8,1
Total Votos:	1.236	–	28,0
1970			
S. Allende:	1.070	36,4	20,5
J. Alessandri:	1.031	35,1	19,7
Total Votos:	2.923	–	56,2

Fuente: Borón (1971).

107

El gobierno democratacristiano de Eduardo Frei (1964-70) llegó al poder con una mayoría absoluta de 56% del voto popular. Su apoyo eleccionario provino de un espectro de partidos políticos que abarcaban desde el centro a la derecha; se estima que el voto de esta última fue fundamentalmente de rechazo a Salvador Allende más que de apoyo a Eduardo Frei. El programa económico de Frei se centró en la instauración de reformas estructurales básicas, como el proceso de reforma agraria y la participación chilena en la propiedad de la Gran Minería del Cobre. La perspectiva de largo plazo democratacristiana era lograr redistribución con crecimiento, en un escenario de cambios en la estructura de la propiedad en algunos sectores económicos (cobre, agricultura)[62].

El cuadro 2.8 muestra la evolución de las principales variables macroeconómicas de los gobiernos de Alessandri y Frei. En términos generales es posible apreciar lo siguiente para ambos gobiernos: el crecimiento económico fluctúa en torno al 4% anual, la tasa de inflación anual oscila alrededor del 26%, y la tasa de desempleo es cercana al 6%. La gran diferencia entre ambos está vinculada a la cuestión distributiva: la tasa de crecimiento de las remuneraciones reales es inferior al 2,0% anual durante el gobierno de Alessandri, y experimenta un aumento anual de 8,0% durante el gobierno de Frei; además, hay una reducción en el nivel de desempleo en relación a su antecesor. Sin lugar a dudas, los trabajadores comienzan a ampliar significativamente su poder de negociación durante el gobierno democratacristiano.

En los dos gobiernos previos a 1970, entonces, la situación macroeconómica estaba relativamente controlada, con una tasa de crecimiento moderada y estable. En el gobierno de Frei se observa además un significativo incremento en el poder adquisitivo de los trabajadores; el mecanismo de reajustabilidad salarial incorporando la indización de 100% sobre la inflación pasada es establecido en este período.

El gobierno democratacristiano emprendió algunas reformas estructurales básicas; éstas se aplicaron gradualmente a fin de no menoscabar la estabilidad macroeconómica. Había una percepción de que las reformas estructurales podían generar desequilibrios de corto plazo. Así, cuando se presentaba una acumulación de presiones inflacionarias, debía darse prioridad a la restaura-

CUADRO 2.8. PRINCIPALES VARIABLES MACROECONÓMICAS[a]
DE LOS GOBIERNOS DE ALESSANDRI Y FREI, 1958-1970

	Crecimiento Económico (PGB)	Inflación Anual	Desempleo Nacional[b]	Remune- raciones Reales- Crecim. Anual	Exporta- ciones	Reservas Internacio- nales[c]
	(%)	(%)	(%)	(%)	(% PGB)	(Meses de Importación)
Alessandri (1958-64)	3,7	25,8	7,5	1,8	14,5	2,2
Frei (1964-70)	3,9	26,2	5,5	8,0	15,4	4,9

Fuentes: Banco Central, INE.
[a] Promedio anual del período presidencial.
[b] Período 1960-64 para el gobierno de Alessandri.
[c] Valor para el último año del período.

ción de la estabilidad macroeconómica. El proceso de reforma agraria se llevó a cabo para modificar el patrón existente de tenencia de la tierra e incorporar a los campesinos a la estructura política y económica. La "chilenización" de la GMC consistió en adquirir mediante negociaciones una participación de 51% en la propiedad de las grandes minas; este proceso se inició en 1967, cuando la Corporación del Cobre (CODELCO) compró el 51% de la mina El Teniente a la Kennecott en US$ 80 millones, y adquirió un 25% de las minas Andina y Exótica. Tras estos acuerdos hubo un alza significativa del precio mundial del cobre, lo que aumentó las utilidades de las compañías; esto generó mayor presión sobre el gobierno de Frei para expandir la propiedad estatal de las grandes minas de cobre. En 1969, el gobierno compró el 51% de las minas de Chuquicamata y El Salvador en US$ 180 millones, pagaderos a una tasa de interés anual de 6% durante los siguientes doce años[63].

La década de 1960 se caracteriza por un agudo incremento en la actividad política y social. El número de votantes inscritos aumentó de 1.500.000 en 1958 a más de 3.500.000 en 1970, esto es, un 130% en sólo doce años. Por otra parte, el número de personas afiliadas a los sindicatos, que había permanecido prácticamente constante desde 1950, se duplicó durante el gobierno de Frei. En un intervalo de seis años, la sindicalización de obreros aumentó en 38%, la de empleados en 90%, y los campesinos

109

CUADRO 2.9. EVOLUCIÓN DE LA SINDICALIZACIÓN EN CHILE,
1932-1970

	Sector Minería e Industria		Sector Campesinos		Total	
	Nº Sindicatos	Nº Afiliados	Nº Sindicatos	Nº Afiliados	Nº Sindicatos	Nº Afiliados
1932	421	54.801			421	54.801
1952	1.982	283.383	15	1.035	1.997	284.418
1960	1.892	271.141	23	1.825	1.915	272.966
1965	2.026	290.535	33	2.126	2.059	292.661
1970	4.001	436.974	510	114.112	4.511	551.086

Fuente: III Mensaje Presidente Allende ante Congreso Nacional, 1973.

sindicalizados subieron de 2.000 personas en 1964 a más de
114.000 personas en 1970 (ver cuadro 2.9).

Hacia fines de la década, la evolución de las variables del
sector externo era bastante positiva (ver cuadro 2.8). Las exportaciones totales alcanzaron a US$ 1.112 millones, con una participa-
ción del cobre superior al 75%. El período 1968-70 se benefició
del alto precio mundial del cobre, que alcanzó durante estos años
el nivel más alto en términos reales. En lo que se refiere a las
reservas internacionales, su nivel se había mantenido siempre en
la zona de dos dígitos antes de 1968. El nivel relativamente alto de
reservas alcanzado en 1970 (US$ 394 millones, esto es, casi cinco
meses de importaciones) fue considerado por el gobierno de Frei
como indicador de un desempeño económico responsable.

La percepción popular sobre el gobierno de Frei en 1970 era
una mezcla de reconocimiento y decepción. Por una parte, se
reconocía su buen desempeño inicial durante los primeros tres
años, en los que había aumentado el crecimiento y se había
reducido la inflación. Pero, paralelamente existía una sensación
de expectativas frustradas ante la mayor participación política y
social y el resultado económico. Es interesante hacer notar que a
pesar del notorio y sostenido aumento de los salarios reales durante el gobierno de Frei el número de huelgas creció en forma
considerable (ver cuadro 2.10). La austeridad macroeconómica
que prevaleció a partir de 1967 para contener las presiones inflacionarias no fue apoyada ni comprendida por la mayor parte de
los trabajadores, aun cuando no hubo deterioro acumulado de
los salarios reales ni un aumento significativo del desempleo.

CUADRO 2.10. Número de huelgas y evolución de los salarios
REALES. CHILE, 1960-70

	1960-64*	1965	1966	1967	1968	1969	1970
Número de huelgas	98	142	586	693	648	1.127	1.580
Incremento anual de los salarios reales (%)	0	13,9	10,8	13,5	-2,0	4,3	8,5

Fuentes: Número de huelgas: Martner (1988).
Salarios reales: Ffrench-Davis (1973).
* Las cifras presentadas corresponden al total para el período, esto es, el número total de
huelgas fue de 98 durante 1960-64; el promedio anual y el cambio total de los salarios
reales en el período 1960-64 fue nulo, i.e., cero (0).

No obstante las reformas estructurales iniciadas, la evaluación del gobierno de Frei por parte de la Unidad Popular fue
bastante drástica: "no consiguió romper el patrón tradicional de
las estructuras económicas", esto es, un gobierno reformista que
no fue todo lo rupturista que era necesario (ver referencias en
Pinto, 1970).

VISION DE LA UNIDAD POPULAR SOBRE
LA ECONOMIA CHILENA[64]

Diagnóstico de la Unidad Popular

De acuerdo a la Unidad Popular (U.P.), la economía chilena
tenía hacia 1970 cuatro características fundamentales que debían ser corregidas: monopólica, (externamente) dependiente,
oligárquica y capitalista[65].

Los siguientes indicadores para la década de 1960 evidencian el grado de concentración de la economía: a) 248 firmas
controlaban todos y cada uno de los sectores económicos, y el
17% de todas las empresas concentraban el 78% de todos los
activos[66]. b) En la industria, el 3% de las firmas controlaban
más del 50% del valor agregado y casi el 60% del capital. c) En
la agricultura, el 2% de los predios poseían el 55% de la tierra.
d) En la minería, tres compañías norteamericanas controlaban
la producción de cobre de la Gran Minería, que representaba el

111

60% de las exportaciones chilenas en 1970. e) En el comercio mayorista, 12 empresas –0,5% del total– daban cuenta del 44% de las ventas. f) En la banca, el banco estatal (Banco del Estado) controlaba casi el 50% de los depósitos y los créditos, y 3 bancos privados (de un total de 26) controlaban más del 50% del remanente[67].

Supuestamente, estos grandes monopolistas habían incrementado su participación y sus utilidades gracias a numerosas medidas especiales, como líneas de crédito preferenciales, subsidios, incentivos tributarios especiales, diferenciales de aranceles y acceso especial a las divisas[68]. De acuerdo a un analista de la U.P., "el rol del Estado ha sido siempre favorecer al gran capital monopolista y sus intereses fundamentales"[69].

En cuanto a la dependencia externa de Chile, se señalaba que: a) La naturaleza monoexportadora del país, con el cobre representando más del 75% de las exportaciones totales, implicaba que las fluctuaciones del precio en los mercados mundiales ejercían un gran impacto sobre la balanza de pagos chilena y sobre los ingresos del gobierno. b) Las remesas de utilidades por extranjeros representaban alrededor del 20% de las exportaciones. c) De las 100 firmas industriales más grandes de fines de la década de 1960, 61 tenían participación extranjera.

Según Vuskovic (1970), la significativa presencia de firmas extranjeras provocaba una alta dependencia externa porque la tecnología importada determinaba que los métodos de producción en Chile se copiaran del exterior, y porque Chile adquiría también los patrones de consumo de los países desarrollados ("efecto de demostración"). Además, la burguesía chilena empezaba a adquirir un patrón de preferencias e intereses que se identificaban más con el capital internacional que con los intereses nacionales.

La característica oligárquica era fundamentada aludiendo a la situación de la distribución del ingreso en los años 60. Mientras el 10% más pobre de la población tenía una participación de 1,5% en el ingreso total, el 10% más rico abarcaba el 40,2%. La razón entre el ingreso de ambos grupos era de 1 a 27[70].

Dadas las características anteriores, y desde el punto de vista de la U.P., los frutos del desarrollo económico chileno se concentraban en una pequeña elite privilegiada. De acuerdo a

Vuskovic, este proceso se perpetuaba de la siguiente forma: i) la distribución desigual del ingreso generaba un patrón de consumo y demanda determinado; el mercado estaba dominado por los bienes demandados por los grupos de alto ingreso. En consecuencia, las firmas producían fundamentalmente para satisfacer este tipo de demanda, ii) existía un sistema productivo dual, con un sector moderno de alta tecnología y otro sector atrasado. Sólo el primero incorporaba el progreso tecnológico a la producción de bienes para los grupos de alto ingreso, en tanto que el sector atrasado permanecía estancado. La creciente participación de la inversión extranjera reforzaba esta estructura dual, y iii) debido al volumen total relativamente reducido de bienes demandados por los grupos de alto ingreso, y dado su amplio espectro de consumo, las firmas modernas operaban a una escala inadecuadamente baja, con un nivel reducido de eficiencia. En consecuencia, la estructura de la producción era ineficiente, ya que se producían principalmente bienes no esenciales. La pequeña escala de producción conducía a una mayor concentración, que reforzaba el sesgo inicial del patrón de distribución del ingreso.

Se trataba de un círculo vicioso, en el que el patrón inicial de distribución desigual del ingreso generaba una estructura productiva altamente monopólica que acentuaba el sesgo existente en la distribución del ingreso. La economía se volvía más y más orientada hacia la satisfacción de los patrones de consumo de los grupos de ingreso alto, mientras los sectores productivos que generaban bienes esenciales o básicos para la mayoría permanecían estancados. Las desigualdades en el ingreso y la riqueza conducían a un alto grado de concentración del poder; de este modo, la interrelación entre el poder político y el económico reforzaba la estructura prevaleciente en el país. A fin de cambiar las condiciones económicas, se requería alterar sustancialmente la estructura de propiedad. Esto generaría un patrón diferente de demanda que estimularía la producción de los bienes básicos consumidos por la gran mayoría. Así los recursos económicos no serían despilfarrados en la producción de bienes no esenciales[71].

Las propuestas económicas de la Unidad Popular

El programa de la U.P. hacía una afirmación explícita de su naturaleza antiimperialista, antioligárquica y antimonopólica, que marcaba el tono de los profundos cambios estructurales que proponía realizar, los que irían en beneficio de los trabajadores en general (obreros y empleados), de los campesinos y pequeños empresarios, esto es, de la inmensa mayoría nacional. El gobierno de la U.P. iba a ser un experimento histórico en el que la transición al socialismo se daría a través de la estructura institucional existente. Para facilitar esta transición se requerían dos elementos: la estatización de los medios de producción y una mayor participación popular.

Los objetivos políticos de la U.P. fueron formulados muy claramente[72]. El propósito declarado era el establecimiento del régimen más democrático de la historia de Chile a través del traspaso del poder desde los grupos dominantes a los trabajadores. Para ello, los trabajadores chilenos tendrían que adquirir poder *real*, y usarlo efectivamente. El propósito de los cambios estructurales era "superar el capitalismo". Lo que estaba en juego era el reemplazo de la estructura económica imperante por la construcción del socialismo.

Las reformas estructurales de la U.P. abarcaban un amplio rango: a) Nacionalización de los principales recursos del país (la Gran Minería del Cobre, carbón, salitre, hierro y acero). b) Expansión del Area de Propiedad Social, a través de la estatización de las empresas industriales más grandes. c) Intensificación de la reforma agraria. d) Estatización del sistema bancario. e) Control estatal de las principales firmas mayoristas y distribuidoras.

En síntesis, las reformas estructurales se dirigían a depositar el control de los medios de producción en manos del Estado. Las ventajas y la racionalización de este objetivo estaban en que[73], si el Estado obtenía el control de los medios de producción, estaría en mejor posición para adoptar decisiones económicas que consideraran en forma preferente el bienestar de los trabajadores. Este control produciría un aumento del excedente económico controlado por el Estado. Con los recursos adicionales obtenidos, el Estado podría planificar y guiar el desarrollo económico en una dirección que favoreciera a la gran mayoría. De hecho, "el problema principal no es la eficiencia sino el poder, esto es, ¿quién controla la economía y para quién?" (...) "Lo que está en juego es la propiedad de los medios de producción por una pequeña minoría; entonces, las cuestiones económicas reales son: quién tiene el poder de fijar los precios y por lo tanto las utilidades, y quién captura el excedente económico y decide cómo reinvertirlo" (...) "Centrar la discusión en la eficiencia elude discutir quién detenta realmente el poder económico y por qué una pequeña minoría que posee los medios de producción es capaz de subyugar a la mayoría". En palabras del ministro de Economía Pedro Vuskovic, poco después de que Allende asumiera la presidencia, "el control estatal está proyectado para destruir la base económica del imperialismo y la clase dominante al poner fin a la propiedad privada de los medios de producción"[74].

Una corriente de opinión dentro de la Unidad Popular sostenía que las políticas macroeconómicas de corto plazo eran complementarias y en apoyo de las reformas estructurales, demostrando así que "es posible realizar reformas estructurales profundas y, al mismo tiempo, alcanzar importantes resultados positivos en la redistribución del ingreso, el crecimiento, la inflación y el empleo"[75]. Esto, según se ha explicado, se debía a que aun las políticas macroeconómicas tradicionales llevan implícito un elemento de clase: "las políticas de corto plazo, por definición, son una herramienta para mantener el *statu quo*": no sólo son la expresión de un cierto ambiente institucional, sino que también se orientan a su consolidación. En este sentido, las políticas macroeconómicas de la U.P. no pueden analizarse por separado: "esto sería un grave error analítico (...) ellas deben examinarse en el ambiente prevaleciente que proporcionará la racionalización de por qué se hizo lo que se ha hecho"[76].

En una perspectiva diferente, se ha argumentado que el control de la inflación era realmente un objetivo clave para la U.P., debido a razones políticas y económicas[77]. A nivel político, la U.P. había anunciado durante la campaña que derrotaría a la inflación, y criticaba a los gobiernos anteriores por su incapacidad para controlar este problema. Por otra parte, debido a la proximidad de las elecciones municipales (marzo de 1971), el gobierno de la U.P. quería mostrar rápidamente un indicador de éxito.

A nivel económico, dado que la redistribución del ingreso se llevaría a cabo mediante aumentos de los salarios nominales, era importante reducir la inflación para asegurar un incremento de los salarios reales.

Un elemento clave de la política macroeconómica de la U.P. fue el alto nivel de capacidad no utilizada y desempleo de la economía chilena, así como de las reservas internacionales y los inventarios industriales. Los economistas de la U.P. no hicieron comentarios respecto de las limitantes relativas a los niveles de capacidad específica sectorial, que pueden ser muy diferentes de las cifras globales, y a que la utilización de la capacidad disponible no utilizada es una holgura "por una sola vez"[78]. Una percepción mecanicista sugería implícitamente que las transformaciones estructurales ayudarían rápidamente a resolver los problemas macroeconómicos.

La política antiinflacionaria de la U.P. se basaba en los siguientes planteamientos[79]: (a) La inflación es en realidad un fenómeno estructural. El control de precios, la eliminación del sistema de mini-ajustes cambiarios y la nueva estructura económica detendrían la inflación. (b) El control estatal de la mayor parte del aparato productivo y de comercialización sentaría las bases para terminar con la inflación. (c) Dados los controles de precios y los reajustes salariales, los salarios subirían más que los precios, lo que llevaría a una reducción de la tasa de utilidad unitaria. Sin embargo, considerando la existencia de capacidad no utilizada, el aumento de la producción y de las ventas compensaría la declinación de las utilidades unitarias, manteniendo el nivel global de las ganancias.

Según el ministro de Hacienda de la U.P., los efectos de las medidas anteriores implicarían que en muy breve plazo "los aumentos de precios desaparecerán y en el futuro se recordará la inflación como una pesadilla de gobiernos anteriores, que eran los sirvientes del gran capital"[80]. El programa de la U.P. contenía una visión más moderada, según la cual la inflación desaparecería debido a las medidas antimonopólicas y al apoyo de la mayoría de la población.

116

LA SITUACION MACROECONOMICA DURANTE
LA UNIDAD POPULAR

Políticas populistas

Se ha argumentado que el gobierno de la U.P. aplicó un conjunto de políticas macroeconómicas de corte netamente populista cuyo propósito habría sido conseguir una rápida reactivación con una acelerada redistribución[81]. De acuerdo a este paradigma populista, las políticas expansivas generan inicialmente un elevado crecimiento con aumento de remuneraciones reales en el que los controles de precios reprimen las presiones inflacionarias; la primera etapa de un programa populista exhibe resultados muy exitosos, en los que se observa simultáneamente un gran crecimiento con menor inflación y un mayor poder adquisitivo por parte de los trabajadores. Pero, en la segunda etapa, la fuerte expansión de la demanda genera desequilibrios crecientes: los inventarios se agotan, el sector externo actúa como válvula de escape pero las divisas comienzan a escasear; todo esto estimula el proceso inflacionario, la fuga de capitales y la desmonetización de la economía. El sector público experimenta elevados déficit al utilizar subsidios para los bienes de consumo masivo y para el tipo de cambio; al mismo tiempo cae (en términos reales) la recaudación, y el déficit público aumenta considerablemente. La tercera etapa finaliza con los intentos del gobierno de aplicar una política de ajuste antiinflacionario, reduciendo los subsidios y disminuyendo los salarios reales. Posteriormente, otro gobierno con mayor credibilidad aplicará un duro programa estabilizador ortodoxo cuyas consecuencias son el desempleo y la pérdida de poder adquisitivo de los grupos de bajos ingresos. En síntesis, este paradigma populista inflige "un costo terrible a aquellos mismos grupos a quienes se intentaba favorecer"[82].

América Latina ha vivido numerosas experiencias populistas; sistemáticamente, todas ellas han terminado en un rotundo fracaso[83]. Entonces, ¿por qué siguen surgiendo estos experimentos y por qué no modifican su curso de acción cuando están fracasando? Sachs (1990) sugiere que los economistas populistas no comprenden la envergadura de los riesgos envueltos en el tipo

117

de medidas que adoptan; como la experiencia populista es exitosa al comienzo y aumenta la popularidad del gobierno, los cuestionamientos relativos a los crecientes desequilibrios son desechados como meras (y molestas) observaciones técnicas. Algo surgirá para resolver dichos problemas (esto es lo que Sachs denomina "solución mágica" o del tipo *deus ex machina*) o, también, los problemas futuros serán resueltos por las transformaciones estructurales que se están realizando en el presente. Sin embargo, es preciso entender que los desequilibrios crecientes que finalmente conducen al colapso son consecuencia del éxito excesivo de la fase inicial.

No obstante, y a pesar de que la prescripción de las políticas macroeconómicas de la U.P. coincide totalmente con las de un gobierno populista típico, Bitar (1979) y Larraín y Meller (1990) sostienen que estas políticas expansivas eran realmente un mecanismo para obtener una fuerte base de apoyo político que permitiera posteriormente llevar a cabo cambios radicales en la economía y en la sociedad chilenas[84]. "Está fuera de dudas que la meta fundamental de todo el experimento era esta transformación radical y no simplemente un mejoramiento de la distribución del ingreso y una tasa más alta de crecimiento. Lo que planteaba la U.P. era nada menos que la sustitución de un sistema capitalista por un modelo socialista y su intención real era conseguirlo"[85].

La evolución de la macroeconomía

Un comienzo auspicioso: 1971

La economía chilena vivió un auge sin precedentes en 1971, como resultado de políticas económicas altamente expansivas. Se experimentó un mejoramiento generalizado en el nivel de vida de la población, y una sensación de éxito total entre los líderes de la U.P.[86] Con todo, un análisis frío de la situación económica permitía percibir desequilibrios crecientes, como veremos.

Según las variables macroeconómicas tradicionales, el primer año del gobierno de la U.P. alcanzó resultados relativamente espectaculares para la economía chilena (cuadro 2.11): 1) La tasa anual de crecimiento del PGB llegó al 8,0%, mucho más alta que

CUADRO 2.11. EVOLUCIÓN DE LAS PRINCIPALES VARIABLES
MACROECONÓMICAS, 1970-73 (PORCENTAJES)

	1970	1971	1972	1973
Tasa de crecimiento económico (PGB)	3,6	8,0	- 0,1	- 4,3
Tasa de inflación anual (IPC)	36,1	22,1	260,5	605,1
Tasa nacional de desempleo	5,7	3,8	3,1	4,8
Incremento anual de los salarios reales	8,5	22,3	-16,6	-25,3 *

Fuente: Banco Central, CIEPLAN, ODEPLAN.
* Corresponde a los tres primeros trimestres de 1973.

el 3,6% del año anterior y la más alta desde 1950[87]. 2) La inflación disminuyó de 36,1% en 1970 a 22,1% en 1971. Es interesante notar que, durante el primer trimestre de 1971 (había
elecciones municipales en marzo), la tasa de aumentos de precios se había reducido a niveles muy bajos respecto de las cifras
normales en Chile: la inflación fue de 3,4% como tasa acumulada anual, en comparación con 16,2% en el período equivalente
de 1970. 3) El desempleo nacional registró una importante caída, de 5,7% en 1970 a 3,8% en 1971; esta última cifra era la más
baja registrada en las estadísticas chilenas[88]. Los datos trimestrales de desempleo en el Gran Santiago muestran una reducción
de los desocupados de 8,3% en el cuarto trimestre de 1970 a
3,8% en el cuarto trimestre de 1971. 4) Los salarios medios reales aumentaron en 22,3%.

Otro resultado interesante corresponde al mejoramiento de
la distribución del ingreso en forma global y específicamente
entre los trabajadores: los trabajadores de bajos salarios tuvieron
incrementos del salario real mayores que los trabajadores con
salarios relativamente altos (cuadro 2.12). Los salarios mínimos
reales para obreros aumentaron en 39% durante 1971, en tanto
que los salarios mínimos reales para empleados se incrementaron "sólo" en 10% en el mismo período. De este modo, el diferencial entre los salarios mínimos para obreros y empleados
disminuyó de 49% (1970) a 35% (1971). La reducción de la
brecha entre obreros y empleados fue bastante menos pronun-
ciada en términos de la evolución de los salarios medios reales:
mientras el salario medio real para obreros aumentó en 20%, el
de los empleados lo hizo en 19%. Es así como la participación

CUADRO 2.12. INDICES DE SALARIOS REALES MÍNIMO Y MEDIO PARA
OBREROS Y EMPLEADOS. 1970-73

	Salarios mínimos reales (1970 = 100)		Salarios medios reales (Abril 1970 = 100)		Remuneraciones Promedio
	Obreros	Empleados	Obreros	Empleados	
1970	100	100	100	100	100
1971	139	110	120	119	123
1972	123	86	108	99	103
1973*	76	48	80	78	77

Fuente: Banco Mundial y CIEPLAN.
* Corresponde a los 3 primeros trimestres.

del trabajo en el PGB subió de 52,2% (1970) a 61,7% (1971), siendo el valor promedio de esta variable durante el período 1960-69 de 48,4%.

Estos resultados se obtuvieron por una combinación de políticas orientadas principalmente a obtener un aumento de la demanda agregada. La política salarial implicaba, como ya se vio, incrementos del promedio de los salarios anuales reales de 22,3%, obviamente muy superiores a incrementos de la productividad. Los gastos del gobierno central crecieron en 36% en términos reales, aumentando la participación del gasto fiscal en el PGB de 21% (1970) a 27% (1971). Como parte de esta expansión, el sector público se embarcó en un gigantesco programa de vivienda, comenzando la construcción de 76.000 casas en 1971, en comparación con 24.000 en 1970. Finalmente, la política monetaria fue acomodaticia, para no afectar la expansión de la demanda y de la producción: M_1 aumentó en 119% durante 1971[89].

Tales medidas económicas se apoyaron en controles generalizados de precios. Con reajustes nominales de salarios sobre 50%, los gastos nominales del gobierno aumentando en más de 60% y la oferta monetaria subiendo en más de 100%, la tasa anual de inflación de 1971 (22,1%) parece sorprendentemente baja. El fenómeno se explica por los controles de precios en el sector privado y la congelación de tarifas y precios en el sector público[90].

Dos razones explican el éxito relativo de los controles de precios[91]. Primero, el gobierno obtuvo el control directo e indirecto de los diferentes eslabones de la cadena entre la producción y el consumo, a través de numerosos cambios institucionales. Se ampliaron las funciones fiscalizadoras de las agencias públicas de comercialización y control que ya existían y se crearon otras nuevas; también se estatizaron las principales firmas privadas mayoristas y distribuidoras. Además, a través de la intervención del gobierno las facilidades de líneas de crédito bancarias se conectaron a acuerdos de fijación de precios. Finalmente, se crearon comités de vigilancia de los consumidores en los vecindarios (las JAP, Juntas de Abastecimientos y Precios), que debían velar por que las tiendas locales acataran los precios oficiales y mantuvieran la existencia de mercaderías. En segundo lugar, el ambiente global de reformas estructurales, y el que muchas firmas hubieran sido expropiadas o intervenidas por el gobierno, inducía a los empresarios a seguir las directivas oficiales de precios. Era muy arriesgado no hacerlo: "los empresarios debían pensarlo dos veces antes de violar los precios oficiales porque este gobierno no era como los anteriores"[92].

En consecuencia, la sobreexpansión de los salarios reales en 1971 estuvo relacionada en forma significativa con la efectividad de los controles de precios. Sin embargo, los reajustes salariales de los trabajadores sobrepasaron los límites establecidos por el gobierno de la U.P. con la CUT (Central Unica de Trabajadores), a pesar de que ésta estaba controlada por los partidos políticos de la U.P. La larga tradición de los sindicatos de maximizar los reajustes salariales, y la competencia de los líderes sindicales democratacristianos, que procuraban mejorar la oferta de sus rivales de la U.P. para ganar popularidad entre los trabajadores, explican este comportamiento[93].

Primeras señales de desequilibrios

A pesar del deslumbrante cuadro global, varios indicadores sugerían la presencia de un desequilibrio creciente a lo largo del año.

El déficit presupuestario general del gobierno aumentó de 3,5% del PGB (1970) a 9,8% (1971). A un nivel más amplio, el déficit público consolidado no financiero aumentó de 6,7% a 15,3%. El crédito, sólo al sector público, creció en 124%; más del

121

90% del crédito proporcionado por el Banco Central al sector público tenía la forma de dinero primario. Esta era una de las causas del crecimiento de 119% de M_1. En resumen, la política monetaria estaba totalmente fuera de control. Por su parte, el nivel de las reservas internacionales sufrió una reducción de 59%. La pérdida de reservas podría haber sido mayor, pero en noviembre el gobierno suspendió el servicio de la deuda externa y entró en negociaciones de reprogramación.

La balanza comercial varió de un superávit de US$ 95 millones (1970) a un déficit de US$ 90 millones (1971), siendo la abrupta caída del precio mundial del cobre el principal factor de tal deterioro. Drásticos controles de las importaciones, en presencia de una apreciación del tipo de cambio, evitaron un mayor déficit comercial externo ese año. Además de los controles cambiarios, la principal herramienta para este control de las importaciones fue el requerimiento de un depósito previo de 10.000%, una disposición existente que el gobierno de la U.P. utilizó intensivamente, aumentando en forma significativa el número de productos contemplados en ella.

En tanto que el nivel de consumo global creció en 12,4% durante 1971, la inversión bruta total cayó en 2,3%: mientras la inversión pública aumentaba un 10,3%, la inversión privada se reducía en −16,8%[94].

Dado el abrupto incremento de los salarios reales y los estrictos controles de precios, se produjo necesariamente una contracción de las utilidades del sector productivo.

Las primeras señales de escasez empezaron a aparecer durante el segundo semestre de 1971. No fue considerada como un problema serio por los economistas de la U.P., sino más bien como el resultado natural de las políticas de redistribución del ingreso y como un síntoma de un desequilibrio del pasado. El importante aumento del consumo de carne (18%), por ejemplo, fue relacionado con la redistribución. En el pasado, una familia de alto ingreso consumía 180 kg/año, mientras que una familia de bajo ingreso consumía sólo 20 kg/año. Por lo tanto, una redistribución del ingreso hacia las familias de bajos ingresos tenía necesariamente que aumentar el consumo global de carne, sobre todo si se consideraba que los grupos de menores ingresos tienen una mayor propensión al consumo que los de mayores ingresos[95].

En respuesta a la crítica de que la economía se estaba recalentando, algunos economistas de la U.P. argumentaron que "... si la política de redistribución del ingreso hubiera fracasado, si la política antiinflacionaria hubiera fracasado, no hay duda de que habría habido suficiente capacidad no utilizada, reservas internacionales y existencias de mercaderías, porque eso habría sido una repetición del mecanismo tradicional de ajuste de años anteriores. El éxito de la política económica (de la U.P.) está justamente relacionado con la desaparición de las variables restrictivas"[96].

A fines de año ya había demasiadas señales que apuntaban hacia una aceleración significativa de la inflación en 1972: el gran incremento de la oferta de dinero, el alto déficit fiscal, el nuevo reajuste de salarios de enero de 1972, la imposibilidad práctica de una contracción adicional de las utilidades del sector productivo, el agotamiento de los abastecimientos y existencias, la fuerte contracción de las reservas internacionales y la aparición de mercado negro para muchas mercaderías. Sin embargo, la reacción de las autoridades fue prácticamente nula. Mientras en los discursos oficiales de 1970 se consideraba a la inflación como una variable clave, en la exposición al país del ministro de Hacienda (noviembre de 1971) no se dijo gran cosa al respecto. La única mención fue para señalar que se mantendría durante 1972 la misma política antiinflacionaria de 1971.

Declinación y colapso total: 1972-73

Como sucede con todos los gobiernos populistas, la declinación y el colapso total del experimento de la U.P. son una clara consecuencia de las "exitosas" políticas sobre-expansivas. El favorable resultado inicial aumentó la popularidad del gobierno de Allende, y las críticas por la presencia de diversos desequilibrios se descartaron como meras observaciones técnicas. Por otra parte, el gobierno de la U.P. se hallaba frente a un difícil dilema: una reducción de los salarios reales era una condición necesaria para atenuar los desequilibrios existentes, pero esa solución perjudicaría su imagen progresista y revolucionaria[97].

Varios economistas y sectores del gobierno de la U.P. "estimaron imposible proseguir la política expansiva-redistributiva", sugiriendo plantear que 1971 había sido el "año de la redistribución", pero que 1972 tendría que ser el "año de la acumulación"[98]. Sin embargo, nada se hizo, ni ajuste ni modificaciones en la política económica. En la discusión respecto a qué medidas tomar, varios grupos de la coalición gobernante plantearon una serie de condiciones que resultaban incompatibles con la solución del problema: la mantención de la situación distributiva lograda y de las condiciones para seguir avanzando en los cambios estructurales. Lo anterior ilustra la incapacidad del gobierno de la U.P. para tomar decisiones frente a los obstáculos surgidos; las múltiples interpretaciones y soluciones planteadas por distintos grupos y las exigencias de los diferentes partidos de la coalición paralizaban la toma de decisiones. Paradójicamente, esta inacción del gobierno de la U.P. conducía al *laissez-faire*. Una interpretación alternativa sugiere que prevaleció la ideología, es decir, se le dio más importancia al mantenimiento de la imagen progresista y revolucionaria que a la reducción de los desequilibrios. Probablemente, cuando hay desgobierno predominan las posturas más ideologizadas y radicalizadas.

Hasta el año 1972, los reajustes nominales de salarios se otorgaban a comienzos de año. La política de reajustes salariales de 1972 siguió el patrón del año anterior, esto es, aumentos de los salarios nominales con indización total respecto al IPC de 1971 (22,1%), pero con un aumento mayor (32%) para los salarios mínimos nominales. Pero, nuevamente, durante el primer trimestre de 1972 los salarios aumentaron más de lo que especificaba la política oficial. Ni siquiera el gobierno aplicó su propia política salarial, y los salarios medios (ponderados según el empleo) del sector público aumentaron en 48%[99]. Obviamente, ésta no era una manera eficiente de reducir el déficit público, que había alcanzado a 15,3% del PGB en 1971.

El incremento de las remuneraciones del sector público, la gran expansión de los subsidios a las empresas de propiedad estatal (4,6% y 9,5% del PGB en 1972 y 1973, respectivamente) y el deterioro de la recaudación tributaria (los ingresos cayeron en 3% del PGB en 1972 y un 3% adicional en 1973) generaron un déficit público de impresionante magnitud: 24,5% en 1972 y 30,5% en 1973. Dadas las características rudimentarias del mercado de capitales, una porción significativa del déficit del sector público (60% en 1972 y 73% en 1973) se financió mediante emisiones monetarias del Banco Central. El resultado final fue un incremento de la cantidad de dinero de 173% en 1972 y 413% en 1973; en tres años la cantidad de dinero aumentó casi 30 veces.

El gran incremento de la cantidad de dinero tuvo claros efectos desestabilizadores sobre la inflación reprimida, la escasez y los desequilibrios externos. Los mercados negros se propagaron para la mayor parte de los bienes, y aumentó la brecha entre los precios oficiales y los del mercado negro. En el frente externo, la gran apreciación del tipo de cambio condujo al contrabando de exportaciones de todo tipo de bienes transables.

El cuadro 2.11 y los gráficos 2.6 y 2.7 presentan una perspectiva de los años 1972-73 dentro del período global. Pueden observarse los siguientes elementos: (1) La caída del PGB no fue tan espectacular en términos relativos, respecto del entorno de paralización de la economía[100]. (2) Una explosión inflacionaria (medida por el IPC) registró los niveles más altos en la larga historia de la inflación chilena: 260,5% (1972) y 605,1% (1973). Sin embargo, el IPM indica una cifra de inflación superior a 1.000% para 1973. (3) La tasa nacional de desempleo tuvo un incremento moderado[101]. (4) El nivel de inversión bruta total cae -20% en 1972 y vuelve a reducirse en -6% en 1973; el nivel de inversión de 1973 es un 26,7% inferior al de 1970. (5) Los salarios reales cayeron espectacularmente, pero ello no fue percibido entonces empíricamente, porque había dos tipos de precios distintos y con evoluciones muy diferentes: el sistema de precios oficiales y el sistema de precios del mercado negro[102].

En definitiva, la aplicación de reajustes exagerados de los salarios nominales para aumentar los salarios reales y mejorar la distribución del ingreso fracasó completamente: la política macroeconómica de la U.P. redujo en un 23% el poder adquisitivo de los trabajadores. Transcurrieron ocho años antes que las remuneraciones reales de los trabajadores recuperaran el nivel que tenían en 1970.

Supuestamente, cuando se generalizan la escasez y los cuellos de botella el sector externo constituye la válvula de escape; una oferta limitada de importaciones es vista por la mayoría de los agentes como la principal restricción económica. Sin embargo,

GRAFICO Nº 2.6. SALARIO REAL DE OBREROS (ABRIL 1970 = 100)

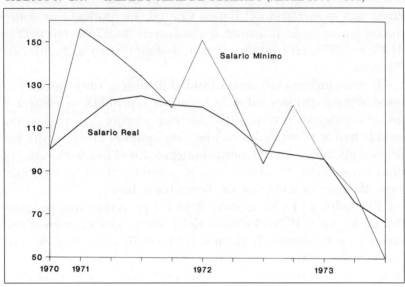

GRAFICO Nº 2.7. INFLACION Y EXPANSION ANUAL M₁
(PORCENTAJES)

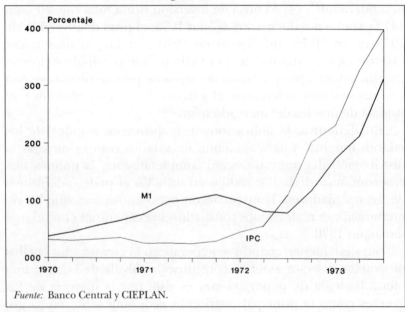

Fuente: Banco Central y CIEPLAN.

CUADRO 2.13. ALGUNOS COMPONENTES DE LA BALANZA DE PAGOS, 1970-73 (MILLONES DE DÓLARES)

	1970	1971	1972	1973
Exportaciones totales (FOB)	1.112	999	849	1.309
Exportaciones de cobre	839	701	618	1.049
Importaciones totales (CIF)	956	1.015	1.103	1.447
Importaciones de alimentos	136	192	318	512
Importaciones de bienes de capital	276	248	186	243
Balanza comercial	156	- 16	- 253	- 138
Cuenta corriente	- 81	- 189	- 387	- 295
Balanza de pagos	114	- 300	- 231	- 112

Fuente: Banco Central.

la caída de la producción interna constituye en muchos casos la causa principal de la escasez interna de bienes, como es el caso de la producción agrícola para los bienes alimenticios. El cuadro 2.13 muestra el agudo incremento de las importaciones totales (en dólares corrientes) entre 1970 y 1973; mientras las importaciones de alimentos crecían 3,8 veces entre 1970 y 1973, las importaciones de bienes de capital caían durante el mismo período. En términos físicos, las importaciones de trigo aumentan desde 200.000 toneladas (1970) a 951.000 toneladas (1973); simultáneamente, la producción interna disminuía en 43% durante ese período[103].

Las reservas internacionales netas de corto plazo del Banco Central se redujeron en 1972 un 62% con respecto al nivel de 1971, esto es, el gobierno de la U.P. perdió el 84% del stock inicial de reservas en tan sólo dos años. En 1973, el nivel de las reservas internacionales netas disponibles a corto plazo equivalían a 22 días de importaciones.

La explosión del gasto público

El gasto público constituía para el gobierno de Allende un mecanismo que debía cumplir varios objetivos: reactivación de la economía, redistribución y solución de problemas sociales urgentes, financiamiento de las reformas estructurales.

CUADRO 2.14. SECTOR PÚBLICO NO FINANCIERO CONSOLIDADO
(% PGB)

	1970	1971	1972	1973
Ingresos corrientes	38,14	37,65	34,48	21,26
Impuestos	25,50	26,35	23,60	20,37
Impuestos directos	7,73	6,19	4,28	5,68
Impuestos indirectos	10,82	11,66	11,13	10,12
Gastos corrientes	30,86	39,45	46,41	41,05
Sueldos y salarios	15,83	19,54	20,50	15,76
Pagos de la previsión social	8,60	11,87	11,86	6,03
Subsidios al área social	0,00	0,00	4,60	9,49
Ahorros	7,28	-1,79	-11,93	-19,79
Ingresos netos de capital	-3,57	-3,00	- 2,96	- 2,35
Formación de capital	10,41	10,48	9,64	8,35
Gastos totales	41,27	49,93	56,05	49,39
Superávit global *	-6,69	-15,28	-24,53	-30,48
Déficit Gobierno general	-3,51	- 9,76	-14,12	-10,52
Déficit Empresas Públicas	-3,19	-5,52	-5,81	-10,46
Déficit Area Propiedad Social	0,00	0,00	- 4,57	- 9,52

Fuente: Larraín (1988); reproducido con un mayor desglose en Larraín y Meller (1990).
* El financiamiento del déficit es básicamente interno y a través del mecanismo de emisión.

Para la función redistributiva, se pusieron en marcha diversos mecanismos: a) Reajuste salarial y aumento del empleo en el sector público, lo que genera un aumento de la planilla del sector de un 3,7% del PGB en un solo año (1971), y un aumento *adicional* de un 1% en el año siguiente. Obsérvese que, en 1973, estos montos relativos retroceden al nivel de 1970 (cuadro 2.14); la mayor parte de la reducción de la planilla en 1973 corresponde a la caída de las remuneraciones reales del sector público. El cuadro 2.15 ilustra la significativa expansión del empleo del sector público; entre 1970 y 1973, el empleo del gobierno central y de las empresas públicas aumenta en 50% y 35%, respectivamente. Sólo estos dos elementos –elevados reajustes salariales y una exagerada expansión del empleo público, equivalentes a un aumento de la planilla del sector público cercano a un 5% del PGB– ya generan un desequilibrio fiscal inmanejable.

CUADRO 2.15. EMPLEO EN EL SECTOR PÚBLICO. CHILE, 1970-80
(NÚMERO DE PERSONAS EMPLEADAS)

	1970	1973	1976	1980
Gobierno Central[a]	196.353[d]	295.553[d]	204.655[d]	159.592[d]
Empresas Públicas[b]	167.587	226.321	130.842	
Area de Propiedad Social[c]		162.545		

Fuente: Sjastaad y Cortés (1981).

[a] Incluye sólo empleados públicos de todos los ministerios. Excluye personal docente (del Ministerio de Educación), ENAP, ENAMI, CODELCO, Banco del Estado, FF.AA. Excluye además personal de municipalidades y del Congreso Nacional.

[b] Para la lista completa de las empresas públicas ver Sjastaad y Cortés (1981). La evolución del empleo de las empresas más grandes es (Nº de personas):

	1970	1973	1980
S.N.S.	54.360	68.627	62.924
CODELCO	23.697	31.484	29.958
F.F.C.C.	27.185	26.404	11.193
Correos y Telégrafos	10.871	11.059	7.031

[c] Los sectores del Area de Propiedad Social con mayor empleo eran: textil (28.310), carbón (15.650), farmo-química (13.900). En la cifra total están incluidas empresas públicas productoras tradicionales como Endesa-Chilectra (12.950), CAP-INDAC (10.900), ENAP (5.350), IANSA (3.300), etc.; éstas están excluidas de las otras cifras de empresas públicas.

[d] Mes de septiembre para 1970 y 1973; mes de junio para 1976 y 1980.

CUADRO 2.16. GASTO SOCIAL DURANTE EL GOBIERNO DE LA UNIDAD POPULAR. 1970-73 (MILLONES DE DÓLARES DE 1976)

	Educación	Salud	Vivienda Total*	Gasto Social
1970	362	154	109	635
1971	473	212	229	924
1972	524	248	228	1.012
1973	355	237	230	828

Fuente: Martner (1988); reproduce datos básicos del Banco Mundial.
* Incluye además otros gastos en bienestar social.

b) Las cifras del gasto social se elevaron notoriamente (ver cuadro 2.16). En sólo dos años, hay un aumento real de 59,4% del gasto social. Parte importante de este aumento no corresponde necesariamente a un incremento en el volumen de bienes y servicios del gasto social, sino a alzas de las remuneraciones reales del personal de educación y salud.

c) Otro componente redistributivo importante lo constituye la distribución de bienes específicos. Durante estos años, se distribuyó gratuitamente medio litro de leche a cada niño chileno, 1.800.000 desayunos y 560.000 almuerzos diarios para escolares, 128.000 overoles y delantales escolares y 4.000.000 de cuadernos[104].

También fue utilizado como elemento distributivo el subsidio a las tarifas de los servicios de utilidad pública: entre 1970 y 1973, el precio real de la electricidad cae en 85%, de los servicios postales y telefónicos 33% y 23% respectivamente, del gas licuado 21%; el precio real de los combustibles (bencina y petróleo) cae 31% entre 1970 y 1972 para luego recuperarse en 1973[105]. Este control de precios de las tarifas públicas generó pérdidas en la parte operativa de las empresas estatales.

Otros elementos adicionales, no anticipados, incrementaron el nivel del gasto público. Las empresas estatales (excluyendo a CODELCO), en vez de ayudar a financiar la expansión del gasto fiscal, comenzaron a generar una presión creciente sobre los recursos fiscales. En un solo año (1971), el déficit de las empresas estatales se incrementa en 2,3% del PGB; en 1972 se registró un aumento adicional de 0,3%; el descalabro final se observa en 1973, cuando este déficit alcanza al 10,5% del PGB (ver cuadro 2.14). Parte de esta pérdida está vinculada al subsidio de las tarifas públicas ya mencionado, pero otra parte corresponde a problemas de gestión de estas empresas. Las empresas del área de propiedad social, por su lado, en vez de producir los excedentes que acelerarían el crecimiento de la economía chilena, rápidamente se constituyeron en fuertes demandantes de recursos fiscales (ver cuadro 2.14). La previsión social es otro componente del gasto que experimenta importantes aumentos: en sólo un año (1971), los pagos previsionales se amplían en 3,3% del PGB. Cabe señalar que las pensiones militares, que a fines de los 60 tenían en promedio un monto relativo aproximadamente 3 veces superior al promedio de las pensiones civiles, fueron elevadas a casi 5 veces.

Todo lo anterior implicó un aumento del gasto del sector público no financiero consolidado de 30,9% del PGB en 1970, 39,5% en 1971 y 46,4% en 1972. Dada esta magnitud de gasto, resulta pertinente examinar qué es lo que sucedió con los ingresos públicos.

Los economistas de la U.P. culparon al Congreso (controlado por la oposición) por no haber aprobado las alzas de impuestos requeridas para financiar la expansión del gasto público. Pero los ingresos del sector público no podían haberse expandido al ritmo explosivo del gasto. La recaudación tributaria experimenta un leve aumento relativo en 1971 con respecto a 1970, pero en los años siguientes hay una severa contracción, observándose en 1973 una disminución superior al 5% del PGB en la recaudación tributaria con respecto a 1970 (ver cuadro 2.14 y gráfico 2.8.a). En esta disminución de la recaudación tributaria los impuestos indirectos mantienen su nivel relativo respectivo (entre 10% y 11% del PGB), mientras que los impuestos directos sufren una reducción paulatina; la aceleración inflacionaria afecta a los impuestos directos debido al rezago en la recaudación tributaria (efecto Olivera-Tanzi). La caída de las contribuciones a la previsión social es el principal factor de esa reducción de la recaudación tributaria, lo que es particularmente válido en el año 1973.

Un elemento adicional, en parte exógeno, genera también una sustancial merma de los ingresos públicos durante este período. En 1971 se produce una severa disminución del precio internacional del cobre; esta circunstancia, unida a la política de mantención de un tipo de cambio artificialmente apreciado, redujo drásticamente los ingresos de la GMC y, en consecuencia, los recursos percibidos por el fisco.

El resultado final de la exagerada expansión del gasto público y de la declinación de la recaudación fue un déficit del sector público creciente y desproporcionado; el déficit del 6,6% de 1970 se eleva secuencialmente a 15,3% (1971), 24,5% (1972) y 30,5% (1973) (ver gráfico 2.8.b). Al déficit público de 1973 contribuyen casi por partes iguales el gobierno (10,5%), las empresas públicas (10,5%) y las empresas del área de propiedad social (9,5%). La principal (y casi exclusiva) fuente de financiamiento fue de origen interno, con una preponderancia abrumadora de la emisión monetaria (el Banco Central no era autónomo, sino totalmente dependiente del ministerio de Hacienda, una tradición que se mantuvo hasta 1989).

Vuskovic (1975, pp. 18-19) da una explicación muy particular a la generación de estos déficit públicos crecientes: "detrás del déficit fiscal yace la resistencia abierta y encubierta de la burgue-

131

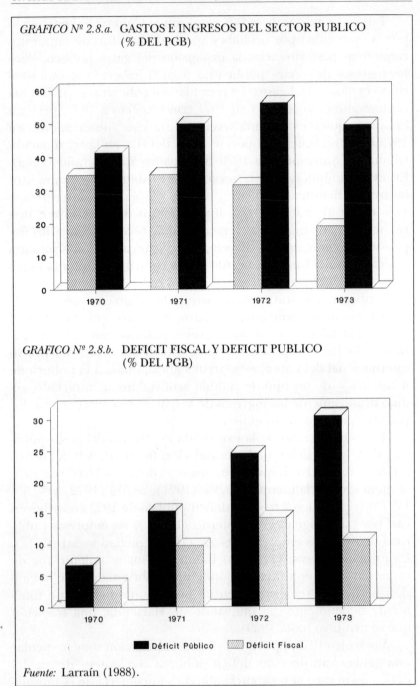

GRAFICO Nº 2.8.a. GASTOS E INGRESOS DEL SECTOR PUBLICO
(% DEL PGB)

GRAFICO Nº 2.8.b. DEFICIT FISCAL Y DEFICIT PUBLICO
(% DEL PGB)

■ Déficit Público   ▨ Déficit Fiscal

Fuente: Larraín (1988).

sía, en contra de la contribución de los recursos necesarios para sostener los servicios públicos básicos y mejorar los ingresos de los trabajadores del sector público; la negativa del Congreso a aprobar nuevos tributos y su imposición de reducciones presupuestarias e incluso una campaña activa de resistencia al pago de los impuestos existentes".

Escasez, mercado negro y racionamiento

La existencia de desequilibrios, unida a la resistencia a aplicar políticas ortodoxas de ajuste (políticas fiscal y monetaria restrictivas y liberalización de precios con congelamiento de salarios), acentúa el nivel de los desequilibrios con una clara aceleración en su magnitud. El único instrumento existente es el de los controles, pero éstos pierden efectividad a medida que pasa el tiempo; en estas circunstancias surgen y proliferan los mercados negros y la especulación.

Para combatir a los intermediarios-especuladores, el Estado crea canales de distribución de productos básicos a precios oficiales; como el diferencial entre los precios oficiales y los del mercado negro es muy elevado, surgen las colas y la profesión del "colero". Pero esto no resuelve el problema de fondo, por cuanto las ventas de bienes a precios oficiales están restringidas a pequeñas cantidades, mientras que en los mercados negros existe la opción de comprar montos mayores. Es más, basta que un bien sea ofrecido en el mercado oficial en cantidades limitadas para que la gente asuma una disminución futura de la oferta de dicho bien; esto estimula el acaparamiento y la aparición del mercado negro[106].

Durante el segundo semestre de 1972, una aceleración de la ya elevada inflación (de tres dígitos en base anual) coexistió con la escasez generalizada y la proliferación del mercado negro. El diferencial de precios entre el mercado oficial y el mercado negro llegó a estar entre 5 a 10 veces para una gran variedad de productos[107].

La explicación de las autoridades económicas fue la siguiente: la escasez y el mercado negro se debían a la acción contrarrevolucionaria de los grupos reaccionarios y de los "enemigos del

133

pueblo": "el mercado negro es la síntesis de la acción antipatriótica de los conservadores" (...) "es una mentira imputar los problemas actuales del consumo a malas políticas de gobierno"[108].

En un contexto de escasez y mercado negro, los reajustes de salarios nominales se vuelven inefectivos. El IPC oficial subestima la tasa de inflación real, y el acceso a los bienes ofrecidos a precios oficiales resulta crucial[109]. Por lo tanto, los economistas de la U.P. sostienen que el control directo del gobierno sobre la distribución de bienes y el racionamiento son un mecanismo necesario y eficiente para combatir el mercado negro y garantizar el mantenimiento del consumo real de los grupos de bajos ingresos.

La lógica de los controles conlleva la intensificación de su uso: cuando los controles vigentes son inefectivos, la solución final parece ser el control total.

En diciembre de 1972, el ministro de Hacienda anunció las siguientes medidas para enfrentar la situación: 1) La creación de una agencia estatal nacional (Secretaría Nacional de Distribución) que centralizaría el comercio mayorista, a fin de evitar el flujo de mercaderías al mercado negro. Las empresas estatales le enviarían toda su producción y suspenderían el pago en especies a sus trabajadores. Se ofrecería a las firmas privadas acuerdos especiales de contratos de compra "que serían difíciles de rehusar". 2) A nivel minorista, habría un control directo sobre la distribución de bienes, de modo que "todas las familias reciban una canasta de mercaderías de acuerdo a sus necesidades reales"; para este fin, la agencia "establecerá una cuota de mercaderías por familia, como aceite, azúcar, arroz, café, carne, hasta un total de 30 productos que se distribuirán por la JAP"; "la JAP definirá los requerimientos reales por familia"[110].

Este discurso oficial anunciando que "el racionamiento ya viene" tuvo un impacto en varios frentes. En primer lugar, hubo un agudo incremento de la demanda, especialmente de bienes de consumo no perecibles. Todo el mundo trató de conseguir aquellos bienes mencionados específicamente en la lista del ministro de Hacienda primero, y todo tipo de bienes de consumo que se suponía iban a estar incluidos en la "canasta de 30 productos", después. Es decir, el anuncio oficial de las medidas para resolver los problemas de escasez y mercado negro no hizo más

que agrandarlos: la mayoría de las familias trataron de aprovisio-
narse de todo producto de consumo que se encontrara en el
mercado. Por otra parte, la oposición política se endureció. Se
percibía que la economía chilena se dirigía a un sistema integral
y generalizado de racionamiento bajo el control del Estado y de
las JAP, en el que el dinero sería sustituido por las credenciales
del Partido y las conexiones. Además, no existía en ese momento
la infraestructura necesaria para aplicar el esquema de racionamiento; sólo había algunas "canastas populares" dispersas, distri-
buidas por algunas agencias estatales a su clientela política y a las
JAP ubicadas en comunidades de bajo ingreso[111].

A pesar de lo dramático y caótico de la situación, el gobierno
de la U.P. obtuvo el 45% de la votación en las elecciones parlamentarias de marzo de 1973. Varios factores influyeron en ello,
pero, sin lugar a dudas, la retórica y la ideología jugaron un
papel importante: los grupos de bajo ingreso percibían que "el
gobierno de la U.P. era su gobierno"[112] y que tenían que apoyarlo
en las buenas y en las malas. Sin embargo, después de las elecciones la situación empeoró aún más y la economía derivó hacia el
colapso total. El fin de la historia es bien conocido.

La evolución del tipo de cambio

En situaciones de inestabilidad e incertidumbre política y económica, el tipo de cambio paralelo o del mercado negro constituye
un indicador que sintetiza lo que sucede, reflejando el grado de
las distorsiones existentes.

Desde el punto de vista conceptual, el tipo de cambio podría
considerarse como el precio de un activo financiero de alta liquidez relativa. Los mercados de activos tienen un alto grado de
integración y una elevada velocidad de ajuste para eliminar desequilibrios; el tipo de cambio del mercado negro se ajusta casi
instantáneamente ante diversas "noticias". Los activos internos
(pesos) y externos (dólares) son sustitutos imperfectos, lo que
transforma al riesgo cambiario y las expectativas de devaluación
en las variables cruciales de determinación de la evolución del
tipo de cambio y del diferencial (o *premium*) existente entre el
tipo de cambio oficial y el paralelo. Las expectativas respecto a

eventos políticos y económicos futuros se reflejan en el *premium* aun antes de que dichos eventos se materialicen; la existencia de este *premium* dificulta el manejo de la política económica, generando muchas veces una especie de profecía autocumplida. El *premium* tiene alta volatilidad, lo que produce inestabilidad en el mercado de bienes; un *premium* creciente provoca aumentos de precios en los mercados negros de bienes transables. En un contexto en el que circulan "noticias" o "rumores" sobre confiscaciones, expropiaciones e impuestos crecientes para los activos domésticos no financieros, incentiva una evolución propia del tipo de cambio paralelo totalmente independiente del tipo de cambio oficial, incluso de las expectativas de devaluación de este último.

Casi todos estos elementos conceptuales están presentes en la evolución del tipo de cambio paralelo en el período 1970-73. La evolución del *premium*[113] va del 36% en el primer trimestre al 50% durante el segundo semestre de 1969 (un año antes de las elecciones presidenciales); durante el período preeleccionario de 1970 aumentó a un 90%. Esto corroboraría la hipótesis de que el *premium* incorpora anticipadamente el esperado triunfo de Salvador Allende; sin embargo, experimenta un alza significativa en el trimestre post-eleccionario, alcanzando un 146%. A partir de ese instante, el *premium* exhibe una evolución creciente hasta observarse que el tipo de cambio paralelo llega a ser equivalente a *40 veces* el tipo de cambio oficial en el trimestre previo al golpe militar (cuadro 2.17)[114]. En el trimestre siguiente, el tipo de cambio paralelo es "sólo" 2,7 veces el tipo de cambio oficial, valor que se reduce a 1,3 veces en el cuarto trimestre de 1974.

En síntesis, es efectivo que el *premium* refleja las expectativas en cuanto a eventos políticos y económicos futuros, pero sólo capta y anticipa una parte de ellos. Una vez que el suceso efectivamente ocurre, el *premium* experimenta variaciones considerables; esto se observa tanto en el período post-eleccionario de 1970 como en el período post-golpe de 1973. Para 1970-73, es más pertinente la hipótesis de que el tipo de cambio paralelo posee una evolución propia totalmente independiente de la del tipo de cambio oficial.

Este experimenta una apreciación continua a lo largo de todo el gobierno de la U.P., en el que el precio oficial del dólar

CUADRO 2.17. Evolución trimestral del tipo de cambio oficial
y paralelo. 1970-73

Trimestre		Tipo de Cambio Real		Premium o Diferencial Tipo Cambio Paralelo/ Tipo Cambio Oficial
		Oficial (E° Enero 1970/US$)	Paralelo	
1970	I	9,95	15,21	1,53
	II	10,03	18,54	1,85
	III	10,01	22,11	2,22
	IV	9,67	23,77	2,46
1971	I	9,29	29,13	3,14
	II	8,51	34,18	4,03
	III	8,04	43,99	5,47
	IV	7,80	43,16	5,54
1972	I	7,96	45,00	5,67
	II	6,75	64,01	9,55
	III	7,05	87,83	12,51
	IV	5,27	61,92	11,80
1973	I	4,35	79,66	18,53
	II	3,20	121,41	38,57
	III	2,69	110,43	40,76
	IV	8,38	22,68	2,73

Fuente: Ver cuadro B1 del Anexo Estadístico.

experimenta una pérdida real superior al 70%. La devaluación real de 217% tras el golpe militar no logra recuperar totalmente el nivel real del tipo de cambio oficial de 1970. El control cambiario, las elevadas tarifas y las barreras no arancelarias evitan la expansión de las importaciones que debería haber generado la alta apreciación del tipo de cambio real oficial.

El tipo de cambio real paralelo, por su parte, exhibe una evolución diametralmente opuesta, experimentando una depreciación casi continua durante todo el período (salvo en los 6 meses anteriores a las elecciones parlamentarias de marzo de 1973, en los que hay una reversión de dicha tendencia). El tipo de cambio real paralelo al final del gobierno de la U.P. es 5 veces superior a aquel que había al comienzo. Este patrón evolutivo sugiere que, a medida que el gobierno de Allende lleva a cabo su programa de estatizaciones, expropiaciones e intervenciones confiscatorias y demuestra una total pasividad ante las "tomas" de fundos y de empresas, aumenta el valor del activo de mayor liquidez internacional existente en la economía chilena.

Dada la tendencia sistemáticamente creciente del tipo de cambio real paralelo con posterioridad a marzo de 1973, podría decirse que, a pesar de la paralización económica y de la ola de rumores, el golpe militar no fue un evento anticipado por la mayoría de los agentes económicos que operaban en el mercado paralelo de divisas.

LAS REFORMAS ESTRUCTURALES
DE LA UNIDAD POPULAR

Las reformas estructurales constituyen, sin lugar a dudas, el factor distintivo del gobierno de la U.P. Como se ha dicho, su diagnóstico del funcionamiento de la economía chilena señalaba cuatro características estructurales que había que corregir: capitalista, dependiente, oligárquica y monopólica. Estas características generaban contradicciones que constituían un freno cada vez más poderoso al desarrollo económico; como consecuencia, había un empeoramiento creciente de las condiciones de vida del pueblo. "Es la propia estructura la que está en crisis" (ministro de Hacienda, "Exposición del Estado de la Hacienda Pública", noviembre 1970). La solución, entonces, es el cambio de estructura: la estatización de la economía.

El Programa de la U.P. aclara en qué consiste esta estatización o nacionalización de la economía chilena: "... El sector de actividades nacionalizadas abarcará lo siguiente:

1. La gran minería del cobre, salitre, yodo, hierro y carbón mineral.

2. El sistema financiero del país, en especial la banca privada y seguros.

3. El comercio exterior.

4. Las grandes empresas y los monopolios de distribución.

5. Los monopolios industriales estratégicos.

6. En general, aquellas actividades que condicionan el desarrollo social y económico de la nación, tales como la producción

y distribución de la energía eléctrica, el transporte ferroviario, aéreo y marítimo, las comunicaciones, la producción, refinación y distribución del petróleo y sus derivados, incluyendo el gas licuado, la siderurgia, el cemento, la petroquímica y la química pesada, la celulosa, el papel"[115].

El programa completo de la U.P. es anticapitalista. Los elementos centrales correspondientes a los otros tres "anti" son: la nacionalización de la Gran Minería del Cobre es antiimperialista; la intensificación y finalización de la reforma agraria es antioligárquica, y la creación del Area de Propiedad Social es antimonopólica.

Nacionalización de la Gran Minería del Cobre

La nacionalización de la GMC figuraba en el programa electoral de los candidatos presidenciales de la U.P. y de la Democracia Cristiana en la elección de 1970. Como hemos visto, este proceso ya se había iniciado en el gobierno de Frei con la "chilenización" de la GMC. Además, dada la relación histórica progresivamente conflictiva entre las empresas norteamericanas que explotaban la GMC y los sucesivos gobiernos chilenos, la gran mayoría de la población era partidaria de esta medida[116].

Sólo un mes después de asumir (diciembre 1970), el gobierno de la U.P. envió al Congreso un proyecto de reforma constitucional que nacionalizaba la GMC; cabe recordar que la U.P. no contaba con una mayoría parlamentaria en el Congreso. La lógica del envío de un proyecto de reforma constitucional en vez de una ley ordinaria estaba en que el primero permitía al gobierno llamar a un plebiscito en caso de ser rechazado en el Congreso. Una reforma constitucional enfatizaba además la envergadura de la decisión planteada en la nacionalización de la GMC, junto con ser una clara señal al gobierno de los EE.UU. de que la nacionalización contaba con un amplio respaldo nacional. Por último, la reforma constitucional permitía gran flexibilidad para enfrentar las medidas legales y técnicas establecidas en el proceso anterior de "chilenización" de la GMC.

El Congreso Pleno aprobó por unanimidad la nacionalización de la GMC en julio de 1971. El decreto constitucional de nacionalización establecía que el Estado era el único dueño (con control absoluto y exclusivo) de todos los minerales del territorio chileno[117], y declaraba automáticamente nulos todos los contratos previamente establecidos en la GMC. La reforma constitucional establecía también el mecanismo de compensación a las empresas norteamericanas (Anaconda y Kennecott): (a) Las empresas expropiadas tenían el derecho a ser compensadas de acuerdo al valor de libro de sus activos, pero a este valor de libro había que restarle los siguientes factores: cualquier revalorización de activos posterior a 1964[118], valor de activos en condiciones defectuosas y "rentabilidad excesiva" que hubieran percibido las empresas norteamericanas a partir de 1955[119]. (b) El pago de la compensación sería efectuado en un plazo máximo de 30 años y con una tasa de interés superior al 3%.

En el decreto, el Congreso especificó ciertos criterios para el cálculo de la "rentabilidad excesiva" de las empresas norteamericanas: comparación de la rentabilidad en Chile con la rentabilidad internacional de las empresas matrices (ver cuadro 1.6), y convenios celebrados por el gobierno chileno con empresas extranjeras en los que existieran cláusulas de rentabilidad máxima. Aunque las firmas norteamericanas tenían el derecho a apelación en cuanto al monto resultante de la compensación, la decisión del Presidente Allende respecto al monto estimado de la "rentabilidad excesiva" no era apelable[120].

El cuadro 2.18 ilustra este tema. El cálculo de la "rentabilidad excesiva"[121], genera cifras negativas, lo que implica no sólo que Chile no paga nada por la GMC, sino que las empresas extranjeras le deben sumas importantes al Estado chileno[122].

La apreciación de algunos economistas de la U.P. fue que esta nacionalización de la GMC "ponía término a la explotación imperialista de nuestra principal riqueza básica y rectificaba parte de los errores históricos, al descontar de la indemnización las utilidades contables excesivas obtenidas por las compañías desde 1955"[123]. En otras palabras, la "viga maestra" del desarrollo nacional había pasado a ser chilena, y sin haber pagado ni un centavo.

Una comparación superficial entre los procesos de "chilenización" y "nacionalización" de la GMC, centrada exclusivamente en las compensaciones pagadas, sugiere que la nacionalización

CUADRO 2.18. CÁLCULO DE LA COMPENSACIÓN VINCULADA
A LA NACIONALIZACIÓN DE LA GRAN MINERÍA
DEL COBRE, 1971 (MILLONES DE DÓLARES)

	Chuquicamata	El Teniente	El Salvador	Exótica	Andina
Activos (valor libro)	242	319	68	15	20
Menos:					
Activos defectuosos[a]	18,5	21	6	5	2
Revalorización activos	0	199	0	0	0
Rentabilidad excesiva	300	410	64	0[c]	0[c]
Compensación neta	-76,5[b]	-311[b]	-2[b]	10	18

Fuente: Fortín (1979); fuente original: Contraloría General de la República.
[a] Incluye derechos específicos que el Estado chileno cobra por las minas.
[b] Un signo negativo implica que el saldo es favorable al Estado chileno, *i.e.,* es el monto que las empresas norteamericanas le deben a Chile.
[c] Exótica y Andina entraron en operación en 1971.

habría sido más conveniente para Chile. Sin embargo, "lo esencial no era la compensación, sino el control de una riqueza básica"[124]. Es más, cuando se consideran las represalias de las empresas norteamericanas y del gobierno estadounidense (incautación de las cuentas bancarias de CODELCO en EE.UU., imposibilidad de CODELCO de adquirir insumos y repuestos en EE.UU. y obstáculos para hacerlo en otros países, salida de más de 150 técnicos y supervisores de la GMC que recibieron ofertas de empleo de Anaconda y Kennecott en otros países, bloqueo financiero a Chile en los bancos públicos y privados de EE.UU. y en los organismos multilaterales, dificultades y juicios de incautación asociados a la comercialización del cobre, etc.), no es en absoluto obvio que el costo de la nacionalización de la GMC haya sido nulo o inferior al de la chilenización.

Este caso ilustra un problema más general: la falta de realismo político por parte del gobierno de la U.P. para incorporar en su análisis la eventual reacción de los agentes afectados por medidas de tanta envergadura.

Reforma agraria y fin del latifundio [125]

A comienzos de la década del 60, existía consenso respecto al magro desempeño del sector agrícola, un sector atrasado, estan-

141

cado, con gran subutilización de los recursos productivos e incapaz de generar el autoabastecimiento alimenticio, lo que creaba presiones inflacionarias y desequilibrios externos. Bajo el gobierno de Alessandri se dicta la primera Ley de Reforma Agraria (Nº 15.020, año 1962), que permite la expropiación de los fundos mal explotados a cambio de una compensación pagada inmediatamente en dinero efectivo.

El gobierno de Frei tenía un doble propósito vinculado a la modernización del sector agrícola: por una parte, aumentar la producción alimenticia y la productividad del agro; por otra, incorporar a la marginada masa campesina a la sociedad y al mercado. Utilizando la anterior Ley de Reforma Agraria, la agencia gubernamental CORA (Corporación de la Reforma Agraria) logró expropiar más de 500 fundos (1,2 millones de hectáreas) en tres años.

Pero el programa de la Democracia Cristiana ("la tierra para el que la trabaja") tenía como objetivo crear 100.000 nuevos propietarios agrícolas, por lo que se requirió una nueva Ley de Reforma Agraria (Nº 16.640, año 1967) para facilitar el proceso de expropiación. En ella se establece un límite superior al tamaño de un fundo (80 hectáreas de riego básico equivalente); ya no es necesario probar que un fundo está mal explotado o abandonado. El propietario puede mantener una "reserva" hasta de 80 hectáreas, el resto es automáticamente expropiable. Se prohíbe además la división de los predios. El pago compensatorio por la expropiación puede ser efectuado con bonos a 30 años; sólo un monto inferior al 10% puede ser pagado en efectivo. Esta nueva ley permite duplicar prácticamente el número de fundos y hectáreas expropiados en los siguientes 3 años del gobierno de Frei (ver cuadro 2.19).

Además, se promulgó una disposición legal (Ley Nº 16.625) que permitía a los campesinos sindicalizarse y organizarse (ver cuadro 2.9). Estos sindicatos debían estar abocados a cuestiones exclusivamente sindicales (negociación salarial, mejoramiento de las condiciones laborales, etc.), en ningún caso debían participar en el proceso expropiatorio; las "tomas" de fundos eran consideradas ilegales, y el gobierno estipuló que "fundo tomado no será expropiado".

Para la U.P., la reforma agraria era crucial en la transformación de una sociedad capitalista subdesarrollada en una econo-

CUADRO 2.19. Reforma Agraria en los gobiernos
de Eduardo Frei M. y Salvador Allende G.

| | Expropiaciones | | "Tomas" |
	Nº Predios	Area (miles de hectáreas)	Nº Predios
Gobierno E. Frei M. (1964-70)	1.400	3.557	214*
Gobierno S. Allende (1971-73)	4.409	6.409	
1971	1.379	2.027	1.278
1972	2.189	3.013	1.228
1973	836	833	n.d.

Fuente: Martner (1988). Kay (1992) para las cifras de "tomas"; el desglose de la información anual de las "tomas" es el siguiente: Año 1965:13; Año 1966:18; Año 1967:9; Año 1968:26; Año 1969:148; Año 1970:456.
* Incluye cifras correspondientes al período 1965-69.

mía socialista; esto implicaba la expropiación de todos los latifundios, pero también que "el grueso del sector agrario debía estar en manos del Estado o bien de cooperativas campesinas o cooperativas de consumidores"[126]. El programa de la U.P. plantea la "aceleración del proceso de Reforma Agraria" (...) "sin que el dueño tenga derecho preferencial a elegir la reserva"[127]. Ya en el gobierno, se propone la reducción del límite máximo de los predios a 40 hectáreas; sin embargo, por no contar con la mayoría parlamentaria necesaria, se utiliza la Ley de Reforma Agraria vigente.

Utilizando el mismo cuerpo legal, en el primer año del gobierno de Allende se expropia casi el mismo número de fundos que en todo el gobierno de Frei (ver cuadro 2.19). Este proceso incluso se intensifica en el segundo año, en el que prácticamente se completa "la destrucción del latifundio".

Hay también un aumento sorprendente en la sindicalización campesina: en 1971 se alcanza la cifra de 208.000 campesinos sindicalizados, esto es, un incremento del 82% respecto del año anterior[128].

En síntesis, el primer año del gobierno de Allende exhibe una notable aceleración del proceso de reforma agraria y de la sindicalización campesina; para muchos simpatizantes de la U.P. ello ilustra cuán eficiente es la izquierda en relación a la posición reformista de la Democracia Cristiana[129]. Obviamente, este acelerado proceso crea y estimula una efervescencia campesina imposible de detener, desencadenándose una escalada de ocupaciones ilegales o "tomas" de predios (ver cuadro 2.19) en la que no existe un límite inferior de lo que no es "tomable". Según la racionalidad prevaleciente en el período, las "tomas" constituyen "otro indicador del incremento de la lucha de clases en el agro, revelando así la fuerza que ha adquirido el movimiento campesino y que parece constituirse en un elemento de gran importancia para el desarrollo futuro de la lucha de clases a nivel nacional"[130].

A pesar de las expropiaciones ilegales, el grueso de la reforma agraria se realizó a través de la legislación vigente. En este sentido, el caso chileno contrasta con otras experiencias latinoamericanas en las cuales la reforma agraria es consecuencia de revueltas sociales masivas que alteran totalmente la estructura de tenencia en el agro[131].

Sin embargo, a pesar de la existencia de un marco legal y de la validez del principio de la necesidad de incorporación de la masa campesina marginada, la situación genera un conflicto relacionado con la estabilidad política[132]: la incorporación social y política altera necesariamente la relación vigente entre las clases sociales. Cuando además hay redistribución de activos y expropiación de tierras, el grado de conflicto evidentemente se incrementa y potencia. ¿No debía siquiera haberse iniciado el proceso de reforma agraria, entonces? La verdad es que no era posible ni sostenible que en la segunda mitad del siglo XX prevalecieran en el agro chileno casi las mismas relaciones sociales y económicas del siglo XIX; el proceso debería haberse iniciado mucho antes, con el tiempo necesario para hacerlo de forma gradual y moderada. Otra cuestión es el tópico de la compensación correspondiente.

La reforma agraria del período 1965-73 implicó una expropiación superior a 6.000 predios, que abarcaban un área de 10 millones de hectáreas; las pérdidas de capital de los dueños anteriores han sido calculadas en un monto cercano a los US$ 1.000 millones[133].

Creación del Area de Propiedad Social [134]

La creación del Area de Propiedad Social (APS), que involucra la estatización de las principales empresas industriales del país, probablemente simboliza la esencia de la naturaleza ideológica de la U.P. El traspaso al APS de los medios de producción de una empresa capitalista es el mecanismo "para alcanzar la socialización efectiva de dichos medios y orientarlos de manera que no se busque sólo la maximización de utilidades, sino el mejor aprovechamiento de la capacidad productiva, el incremento del empleo, de las inversiones, del uso de materias primas nacionales, etc., y que su producción se oriente en relación con las necesidades de las grandes mayorías nacionales"[135].

El proceso de estatización y socialización de la industria se basa en la concepción marxista de "la necesidad histórica de transformar las relaciones de propiedad y de producción a fin de permitir un verdadero desarrollo de las fuerzas productivas". "Al llegar a una fase determinada de desarrollo, las fuerzas productivas de la sociedad chocan con las relaciones de producción existentes, o, lo que no es más que su expresión jurídica, con las relaciones de propiedad en que se habían desarrollado hasta entonces". Cabe recordar que "el concepto de relaciones de producción apunta a las que los individuos establecen entre sí en el proceso de producción, y dentro de las cuales las relaciones de propiedad sobre los medios de producción son las más importantes, por cuanto ellas diseñan la estructura de clases y la distribución del ingreso y el uso del excedente"[136].

En síntesis, la creación del APS a través de la estatización de los "monopolios estratégicos" constituía el elemento más novedoso y crucial del programa de la U.P. en la construcción del socialismo. Ahora, el Estado captaría considerables excedentes o rentas monopólicas cuya reinversión permitiría generar un crecimiento elevado y sostenido.

Hubo cierta ambigüedad y dificultades por parte del gobierno de Allende para definir operacionalmente lo que entendía por monopolio o industria "estratégica"[137], así como una gran dificultad legal para desarrollar el APS, por cuanto la oposición parlamentaria obviamente manifestó su total discrepancia con dicho proyecto. La imposibilidad de generar una legislación nueva que permitiera la creación del APS indujo al gobierno de Allende a utilizar cualquier ley o artículo entonces vigente que sirviera para tal propósito; esto es lo que se denominó el "uso de los resquicios legales".

Para la expropiación de empresas se utilizó el Decreto Ley 520 (agosto de 1932), promulgado por el gobierno de 100 días de la "República Socialista", cuya vigencia fue mantenida aunque nunca había sido utilizado. "Pese a que no se trataba de una ley regularmente dictada, todos los Poderes del Estado habían declarado su aplicabilidad"[138]. Esta ley permitía la expropiación de empresas industriales y de comercio dedicadas a la producción y distribución de bienes de primera necesidad por las siguientes causales: receso productivo, acaparamiento de bienes, capacidad productiva no utilizada en épocas de escasez. Como se puede apreciar, la definición de estos conceptos era lo bastante vaga como para que la mayoría de las empresas pudieran eventualmente quedar expuestas a la expropiación. Había, sin embargo, una restricción legal: la expropiación requería compensación total en efectivo, en un monto determinado por un tribunal independiente. En resumen, aunque la ley existía, su aplicación tenía un alto costo.

Un procedimiento alternativo a la expropiación era la "intervención" o "requisición" de empresas, que consistía en colocar a una empresa privada bajo administración estatal, un acto legal que operaba por la vía de un Decreto de Reanudación de Faenas establecido a comienzos de la década del 40 (que permitía la "intervención" cuando había paralización de faenas por disputas laborales y/o paralización de faenas en industrias vitales para la economía nacional)[139]. Este procedimiento no podía usarse directamente para transferir la propiedad de la compañía, pero, en la práctica, ése fue el resultado en muchas oportunidades. Las disputas laborales eran instigadas por simpatizantes del gobierno o se desataban espontáneamente para provocar la intervención. A esas alturas, la situación financiera de la empresa estaba deteriorada. La subsiguiente administración por un interventor designado por el Estado, y la creciente escasez de materias primas, debilitaban aún más a la empresa intervenida. "Después de algún tiempo, muchos propietarios estaban dispuestos a vender sus firmas al gobierno"[140].

Las autoridades contaban también con un mecanismo administrativo para debilitar la resolución de los propietarios. Como se ha visto, la economía funcionaba con un control generalizado de precios. Una agencia estatal, la DIRINCO (Dirección Nacional de Industria y Comercio), tenía atribuciones para aprobar los aumentos de precios de los bienes y servicios en toda la economía; "por el simple expediente de rechazar el reajuste de precios, en un momento de rápidos aumentos salariales, la DIRINCO podía poner en peligro la situación financiera de una empresa. Este fue otro procedimiento utilizado para convencer a los propietarios de vender"[141].

A pesar de la resistencia de los propietarios de las empresas industriales y del elevado nivel de conflictividad política generado en las ciudades, el ritmo de intervenciones y requisiciones de empresas fue bastante acelerado: cada dos días una empresa productiva fue intervenida durante los dos primeros años del gobierno de Allende[142]. De esta forma, el APS industrial alcanzó a contar con 225 empresas productivas (ver cuadro 2.20) que empleaban cerca de 130.000 personas (alrededor del 20% del empleo industrial y 40% del producto industrial)[143]. Si se incluye el resto de los sectores productivos, el Estado chileno tuvo en 1973 el control de 377 empresas productivas, con un porcentaje apreciable de las mayores (ver cuadros 2.20 y 1.10).

Estatización de la banca [144]

La U.P. se abocó desde el comienzo a obtener el control absoluto del sector bancario. El Presidente Allende señala en diciembre de 1970: "Sólo estando los bancos en manos del pueblo a través del gobierno que representa sus intereses es posible cumplir con nuestro Programa"[145]. Según el ministro de Economía, "a nadie sino a unos cuantos círculos de grandes intereses económicos conviene que los bancos sigan siendo un instrumento de concentración del crédito y en definitiva del ingreso y la riqueza"; la estatización de la banca "significa democratizar el crédito extendiéndolo a los medianos y pequeños empresarios, y significa disminuciones drásticas en la tasa de interés"[146].

Durante los primeros meses de 1971 el gobierno logró adquirir todos los bancos extranjeros, mediante un proceso de nego-

CUADRO 2.20. EMPRESAS PRODUCTIVAS CONTROLADAS POR EL ESTADO
SEGÚN SECTORES ECONÓMICOS. 1970 Y 1973 (NÚMERO
DE EMPRESAS)

Sector	Participación Mayoritaria en Capital Accionario*		Empresas Intervenidas sin Participación en Capital Accionario		Total	
	1970	1973	1970	1973	1970	1973
Industria	26	57	0	168	26	225
Minería	2	8	0	13	2	21
Forestal	5	9	0	7	5	16
Pesca	4	12	0	8	4	20
Servicios	0	0	0	27	0	27
Construcción	1	8	0	10	1	18
Otras	6	24	0	26	6	50
Total	44	118	0	259	44	377

Fuente: Larraín (1988). Ver Larraín (1988) para un mayor desglose según ramas industriales y según tramos porcentuales de participación en el capital accionario. Ver también Martner (1988), y De Vylder (1974).
* Control superior al 50% del capital accionario.

ciación que estableció la compensación por pagar en cada caso. Pero los bancos extranjeros representaban una minúscula fracción de la actividad financiera del país. El gran desafío estaba en alcanzar el control de los bancos privados locales.

Careciendo de una base legal para expropiar los bancos, y percibiendo la imposibilidad de obtener la aprobación del Congreso para tal legislación, el gobierno recurrió a un método más simple. Abrió un poder comprador para acciones de bancos a precios muy atractivos; la CORFO confirió poder al Banco del Estado para que adquiriera las acciones bancarias y el Banco Central estableció una línea especial de crédito para financiar la operación. Al mismo tiempo, el gobierno empezó a intervenir los bancos basándose en dos causas: la detección de alguna irregularidad financiera o la existencia de problemas laborales que impedían su normal funcionamiento. Enfrentados a la opción de vender sus acciones a buen precio o terminar con acciones de dudoso valor de bancos en dificultades, los accionistas masivamente decidieron vender.

Este proceso, a semejanza de lo ocurrido en la minería, la agricultura y la industria, fue extraordinariamente rápido. Al finalizar el año 1971 el control estatal sobre el sistema bancario era casi total. Como lo anunció el ministro de Hacienda en noviembre de ese año, "... la nacionalización del sistema bancario está prácticamente terminada. El Estado controla ahora dieciséis bancos que en conjunto proporcionan el 90% de todo el crédito (...) Este proceso de nacionalización significa que se han roto los lazos entre el capital financiero y el capital monopólico industrial"[147].

De este modo, en poco más de un año la CORFO (a través del Banco del Estado) adquirió una participación mayoritaria en 14 bancos comerciales y una participación menor al 30% en las tres instituciones bancarias restantes. La participación del Estado en las operaciones financieras fue aún mayor de lo que sugiere la situación bancaria. Varias otras instituciones públicas ofrecían crédito a mediano y largo plazo, las más importantes de las cuales eran la CORFO, la CORA, la Empresa Nacional de Minería (ENAMI) y el Sistema Nacional de Ahorro y Préstamo (SINAP). En términos globales, el 85% del sector financiero de Chile estaba en 1973 en manos del Estado.

EL DERECHO DE PROPIEDAD

Las reformas estructurales de la U.P. cuestionan y atacan el derecho de propiedad. Por ello no deja de sorprender que la nacionalización de la GMC contara con la unanimidad nacional, la reforma agraria tuviera el apoyo de más del 70% de la sociedad, la creación del APS fuera respaldada por alrededor del 40% de la población, y que no hubiera mayores objeciones y resistencia a la estatización de la banca.

¿Hay alguna lógica que justifique las expropiaciones? ¿Es justo expropiar un activo a un agente privado porque la ganancia de bienestar social es mayor que la pérdida individual?

El cobre era considerado demasiado importante para el desarrollo nacional como para dejarlo en manos extranjeras; ésta es la explicación del proceso de expropiación de la GMC. La reforma agraria se basó en la necesidad de modernizar las condiciones económicas y sociales del agro chileno. Pero, si las empresas extranjeras eran propietarias de la GMC y los terratenientes eran los dueños de los grandes latifundios, ¿qué derecho tenía el gobierno a interferir e incluso expropiar sus posesiones? ¿Qué cosas puede tener un individuo que no estén afectas a la posibilidad de expropiación? En otras palabras, ¿cuán inviolable es la propiedad privada?

Desde el punto de vista legal, los individuos enfrentan una seria restricción respecto a su propiedad privada: no pueden rechazar una oferta de compra (o expropiación) por parte del gobierno así como lo harían ante una oferta similar de un agente privado. La acción expropiatoria del gobierno debe cumplir con dos requisitos: tener un objetivo de bienestar público, y ofrecer una "compensación justa". Si al agente privado se le pagara una "compensación justa" por el bien expropiado, la expropiación no generaría conflictos. Pero, ¿cómo se establece lo que es una "compensación justa"? Si ésta correspondiera al precio de reserva del propietario, la expropiación sería una transacción beneficiosa o al menos no perjudicial para el agente privado. Pero, obviamente, ello no es viable pues el propietario tiene incentivos para incrementar de manera no acotada su precio de reserva. En consecuencia, el conflicto surge en el momento de establecer el precio en una transacción bilateral en la que no existe un mercado.

El gobierno de Allende efectivamente utilizó la legislación existente en su vasto programa de expropiaciones. La crítica de sus adversarios se ha concentrado en destacar el que se habría recurrido a "resquicios legales" y a una "antigua legislación oscura que nadie antes había utilizado", pero ello no invalida las expropiaciones ni tampoco explica realmente la gran conflictividad del proceso.

Hay dos cuestiones de fondo distintas. La primera de ellas tiene que ver con el problema del precio o "compensación justa" del bien expropiado. En el caso de la estatización de la banca, se observa un proceso poco conflictivo en el que las acciones bancarias son adquiridas por el gobierno a precios atractivos. En los otros casos sucede lo contrario, y pareciera que el propósito de fondo hubiera sido pagar lo menos posible; si la nacionalización de la GMC se logra sin pagar un centavo, ¿por qué habría que pagar algo por los latifundios y las empresas industriales, que evidentemente tienen un valor económico inferior?

El gobierno de la U.P. enfrenta una restricción presupuestaria que obstaculiza su programa global de expropiaciones. Una manera simple de conciliar la meta expropiatoria con la restricción presupuestaria radica justamente en reducir el precio de compra. La paralización de faenas, las huelgas, las intervenciones, las requisiciones, la ocupación de fábricas y terrenos, los controles de precios, el control del crédito y de las divisas, etc., constituyen elementos generados en un contexto de gran tensión político-económica, pero al mismo tiempo se transforman en mecanismos que reducen significativamente el precio de venta de un bien expropiado. Los propietarios y empresarios privados se ven enfrentados a todo el poder y a toda la maquinaria económica y administrativa del gobierno, así como al apremio de los trabajadores, lo que debilita notablemente su poder de negociación. Estos mecanismos directos e indirectos de presión y el precio final del bien expropiado se retroalimentan negativamente produciendo una atmósfera general de tensión insostenible.

El tema de la propiedad privada y del derecho de propiedad ha estado ausente en la literatura económica tradicional[148]. En efecto, es posible apreciar que las preguntas económicas centrales –¿qué?, ¿cómo?, ¿para quién?– ni siquiera plantean dicho tema; la teoría económica de los precios y de la asignación de recursos supone una distribución inicial de factores productivos, y nunca se pregunta cómo se produjo dicha distribución inicial, cómo un agente económico se transformó en dueño del factor capital, cómo se establece el derecho de propiedad. Sin embargo, para cualquier neófito es evidente que la simple existencia del derecho de propiedad afecta la asignación de recursos y la distribución de bienes; lo mismo sucede con la distribución de la riqueza existente. En otras palabras, la asignación óptima de recursos depende de una distribución inicial dada de la dotación de factores productivos; si se altera dicha distribución inicial, se modifica el óptimo social (u óptimo de Pareto).

La relación entre la escasez de recursos y el derecho de propiedad no es conceptualmente obvia. Podría, erróneamente, sugerirse que si no hubiera escasez no sería necesario el derecho de propiedad; por otra parte, cuando ciertos bienes abundantes se tornan escasos o adquieren un valor económico se requiere la especificación de los derechos de propiedad, como ha sucedido

151

en la explotación de recursos marinos, por ejemplo. La argumentación de que la propiedad privada es una condición necesaria y suficiente para gozar de una institucionalidad económica racional que conduzca a una asignación eficiente de recursos es inválida. En el modelo teórico walrasiano de competencia perfecta (en el que creen todos los economistas neoclásicos), los precios constituyen el único mecanismo requerido para alcanzar el óptimo (la asignación eficiente de recursos); las instituciones son totalmente superfluas[149].

Para generar una situación estable en relación a la adquisición y posesión de bienes y activos, son necesarias reglas sociales que garanticen la seguridad de la propiedad. La existencia de la institucionalidad del derecho de propiedad implica que un individuo tiene el derecho a usar, consumir, obtener el ingreso, transferir y vender el bien o activo que le pertenece; en todas estas materias el propietario tiene el derecho de excluir a otros agentes[150].

Por otra parte, un agente privado no invertiría en un determinado proyecto si no estuvieran bien especificados los derechos de propiedad, pues no tendría certeza respecto a que podrá apropiarse de los eventuales beneficios futuros. ¿Qué incentivos tenía un latifundista o un empresario para invertir durante el gobierno de Allende si sabía que podía ser expropiado? Un año antes de la elección presidencial de 1970, y ante el conocimiento previo del programa de la U.P., debe haber habido una contracción de la inversión de aquellos empresarios y latifundistas que le asignaron una probabilidad no reducida al triunfo de Salvador Allende.

Para velar por el cumplimiento de la institucionalidad y garantizar el derecho de propiedad, se requiere la presencia del Estado. Sin embargo, éste puede transformarse en un arma de doble filo[151]: al evitar el caos y la anarquía, el Estado reduce (o elimina) los juegos de suma negativa vinculados al pillaje, los robos y los crímenes, pero, al poseer el monopolio de la fuerza, puede utilizarla para su propio beneficio. Para evitar esta acción distorsionadora del Estado, hay quienes sugieren establecer reglas eternamente válidas sobre el derecho de propiedad; una versión extrema sugiere que el derecho de propiedad adquiera la naturaleza de derecho divino.

La evidencia histórica muestra que aquellos derechos de propiedad que pueden haber sido justificables y válidos en un momento histórico, y que incluso han sido transferidos legalmente, pueden ser injustificables en otro tiempo[152]. Cambios políticos, tecnológicos, económicos y sociales pueden provocar la redefinición del derecho de propiedad y la incorporación de nuevos sentidos a este derecho: en el siglo XIX no era necesario definir quién tenía derecho al control de un canal de televisión.

En síntesis, actualmente se percibe que "hay nuevos derechos que son creados en respuesta a nuevas fuerzas económicas"[153]. El dilema central de una sociedad moderna consiste en resolver qué hacer con aquellos derechos adquiridos cuya existencia no se justifica en el presente[154]. Hay dos soluciones extremas: ignorar la necesidad de cambios o ignorar los derechos adquiridos; la historia nos enseña que ambas soluciones generan conflictos y conducen al caos.

Supongamos teóricamente que el gobierno de la U.P. hubiera contado con los recursos suficientes (porque el precio del cobre hubiera aumentado considerablemente, por ejemplo) para proporcionar "compensaciones adecuadas" en la realización de su vasto programa de estatizaciones: la transferencia de la propiedad privada al Estado se hubiera hecho con una conflictividad relativamente reducida. Supuestamente, ello habría disminuido el nivel de tensiones generado por el proceso de "tomas", intervenciones y expropiaciones. Sin embargo, habrían persistido los graves desequilibrios macro y microeconómicos descritos; el cambio sistémico progresivo (sustitución del capitalismo por el socialismo) y la percepción de su *irreversibilidad* fueron, a nuestro juicio, el factor primordial de la conflictividad social. A través de su programa de reformas estructurales y del eventual cambio sistémico, el gobierno de la U.P. estaba proyectando alterar el modo de vida de toda la población chilena, restringiendo otras posibilidades alternativas futuras.

En efecto, la segunda cuestión de fondo es de naturaleza claramente ideológica. El objetivo final del programa de la U.P. era reorientar la economía chilena hacia una trayectoria irreversible que progresivamente generara la sustitución del capitalismo por el socialismo. Existe amplia coincidencia en cuanto a que la propiedad privada es un factor central del capitalismo; pero, mientras que para Hume el establecimiento y la estabilidad de la institucionalidad del derecho de propiedad es el elemento crucial para lograr la perfecta armonía social (de hecho, "poco o nada más habría que hacer"), para Marx la existencia de la propiedad privada genera una estructura de clases que es la fuente de las desigualdades y conflictos sociales. Siguiendo este último argumento, el gobierno de Allende emprende un amplio programa de expropiaciones para transferir el patrimonio del sector privado al sector público, lo que a la larga eliminaría las desigualdades y el conflicto social. El resultado fue justamente el contrario; ¿era realmente factible que después de una etapa tan vasta de expropiaciones y de maximización del conflicto se lograra la paz social? ¿Era posible efectuar un cambio sistémico tan profundo sin producir el quiebre de la democracia?

NOTAS

1. En H. Godoy, ed. (1971), hay una excelente recopilación de artículos escritos a través de un período de 120 años, 1850-1970, sobre la cuestión social en Chile. Las siguientes citas textuales corresponden a esta obra.
2. Arcos Arlegui, 1852, pp. 201-205.
3. Orrego Luco, 1884, p. 223.
4. Victorino Lastarria, 1850, p. 197.
5. Arcos Arlegui, 1852, p. 205.
6. Orrego Luco, 1884, p. 224.
7. Para una mayor precisión sobre distintos tipos de inquilinos o campesinos, ver Vial (1981) y Hurtado (1984).
8. "El inquilino ama la tierra que lo vio nacer porque es su único mundo; generaciones de generaciones le han precedido y él sigue allí, como el árbol, profundamente enraizado en la tierra" (Feliú, 1942, p. 218).
9. Feliú, 1942; Morris, 1967; Aylwin et al., 1986; Vial, 1981).
10. Vial, 1981, pp. 502-504.
11. Vial, 1981, p. 504.
12. Aylwin et al., 1986.
13. Morris, 1967; Vial, 1981.
14. Los empresarios se oponían a los contratos colectivos escritos por cuanto estimaban que sólo ellos estarían obligados a cumplirlos. Además, sostenían que los sindicatos sólo estaban interesados en hacer huelgas, y los dirigentes laborales eran considerados agitadores y perturbadores del orden (Morris, 1967).
15. Esto sería equivalente a que en 1990 hubiera trabajando más de 300.000 niños.
16. Vial, 1981, p. 535. Los destacados han sido agregados.
17. Vial, 1981, p. 535.
18. El apelativo de "siútico" es utilizado despectivamente por los aristócratas con aquellas personas de clase media que se enriquecen y tratan de imitar

los patrones de vida y costumbres de la clase alta, y que aspiran a ingresar a ésta.

19. Feliú (1942) agrega además a los "pililos de la turbamulta".
20. Mc Bride, 1938, pp. 272-273.
21. Chonchol, 1970; Villalobos, 1984.
22. Jobet, 1951.
23. Aranda y Martínez, 1970.
24. Chonchol, 1970.
25. Mc Bride, 1938.
26. Jobet, 1951.
27. Orrego Luco, 1884, p. 228.
28. Letelier, 1896, p. 276.
29. Orrego Luco, 1884, p. 228.
30. Letelier, 1896, pp. 280-281.
31. Morris, 1967, p. 253.
32. Aylwin *et al.*, 1986.
33. Ahumada, 1958.
34. Frei, 1970.
35. Pinto, 1958 y 1970; Godoy, 1970.
36. Sunkel, 1965, p. 523.
37. Villalobos, 1984. Para excelentes análisis de la evolución política de los siglos XIX y XX, ver Atria y Tagle (1991), Moulián (1985), Scully (1992).
38. Villalobos, 1984.
39. Feliú Cruz, 1942, p. 222.
40. Aylwin *et al.*, 1986, p. 34. Sin embargo, en dicho período hubo una guerra civil (1891) en la que murieron 10.000 personas; esta cifra representa el 0,262% de la población de entonces (1891), lo que sería equivalente a 34.000 muertos de la población actual (1990). Ver Atria y Tagle (1991) y Moulián (1985) para una revisión y discusión del nivel de conflictividad en el desarrollo político chileno.
41. Morris, 1967, pp. 261-262.
42. Concha, 1918, p. 310.
43. Aylwin *et al.*, 1986.
44. Implícitamente, esto sugiere utilizar en el mercado político ponderaciones similares a las del mercado económico: a más pesos, más votos.
45. Citado en Jobet, 1951, pp. 174-175.
46. Johnson, 1961; Aylwin, *et al.*, 1986. Para un análisis y una discusión profundos sobre los partidos de centro, ver Moulián (1982, 1985) y Scully (1992).
47. Moulián, 1985.
48. De aquí se infiere que la reforma agraria esté fundamentada más en términos de justicia social que de modernización capitalista del campo (Moulián, 1985). Para una interpretación más global de los objetivos de la reforma agraria, ver Chonchol (1970).
49. Moulián, 1985.
50. Moulián, 1985. Para un análisis y una revisión profundos del pensamiento político de la izquierda chilena, ver Moulián (1985) y Walker (1990).
51. Jobet, 1951.
52. Recabarren, 1910.
53. Jobet, 1951.

54. Eyzaguirre, 1965, p. 392.
55. Pinto, 1970.
56. Hamuy, 1967, p. 498.
57. Distintas reformas van permitiendo la participación de un mayor número de personas en el proceso eleccionario; por ejemplo, el voto de los analfabetos y la reducción de la edad de los votantes de 21 a 18 años (efectuadas en 1970). Sin embargo, a excepción del sufragio femenino, no son éstos realmente los factores que inducen a un mayor número de personas a inscribirse en los registros electorales. El requisito de la cédula de inscripción electoral para una serie de trámites y la obligatoriedad del voto, ambas medidas adoptadas en la década de 1960, generan la gran expansión del número de votantes. También contribuye a ello la campaña de los partidos políticos de centro y la izquierda.
58. Junto a un mayor porcentaje relativo de votantes, la profundización democrática incluiría un perfeccionamiento en el proceso eleccionario a través de mecanismos orientados a la eliminación de fraudes, cohecho, etc., por medio del Registro Electoral, Tribunal Calificador de Elecciones, cédula única, etc.
59. Sean $d = D/V$ y $v = V/P$, en que d es el porcentaje de votos obtenidos por la derecha (D) sobre el total de votantes (V) y v es el porcentaje de votantes (v) sobre la población en edad de votar (P). Luego, un modelo econométrico simple sería:

$$\ln d = a_0 + a_1 \ln v$$

En este modelo, a_1 es la elasticidad que relaciona las variaciones que experimenta d ante cambios en v. Los resultados econométricos para el período de 1918-69 son (los valores entre paréntesis corresponden al estadígrafo t):

$$\ln d = \quad 5,47 \quad - \quad 0,64 \ln v \qquad R^2 = 0,779$$
$$\qquad\quad (18,6) \qquad\quad (6,84)$$

60. Este punto ha sido sugerido por Eduardo Engel.
61. Para los años 1938 y 1958 se ha utilizado la población mayor o igual a 21 años; para el año 1970 se ha utilizado la población mayor o igual a 18 años.
62. Para un análisis detallado de las políticas económicas de estos dos gobiernos, ver Ffrench-Davis (1973).
63. Algunos economistas de la U.P. criticaron los términos de estos acuerdos, calificándolos de excesivamente generosos para las compañías extranjeras. Para una revisión de este tópico, ver Geller y Estévez (1972), De Vylder (1974), Fortín (1979), Sigmund (1980).
64. Esta sección está basada en Larraín y Meller (1990).
65. Para una discusión más a fondo de estos aspectos, ver Aranda y Martínez (1970), Caputo y Pizarro (1970), Ramos (1972), Sanfuentes (1973) y Bitar (1979).
66. Alaluf, 1971.
67. Bitar, 1979.
68. Alaluf, 1971.
69. Ramos, 1972.
70. A fines de la década de 1960, el coeficiente de Gini para Chile era de 0,51, más bajo que Brasil (0,58) y México (0,58), pero más alto que Argentina (0,44) (Bitar, 1979).
71. Vuskovic, 1970; Bitar, 1979.
72. Martner, 1988.

73. Romeo, 1971.
74. Vuskovic, citado en Moss (1973), p. 59.
75. García, 1971.
76. García, 1971.
77. Bianchi, 1975.
78. Griffith-Jones, 1980.
79. Griffith-Jones, 1980.
80. Orlando Millas, 1972, citado en Bianchi, 1975.
81. Dornbusch y Edwards, 1991.
82. Dornbusch y Edwards, 1991.
83. Ver Dornbusch y Edwards, 1991.
84. Para otras divergencias entre el caso de la U.P. y los gobiernos populistas típicos, ver Larraín y Meller (1990).
85. Larraín y Meller, 1990, p. 194. Las tres subsecciones que siguen están también basadas en este trabajo.
86. Incluso economistas prestigiosos (no de la U.P.) alaban el éxito de la política económica gubernamental en materia de empleo del año 1971; ver Bianchi y Ramos (1971).
87. A nivel sectorial, la tasa de crecimiento de la producción industrial aumentó de 2,0% (1970) a 13,6% (1971), mientras que en el comercio la tasa de expansión pasó de -1,5% (1970) a 15,8% (1971).
88. Se dispone de tasas de desempleo anuales a nivel nacional en Chile sólo desde 1961. Si se corrigieran las cifras de desempleo de acuerdo a una expansión histórica normal del empleo público, las cifras de desempleo del período 1971-73 serían: 4,5% en 1971, 4,6% en 1972 y 7,2% en 1973.
89. M_1 es la cantidad de dinero; M_1 real es la cantidad de dinero deflactada por el IPC para poder comparar unidades monetarias que tienen un mismo poder adquisitivo.
90. Según Ramos (1977), otro factor crucial sería el hecho de que durante 1971 hubo una expansión de la demanda real de dinero de 40% a 50%, generada por el temor de expropiación y la incertidumbre generalizada que había producido la elección de Salvador Allende.
91. Banco Mundial, 1979; Bianchi, 1975.
92. N. García, en Bianchi, 1975.
93. Griffith-Jones, 1980.
94. Solimano y Zucker, 1988.
95. García, 1971.
96. Garretón, 1975, p. 218.
97. Dornbusch y Edwards, 1989.
98. Bitar, 1979, p. 131. Ver en esta obra (Cap. V) una discusión detallada sobre el planteamiento de opciones alternativas al interior del gobierno de la U.P.
99. Ver Bianchi (1975) para la información de los datos desagregados.
100. A nivel sectorial se observan disminuciones en 1973 de la industria (-7,7%), comercio (-6,4%), agricultura (-10,3%). La agricultura tiene tasas negativas ya en 1971 (-1,8%) y 1972 (-7,4%). Dada la situación caótica de la economía, pareciera haber una subestimación del deterioro económico efectivo de 1972 y 1973; sería importante realizar estudios metodológicos serios examinando este período.

101. Para cifras revisadas de desempleo en este período, ver Meller (1984).
102. En octubre de 1973 iba a haber un reajuste salarial, por lo que podría argumentarse que la cifra de deterioro del poder adquisitivo de las remuneraciones de -25,5% sobreestimaría la situación. Sin embargo, dicha cifra se obtiene utilizando el promedio de los 8 primeros meses de 1973 y no el nivel observado en septiembre de 1973. Después del golpe militar hubo un reajuste salarial, pero a través de manipulaciones del IPC (ver Cortázar y Marshall, 1980) se logró reducir aún más las remuneraciones reales de los trabajadores, alcanzando este deterioro a -38,6% a fines de 1973.
103. La producción interna de trigo se reduce de 1.307 millones de toneladas (1970) a 747 mil toneladas (1973). Una situación similar se observa para muchos otros alimentos (ver INE y ODEPA).
104. Martner, 1988.
105. Larraín, 1988.
106. Ramos, 1977.
107. Ver Bianchi, 1975.
108. Banco Central, Boletín Mensual, enero de 1973.
109. Los trabajadores y los sindicatos también participaron en el mercado negro: parte del pago de las remuneraciones era exigido en especies, las que eran canalizadas hacia el mercado negro; incluso había trueque entre sindicatos de distintos sectores (Bitar, 1979).
110. Banco Central, Boletín Mensual, enero de 1973.
111. Se estima que en 1973 había entre 2.000 y 2.500 JAP en todo el país, con un 50% de ellas radicadas en Santiago (Bianchi, 1979).
112. La frase textual de los simpatizantes de la U.P. era: "será un gobierno de mierda, pero es *mi* gobierno".
113. Durante el gobierno de la U.P. hay entre *4* y *8* tipos de cambios oficiales, esto es, un régimen cambiario múltiple. En 1973 hay un diferencial superior al 1000% entre el tipo de cambio oficial mayor y el menor. Para utilizar un solo tipo de cambio oficial, se han ponderado los distintos tipos de cambio oficiales de acuerdo a las importaciones correspondientes a cada grupo de productos; para los valores específicos de las ponderaciones y los períodos pertinentes ver cuadro del anexo estadístico.
114. Este diferencial alcanza a *48 veces* al utilizar la información mensual; ver anexo estadístico (cuadro B1).
115. Martner, 1988, p. 76.
116. Para una revisión más profunda del proceso de nacionalización de la GMC, ver Geller y Estévez (1972), Vargas (1973), De Vylder (1974), Fortín (1979), Sigmund (1980), Martner (1988) y Larraín y Meller (1990).
117. Sin embargo, como el objetivo primordial era la nacionalización de la GMC, una disposición provisional permitía al sector privado continuar operando las minas medianas y pequeñas.
118. Esto afectaba específicamente a la Kennecott (El Teniente), que había incrementado el valor de libro de sus activos de US$ 120 millones a US$ 319 millones.
119. Este es el primer año en que se cuenta con información confiable sobre la GMC.
120. Para más detalles, ver Martner, 1988.
121. Se utilizó un porcentaje del 12% del valor de libro, que correspondería a la utilidad normal anual; la diferencia entre la utilidad efectiva y la normal

(12%) en un período con retroactividad de 16 años (1955-70) proporciona el monto de la "rentabilidad excesiva".

122. Para la reacción de las empresas y del gobierno norteamericanos y las acciones de represalia, ver De Vylder (1974), Bitar (1979), Fortín (1979), Sigmund (1980).

123. Geller y Estévez, 1972, p. 568.

124. Bitar, 1986, p. 71.

125. Para una discusión más profunda de este tema, ver Alaluf *et al.* (1972), De Vylder (1974) y la colección de artículos de Kay y Silva (1992).

126. Alaluf *et al.*, 1972, p. 499.

127. Incluso se señala que "la expropiación podrá incluir la totalidad o parte de los activos de los predios expropiados (maquinarias, herramientas, animales, etc.)". Ver Martner, 1988, p. 79.

128. Recuérdese que en el gobierno de Frei el número de campesinos sindicalizados aumenta de 2.126 (1965) a 114.112 (1970) (cuadro 2.9); en 6 años (1965-71), el número de campesinos sindicalizados aumenta en más de 100.000 miembros.

129. Otra de las críticas a la reforma agraria del gobierno de Frei señala que sólo se logró beneficiar a 20.000 "asentados" en vez de a los 100.000 que se había prometido.

130. Alaluf *et al.*, 1972, p. 519.

131. Por ejemplo, México, Bolivia; ver De Janvry, 1981, y De Vylder, 1974. Otra diferencia radica en la distribución de tierras realizada (con posterioridad a la expropiación) en beneficio del conjunto total del campesinado mexicano y boliviano; en el caso chileno, el sector "reformado" está constituido por unidades productivas que corresponden aproximadamente al área equivalente del predio expropiado y por campesinos que corresponden a la anterior masa laboral del predio. Ver De Vylder (1974) y Kay y Silva (1992) para una evaluación crítica del funcionamiento de los asentamientos (Reforma Agraria del Presidente Frei) y los Centros de Reforma Agraria (Reforma Agraria del Presidente Allende).

132. Lehmann, 1992.

133. En esta cifra se incluyen las restituciones de tierras efectuadas durante el gobierno militar y el valor presente de las compensaciones percibidas en el proceso de expropiación. Ver Larraín (1988).

134. Esta subsección está basada fundamentalmente en De Vylder (1974); para una discusión más extensa de este tema ver además Martínez (1979), Martner (1988), Larraín y Meller (1990), Croner y Lazo (1972).

135. Alaluf, 1972, p. 12.

136. Croner y Lazo, 1972, pp. 360-361.

137. En enero de 1972, el gobierno especifica un conjunto de 91 empresas que constituirían el APS. Pero, por otra parte, se define implícitamente como "estratégica" toda empresa cuyo valor de libro sea superior a E° 14.000.000 (entre US$ 200.000 y un millón de dólares, según se utilice el tipo de cambio oficial o paralelo). Según esta definición, habría al menos 253 empresas que calificarían para ser incluidas en el APS.

138. Martner, 1988, p. 129.

139. Ver Martner, 1988, p. 130.

140. Larraín y Meller, 1990, p. 166.

141. Larraín y Meller, 1990, p. 167.

142. Ver De Vylder, 1974, p. 150.
143. La argumentación de De Vylder y otros de que "sólo se estatizó menos del 1% del total de establecimientos industriales" (sobre un total de 35.000) es evidentemente irrelevante.
144. Esta subsección prácticamente reproduce lo publicado en Larraín y Meller (1990, pp. 164-165). Para un análisis más profundo ver Inostroza (1979).
145. Martner, 1988, p. 137.
146. Ver Martner, 1988.
147. Citado en De Vylder (1974), p. 161, De Zorrilla, *Segunda Exposición*.
148. Probablemente haya un cambio en el futuro cercano; problemas como el derecho de propiedad intelectual, la asignación de derechos de uso y de explotación de áreas públicas, etc., requerirán una discusión y una revisión del concepto del derecho de propiedad.
149. El supuesto de que el ajuste es instantáneo y los costos de transacción son nulos torna irrelevante la institucionalidad. Enfoques económicos modernos en los cuales existen costos de transacción no nulos permiten el estudio de las instituciones económicas de un sistema capitalista; algunos enfoques plantean que la institucionalidad óptima es aquella que minimiza los costos de transacción. Ver Williamson, 1985; Barzel, 1989.
150. Para una discusión más extensa y profunda de este tópico, ver Alchian y Demsetz (1973), Becker (1977), Barzel (1989).
151. Brunner, 1980.
152. Becker, 1977.
153. Barzel, 1989, p. 65.
154. Becker, 1977.

CAPITULO 3

EL MODELO ECONOMICO DE LA DICTADURA MILITAR

LA DESTRUCCION DE LA DEMOCRACIA CHILENA

El análisis de los cientistas sociales [1]

El mito de la democracia chilena estaba muy arraigado: "la democracia más antigua y estable de América Latina", en una región que se caracterizaba por los golpes militares y la inestabilidad política. Desde 1831 hasta 1970, una larga sucesión de presidentes elegidos por sufragio habían cumplido y respetado sus respectivos plazos de permanencia en el poder. En un lapso tan largo hubo, como es obvio, pequeños períodos conflictivos, pero, ¿qué otro país latinoamericano podía exhibir un récord similar a 140 años de persistente cumplimiento democrático? La tradición histórica chilena reiteró y maximizó el mito democrático, minimizando aquellos conflictos y eventos que pudieran menoscabarlo.

Incluso durante el primer semestre de 1973, y a pesar de la conflictiva situación, gran parte de la población no concebía la posibilidad de un golpe, pues "los militares chilenos son distintos", constitucionalistas y no golpistas. El 11 de septiembre de 1973 la democracia chilena se desplomó como un castillo de naipes; el mito democrático fue reemplazado por una dictadura brutal. ¿De dónde salieron estos militares golpistas?, ¿quiénes eran los torturadores y los exiliadores?, ¿qué pasó con el aguerrido e indomable espíritu democrático de los chilenos? Toda nuestra historia democrática, ¿era realmente una farsa?[2]

Se ha insistido en que lo que había en Chile previamente a 1973 era una democracia formal y no real; no obstante, esa democracia formal chilena en las cuatro décadas anteriores al golpe había resuelto los problemas de estabilidad, sucesión y representatividad, y el establecimiento de mecanismos institucionales para la resolución de conflictos políticos. Esto "se reflejaba en el alto grado de legitimidad social del régimen democrático"[3]. El buen funcionamiento de la democracia formal reforzaba el mito democrático; a través del mecanismo de elecciones periódicas, se resolverían consensualmente los problemas económicos y sociales de todos sin afectar el bienestar de nadie. Esto sería el equivalente político del concepto económico del óptimo de Pareto[4].

La retórica combativa de la U.P. y el vasto programa estatizador del gobierno del Presidente Allende sugerían una marcha irreversible hacia la "dictadura del proletariado". El golpe militar fue apoyado por la gran mayoría de los chilenos para terminar con la caótica situación política, económica y social, y para eliminar la posibilidad efectiva de una eventual dictadura del proletariado: "para evitar la dictadura comunista había que sacrificar la democracia". El mito democrático hacía pensar en un "golpe limpio y corto", que rápidamente reestablecería la tradición histórica chilena; los militares tenían una idea distinta.

El golpe de 1973 no fue una comedia de equivocaciones. ¿Fue acaso el equivalente latino de una tragedia griega cuyo final quedó determinado al asumir Salvador Allende?, ¿podría haberse escrito en diciembre de 1970 la "crónica de un golpe anunciado"? Hay quienes creen que esta tragedia greco-chilena comienza realmente a principios del siglo XX; otros fijan su inicio en la segunda mitad de la década del 60. Algunos sugieren que esta tragedia pudo haber tenido "otros decursos y otros finales, sobre todo si los actores hubieran podido *imaginarse* el futuro"[5]. ¿Qué produjo esa falta de imaginación?

Hay varias explicaciones respecto al quiebre de la democracia chilena; no son mutuamente excluyentes y probablemente sean complementarias, puesto que enfatizan distintos aspectos de un fenómeno complejo: el desequilibrio entre el desarrollo político y el desarrollo económico, los consensos prevalecientes y su evolución, la polarización ideológica y el papel de los militares[6].

La "gran contradicción" entre el acelerado desarrollo político y el lento desarrollo económico supuestamente genera un desequilibrio creciente que desemboca en el quiebre de la democracia[7]. A partir de la década del 40, nuevos sectores comienzan a tener influencia y poder en el control del Estado, y aumenta además significativamente la participación política de la población; por otra parte, la economía chilena exhibe un lento crecimiento (en torno del 4%), que no permite resolver los problemas básicos de la mayoría[8]. El acelerado desarrollo político crea mecanismos de presión y estimula la proliferación de las demandas sociales; la competencia entre los partidos políticos genera una escalada de ofertas y soluciones que retroalimentan las aspiraciones y expectativas de la gente: todo comienza a ser posible si el partido A o B gana una elección, y nadie señala los costos involucrados en la solución de cualquier problema. El aceleramiento de las demandas políticas suscita presiones económicas excesivas, dando lugar a un proceso interactivo negativo en el que crisis económicas inducen crisis políticas y viceversa, hasta que finalmente estalla el sistema.

La explicación anterior adolece de algunas insuficiencias. Durante un largo período en este siglo, la sociedad chilena fue capaz de conciliar el desequilibrio político-económico generando una convivencia pacífica y estable; es necesario explicar cómo se logró manejar dicho desequilibrio y cuáles fueron las causas que lo tornaron posteriormente inmanejable[9]. El control de dicho desequilibrio se logró con la institucionalización del conflicto social como conflicto político-electoral[10]: los partidos políticos pasaron a ser el mecanismo de articulación y canalización de los intereses de los distintos grupos sociales; "podría afirmarse que los chilenos se reconocen entre sí públicamente a través de los partidos"[11]. La tríada "organización social-partido político-Estado" es, para la mayoría de la población, el único procesador legítimo y viable de las respectivas demandas[12]. Este sistema político fue capaz de generar legitimidad a través de varias décadas en las que se alternan gobiernos de diversas tendencias ideológicas.

Un indicador simple del acelerado desarrollo político es la mayor participación relativa de la población en las elecciones. Como hemos visto, entre 1920 y 1970 los votantes aumentan su participación relativa respecto a la población en edad de votar (cuadro 2.5); en términos absolutos, el número de votantes se

CUADRO 3.1. DISTRIBUCIÓN DE LOS NUEVOS VOTANTES.
CHILE, 1918-73 (MILES)

	Nuevos votantes captados por (porcentajes)		
Nuevos votantes	Derecha	Centro	Izquierda
1918-37	231,6	23,5	30,7	27,0
1937-69	1.895,3	15,2	38,1	38,8
1969-73	1.379,6	23,5	22,0	40,3

Fuente: Borón (1971) y Valenzuela (1978).
Nota: En la derecha se incluyen los Partidos Liberal y Conservador; en el centro, los Partidos Demócrata-Cristiano, Radical y Agrario Laborista; y en la izquierda, los Partidos Socialista y Comunista. A partir de 1965, la mitad de los votos radicales son incluidos en la izquierda y la otra mitad en el centro. Los votos por sector no suman el total de votantes por cuanto no incluyen a los independientes y partidos políticos no mencionados previamente.

incrementa de 167.000 (1920) a casi tres millones (1970) en cincuenta años.

La incorporación electoral de nuevos grupos, en la medida en que es canalizada por partidos políticos distintos a los prevalecientes, introduce cambios en las relaciones de poder de los diferentes grupos sociales. En un extraño análisis empírico, Valenzuela y Valenzuela (1986) tratan de demostrar que el incremento relativo de votantes no habría afectado la composición relativa de los tres grandes bloques políticos (derecha, centro, izquierda). Sin embargo, ya hemos observado que estimaciones econométricas revelan que la votación relativa de la derecha *disminuye* en 6,4 puntos porcentuales por cada 10 puntos porcentuales de aumento en el porcentaje relativo de votantes (período 1918-69). Del mismo modo, esas estimaciones muestran que el centro y la izquierda *aumentan* 4,0 y 7,7 puntos porcentuales respectivamente (gráficos 3.1 y 3.2)[13]. Y si se considera el porcentaje relativo de los nuevos votantes que es captado por los tres grandes bloques políticos, se observa una participación significativamente menor de la derecha en relación al centro y a la izquierda en el período posterior a 1937; la derecha atrae solamente al 15,2% de los nuevos votantes mientras que el centro y la izquierda captan el 38,1% y el 38,8% respectivamente (cuadro 3.1 y gráfico 3.3). Puesto que, entre

GRAFICO Nº 3.1. VOTACION DEL CENTRO, 1918-1973
(ELECCIONES PARLAMENTARIAS)

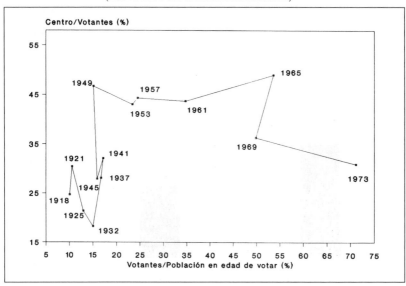

GRAFICO Nº 3.2. VOTACION DE LA IZQUIERDA 1918-1973
(ELECCIONES PARLAMENTARIAS)

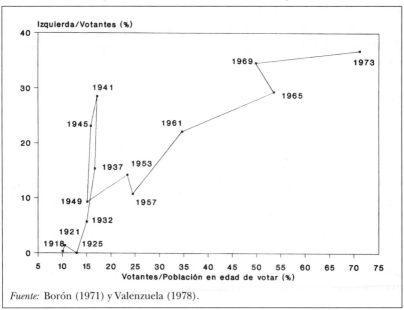

Fuente: Borón (1971) y Valenzuela (1978).

165

GRAFICO Nº 3.3. DISTRIBUCION DE NUEVOS VOTANTES, 1918-1969
(ELECCIONES PARLAMENTARIAS)

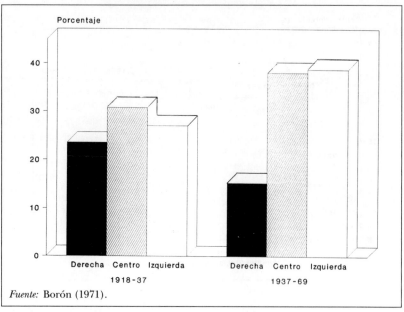

Fuente: Borón (1971).

1937 y 1969, el número de votantes aumenta en 5,6 veces, el resultado anterior obviamente implica un profundo cambio en la composición política chilena. Cabe recordar que un supuesto simplificatorio implícito en estas estimaciones es el de que las personas que votan una vez por un determinado partido político siguen votando de la misma manera[14].

El significativo aumento del número de votantes y la vigencia de la Constitución de 1925 están asociados a una alta discontinuidad política de los gobiernos elegidos entre 1932 y 1970; en efecto, en ese lapso hay una alternancia de seis gobiernos con distinta ideología política: derecha (1932-38), radical (1938-52), populismo personalista (1952-58), derecha (1958-64), democracia cristiana (1964-70), izquierda (1970-73). Esta discontinuidad va acompañada por un antagonismo político de cada gobierno con respecto a su predecesor: "rara vez el nuevo gobierno invita a quien gobernaba anteriormente a colaborar, aunque sea en forma parcial". El gobierno triunfante quiere tener el control total de todo el aparato público: "quien inicia un nuevo período tiene

166

la tendencia a comenzar todo de nuevo o con otro signo que lo diferencie del anterior", su deseo es desplazar a los que estaban previamente en el poder, sustituyendo al máximo número de funcionarios para que puedan hacer suya una nueva política[15].

Pero, ¿por qué se produce esta discontinuidad política? Para Vial (1986), la gran masa de la población que vive en una situación de extrema miseria y se incorpora a la actividad electoral constituye el factor central de desestabilización política. Los pobres han representado alrededor del 30% de la población chilena durante el siglo XX, y son fácilmente atraídos por la demagogia, lo que los transforma en un electorado altamente fluctuante; su participación política creciente ha generado movimientos pendulares que eventualmente conducen al quiebre de la democracia. Vial argumenta que el voto de los pobres es un factor de inestabilidad porque quienes viven en la extrema miseria nada ganan con la estabilidad: "la estabilidad es un valor inexistente para ellos, que en cambio algo pueden ganar con los trastornos sociales"[16].

Una explicación distinta y más global que la anterior es aquella vinculada a los consensos prevalecientes en Chile en el siglo XX y a los factores que produjeron su quiebre. Hay todavía quienes añoran el consenso pre1920: un orden oligárquico en el que nada significativamente diferente se planteaba en cada elección. Obviamente, no podía ser permanente y estable una situación en la que cada gobierno era escogido por una especie de club selecto al cual pertenecía menos del 10% de la población en edad de votar. Los turbulentos años 20 y comienzos del 30, así como la Constitución de 1925, sientan las bases para un nuevo consenso.

La llamada República Mesocrática, que dura 40 años (1932-73), establece un nuevo marco, en el que la clase media comienza a adquirir el predominio; la mayoría de los Presidentes, ministros y parlamentarios surgen de la clase media. Durante parte importante de este período hay una especie de consenso implícito y explícito entre los actores políticos y sociales para resolver los distintos conflictos a través de los mecanismos institucionales establecidos en la Constitución. Pero se ha señalado que este consenso no incorpora hasta la década del 60 a una parte importante de la población. En efecto, y en contraposición a lo planteado por Vial, Gazmuri (pp. 207-211; en Tagle, 1992) argumenta que

167

el acuerdo político establecido en la década del 30 marginó a la población más pobre del país, particularmente a aquellos del mundo rural; la apertura hacia estos grupos postergados se produciría en forma muy lenta y restringida fundamentalmente al plano electoral. Si los pobres estaban excluidos, entonces no podían ser la causa de la alternancia política observada.

En síntesis, durante la República Mesocrática existe consenso respecto a la validez del sistema político electoral. En relación a este tópico, Arriagada destaca el hecho de que en Chile, a diferencia de lo que pasó en otros países latinoamericanos, la derecha cumplió un papel importante en la creación de un sistema democrático: "fue una Derecha que jugó al interior del sistema de partidos, interesada en obtener la Presidencia de la República a través de elecciones y no de golpes de Estado"[17]. Algo similar puede plantearse con respecto a la izquierda.

El consenso respecto a la aceptación y relevancia del mecanismo electoral habría sido necesario pero no suficiente para la estabilidad democrática; lentamente, comienzan a explicitarse y contraponerse distintas concepciones y propuestas respecto a la forma de estructuramiento de la sociedad chilena. Estas adquieren un perfilamiento más nítido y decantado en la década del 60: la derecha aboga por un capitalismo tradicional con políticas económicas adecuadas y responsables para generar un mayor crecimiento; el centro propone la modernización del capitalismo con una incorporación política y social de los grupos marginados; la izquierda critica el sistema capitalista estimando que éste marcha hacia su descomposición, y sugiere preparar las condiciones para avanzar hacia el socialismo. Así surge el "fenómeno de los tres tercios", la coexistencia de tres proyectos globales y supuestamente excluyentes que proporcionan las soluciones y respuestas a las interrogantes básicas; además, a partir de la elección presidencial de 1958 poseen bases electorales equivalentes: en torno al 30%.

Estos proyectos contrapuestos expresan en el fondo una reestructuración social que afecta al consenso básico sobre el modo de vida de una sociedad. En estas condiciones, se debilita la capacidad de compromiso y los acuerdos que se logran son más formales que reales; pero, cuando un determinado partido gana una elección presidencial, ¿cuánto le es factible o permisible modificar el modo de vida existente? Por otra parte, la mantención del *statu quo* implica un modo de vida precario para muchos. Este es el viejo dilema de continuidad y cambio: "cuánto se cambia para que todo siga igual" o bien, "cuánto es posible cambiar sin que se desestabilice el sistema". En realidad, el problema del consenso básico es bastante más complejo. ¿Cuáles son los componentes del consenso básico para mantener la estabilidad de la democracia?, ¿entre quiénes debe producirse el consenso? Los elementos posibles incluyen evitar la guerra civil, respetar las reglas del juego y tener una imagen compartida respecto a lo que es un "orden justo"; pero sigue vigente la pregunta de cuál es el límite del premio que puede apropiarse el vencedor de la contienda política[18].

La situación descrita conduce a la polarización política. Hay dos argumentaciones respecto de esta polarización progresiva; el cambio en la función del centro y el aumento del ideologismo. Revisémoslas brevemente.

Ya desde el comienzo del siglo XX se observa una marcada polarización política en Chile. Hay una derecha tradicional claramente definida, y lentamente comienza a estructurarse una izquierda que en la década del 30 adquiere un nítido perfil; cuando estos dos bloques políticos captan un porcentaje importante del electorado, se genera una tendencia centrífuga que aumenta peligrosamente el nivel de conflictividad social. El centro evita esta polarización extrema al actuar como "bisagra"[19]. El Partido Radical, un partido pragmático con gran capacidad de negociación, cumple dicha función en el período previo a la década del 60, pero se desgasta y sufre un alto costo político pasando a ser identificado como el "partido del arreglín y de las componendas". En los años 60 la Democracia Cristiana sustituye al Partido Radical; el centro ya no es más "bisagra" y "amortiguador", pues este partido quiere llevar a cabo su "camino propio". Más aún, con su planteamiento ideológico (modernización capitalista con integración social), la Democracia Cristiana genera un fenómeno de "centrifugación doble" que radicaliza el espectro político: empuja a la izquierda más hacia la izquierda y a la derecha más hacia la derecha[20].

Esta hipótesis, que sostiene que el centro, por definición moderado, sería el responsable de la polarización extrema de la izquierda y de la derecha, resulta bastante paradójica. Aunque el centro plantee y coincida con algunas de las proposiciones de la izquierda o la derecha, ¿por qué éstas no lo apoyan en aquello en lo que coinciden y optan en cambio por abandonar sus principios y objetivos por otros nuevos más extremos? ¿Es más importante ser distinto y tener un perfil propio que contribuir a un mayor bienestar social?, ¿las ideas, los valores y los principios son tan mutables que se van redefiniendo de acuerdo a lo que vayan planteando los otros?

En la década del 60 se hace patente un auge de las ideologías y de las utopías; todo parece posible, es sólo cuestión de quererlo: la eliminación de la injusticia social, la superación de la pobreza y la transformación de Chile en un país moderno y desarrollado. Hay mucho entusiasmo, agitados y elevados debates conceptuales y exceso de voluntarismo; la existencia de metas y objetivos tan nobles impide la discusión pedestre sobre los medios y los mecanismos. "Se reivindicaban dimensiones olvidadas de la existencia: los sentimientos, el inconsciente, la imaginación, el eros. A la pregunta de si era posible construir una civilización no represiva, se respondía afirmativamente. Bastaba con que la gente tomara conciencia de las posibilidades de liberación que el progreso técnico había engendrado en la sociedad y actuara en consecuencia, cambiando las estructuras opresivas. La revolución era una consigna compartida casi por todos. La imaginación debía alcanzar el poder"[21].

El exceso de imaginación genera utopías e ideologías alternativas que disputan entre sí. La exacerbada competencia ideológica va induciendo una radicalización en los planteamientos; la búsqueda de un consenso mínimo es percibida como lógicamente errónea y éticamente corrupta. Aparece el purismo fundamentalista: "cada actor acentúa el perfil excluyente de su propuesta; cualquier avance parcial es decretado insuficiente; toda medida en el terreno económico, social o político es descalificada en contraste con un modelo teórico –la utopía– que constituye un imperativo moral para quienes adhieren a ella"[22].

Las ideas y la retórica adquieren vida propia y van configurando la realidad. Eduardo Frei Montalva expresa en su campaña presidencial que "no cambiará una coma de su programa ni por un millón de votos"; el programa es más importante que cualquier acuerdo político. Después del triunfo electoral de Eduardo Frei, el Secretario General del Partido Socialista declara que le negará "la sal y el agua al nuevo gobierno". En la campaña presidencial de 1970, la derecha propone e insiste (pensando que Jorge Alessandri será el triunfador) que "el candidato que obtuviera un voto más que sus rivales debería ser el Presidente"; de esta forma, se pretendía descartar cualquier posible compromiso en el Parlamento si la primera mayoría relativa era inferior al 50,1% de los votos.

Así se genera el "autismo político"[23]. Además, las mutuas descalificaciones van creando un clima confrontacional entre las distintas posturas ideológicas. Según Moulián (1982, 1985), esto conduce a una especie de "lógica fatalista autodestructiva" en la que "lo peor para sí es preferible a ceder"; ello se observa en "la aventura del camino propio de la derecha" en las elecciones presidenciales de 1970, y en el "infantilismo guerrillero suicida" de varios grupos de la U.P.

La retórica ideológica experimenta una escalada durante el gobierno de la U.P.; "no basta con tener el gobierno, hay que alcanzar el poder total", y "avanzar sin transar" sugieren de manera bastante inequívoca que hay grupos importantes de la U.P. dispuestos a tornar irreversible el proceso vigente y a imponer su voluntad sobre el resto. Todo esto va acompañado de una hipermovilización política; las marchas y las concentraciones no terminan con la campaña presidencial, sino que pasan a ser parte del paisaje (como la cordillera de los Andes) durante el gobierno del Presidente Allende: todos recurren a la movilización de masas para mostrar que cuentan con el apoyo popular mayoritario. Los medios de comunicación actúan como un poderoso catalizador, agregando combustible a la hoguera confrontacional. "Era difícil distinguir entre los hechos reales y el conflicto simbólico presentado por los diarios, la radio y la televisión. Los hechos eran presentados de manera exagerada y distorsionada. Las mentiras y las injurias personales (*character assassination*) estaban a la orden del día. Todo adquirió sentido político, y hasta el evento más insignificante se transformó en relevante y ominoso"[24]. La movilización política se transformó en confrontación política y la lógica política comenzó a ser sustituida por la lógica del enfrentamiento.

171

Es efectivo que la polarización ideológica y la retórica simbólica generaron restricciones que dificultaron e impidieron la negociación y el acuerdo político, pero no son las diatribas ni las frases incandescentes las que provocan el quiebre de la democracia. Durante el gobierno de la U.P. hay hechos concretos que perjudican materialmente a muchos agentes económicos, y que sugieren que en el futuro próximo otros serán afectados; cada día 5,5 fundos son expropiados o "tomados", cada dos días una empresa productiva es estatizada o intervenida, no hay una cota inferior en tamaño para lo que es expropiable o "tomable", a medida que transcurre el tiempo empieza a ser más dificultosa la adquisición de bienes de consumo básico. Los mercados negros, las colas, el racionamiento y la escasez afectan el diario vivir, los graves desequilibrios macroeconómicos generan incertidumbre e inestabilidad global, el acelerado grado de estatización de la economía produce fundados temores respecto a la irreversibilidad futura del proceso.

Moulián formula una interesante pregunta: ¿por qué no hubo un golpe en Chile antes de 1973, y, más específicamente, por qué no lo hubo en 1938 cuando Aguirre Cerda triunfó por un margen tan pequeño? Este autor sugiere que el programa de reformas planteado por los gobiernos radicales era tolerable, y por ello no afectó la estabilidad democrática. Moulián señala también que el gobierno del Presidente Frei sería el verdadero continuador de los frentes populares en Chile puesto que realiza las reformas antioligárquicas que estaban pendientes (chilenización de la GMC, reforma agraria y sindicalización campesina)[25].

Pero entonces cabe reiterar la interrogante anterior: ¿por qué no hubo un golpe durante el gobierno del Presidente Frei?[26]. A nuestro juicio, las diferencias existentes entre los gobiernos de Frei y Allende proporcionan una clave importante respecto a los factores centrales que conducen al quiebre de la democracia en 1973. La diferencia central no está vinculada a la existencia de proyectos globales excluyentes, a la polarización ideológica o la intensificación de la movilización política. Durante el gobierno del Presidente Frei, nadie duda en ningún momento que habría nuevas elecciones presidenciales en 1970, y que las minorías existentes entonces podrían constituirse en mayoría en el futuro. Durante el gobierno del Presidente Allende se va incrementando la incertidumbre respecto a la posibilidad de revertir las profundas reformas; los hechos y la retórica oficial van reforzando la idea de que se avanza inexorablemente hacia un esquema social irreversible. No es el temor a los cambios, puesto que los hay y profundos durante el gobierno de Frei, sino el temor a los cambios irreversibles lo que explica el respaldo masivo al golpe militar.

En 1973 hay una aceleración en el nivel de conflictividad social, y una lenta pero progresiva paralización de la actividad económica; la multiplicidad de incidentes, las discusiones furibundas e interminables, las numerosas e inútiles reuniones de autoridades del gobierno, de opositores y entre ambos, la ola de rumores y contra-rumores finalmente tornan imposible una solución política. El 22 de agosto de 1973, la oposición en la Cámara de Diputados aprueba un proyecto en el que declara explícitamente "la ilegitimidad de las actuaciones del Presidente". Esta es una invitación a la intervención de las Fuerzas Armadas. ¿Por qué éstas aceptan esa invitación?, ¿acaso para evitar una posible guerra civil? La evidencia histórica revela que "no hay guerra civil entre civiles"[27]: se requiere la división de las FF.AA. para que haya guerra civil. La propaganda realizada por grupos extremos de la U.P. en la que se invitaba a los soldados y suboficiales a desobedecer a sus superiores, la participación de altos mandos de las FF.AA. en el gabinete ministerial del Presidente Allende y la extendida y profunda crisis política constituían factores que podían generar esa división[28]. En síntesis, las FF.AA. dieron el golpe para prevenir su división interna y evitar de esta forma una posible guerra civil[29]. Pero, si el golpe militar evitó la división de las FF.AA. y en consecuencia la guerra civil, entonces, ¿por qué fue tan sangriento?, ¿cuál es la justificación de las posteriores violaciones de los derechos humanos?

Los analistas y cientistas políticos descubrieron con posterioridad a 1973 cuán grande era su ignorancia respecto a las FF.AA., las que constituyen un "Estado dentro de otro Estado", con reglas propias y una cultura y una lógica de funcionamiento muy distintas a las de la sociedad civil. En el período 1931-73 hay una "mala relación cívico-militar"; son "dos mundos casi absolutamente incomunicados", hay un desconocimiento y un desprecio mutuos[30]. El poder civil reduce sistemáticamente el presupuesto militar, lo que genera resentimiento en las FF.AA. (ver cifras en Joxe, 1976). Esto es particularmente grave si se toma en cuenta que las FF.AA. se consideran la reserva moral de la nación, "los depositarios últimos del destino de la nación, los garantes supremos de la unidad nacional amenazada, el baluarte por encima de las divisiones de grupos de la sociedad civil y con un rol mesiánico, activo y práctico, de salvación de la nación ante la crisis que amenaza con su destrucción"[31].

En consecuencia, las FF.AA. dan el golpe militar para salvar al país de la destrucción[32]. Pero, ¿por qué se quedan 17 años? Garretón proporciona la respuesta explicando la interacción conceptual ambivalente entre Nación y Estado propia de las FF.AA. El golpe militar es justificado "en nombre de la Nación, contra un Estado que *se ha apartado* de los altos destinos de la Nación", comprometiendo su supervivencia. Por otro lado, cuando el régimen militar se ha establecido, el Estado *se identifica* con la Nación y es el encargado de realizar este destino, llámese Bien Común o de otra manera; luego, cualquier discrepancia es vista como un cuestionamiento a la esencia de la Nación. "Esto produce la triple identificación entre Nación, Estado y FF.AA. (o gobierno militar). Las FF.AA. son el baluarte de la nación y la garantía de su continuidad histórica"[33]. Y es así como Chile comenzó a funcionar como un gran cuartel.

El análisis de los economistas ortodoxos [34]

Según los economistas ortodoxos, el lento desarrollo chileno ha sido ocasionado fundamentalmente por el progresivo papel del Estado en la economía; este fenómeno alcanza su culminación en el gobierno de la U.P., en el cual el objetivo de que el Estado logre el control total genera el caos económico y social que conduce al quiebre de la democracia.

De Castro señala que la explicación de la crisis político-social de 1973 no está en los tres años de mal manejo económico del gobierno de la U.P.: "el caos sembrado por el gobierno marxista de Allende *solamente aceleró* los cambios socializantes graduales que se fueron introduciendo en Chile ininterrumpidamente desde mediados de la década del 30"[35]. Desde esta perspectiva, una parte de estos "cambios socializantes graduales" corresponde a las innumerables y erróneas medidas de tipo redistributivo adoptadas por el Estado a partir de la década del 30; desde ese entonces, el Estado creó la noción de "la cultura del reparto", en que se promete "el mejoramiento sustancial del nivel de vida de la inmensa mayoría de los chilenos, sin sacrificar sino a los más ricos", esto es, la pobreza se resuelve quitándole a unos para darle a otros, lo que conduce a minar la armonía prevaleciente en la sociedad chilena[36].

Supuestamente, para poder cumplir con su función redistributiva el Estado comienza a aumentar su actuación en la economía. Esta intervención estatista se manifiesta en diversas formas: "La intervención directa del Estado para manipular las variables económicas (control de precios, determinación de la tasa de interés, fijación del tipo de cambio, etc.); el desarrollo de una frondosa burocracia; la propensión a crear actividades estatales paralelas a la actividad privada en los sectores productivos o de servicios; las nacionalizaciones y el estatismo progresivo de la economía; el desarrollo de sistemas de planificación, que planifican en forma parcial pero que buscan un control directo de variadas actividades; el aumento de la inversión estatal en áreas de reducida rentabilidad social; la politización de las instituciones públicas"[37]. Es así como se configura un marco institucional extremadamente anárquico, que "limita las posibilidades de desarrollo que no estén amparadas por el Estado".

Distintos factores impulsan el auge del estatismo: i) presiones político-sociales conducentes al aumento del gasto público para generar empleo y expandir los niveles de inversión; el sector público se transforma en el empleador e inversionista de última instancia, ii) los puestos de trabajo creados en el sector público tienen una característica de irreversibilidad; ello mantiene clientelas políticas subsidiadas con empleo en instituciones fiscales, semifiscales y estatales, y iii) el Estado se constituye como "gestor del bien común" y, *a contrario sensu*, se genera la noción de que la acción privada no conduce a ello. De aquí se pasa a una relación paternalista entre el Estado y la sociedad, en la que el Estado "da" y la sociedad "espera" beneficios; en una sociedad moderna, en cambio, los beneficios se "logran" como resultado de un proceso de desarrollo.

175

El aumento del intervencionismo del Estado en la economía genera diversos problemas interrelacionados entre sí[38]:

a) Al adquirir el Estado mayores funciones, crea numerosos organismos, empresas y servicios, los que generan una "frondosa burocracia" aislada de mecanismos de control interno y externo. La expansión del sector público implica un aumento del gasto; adicionalmente, la burocracia fiscal y estatal se transforma en un poderoso grupo de presión que generalmente obtiene privilegios especiales. Todo esto se traduce en un desequilibrio entre gasto e ingreso fiscal, que genera un déficit público con las consiguientes presiones inflacionarias.

b) Los controles de precios, de la tasa de interés y del tipo de cambio son el resultado indirecto de la inflación; constituyen una respuesta fácil pero errónea para atacar la inflación, "suprimiendo sus manifestaciones en vez de atacar la raíz del problema". Estos controles se convierten a su vez en mecanismos importantes de distribución de beneficios y rentas.

c) De esta forma, el Estado adquiere un "enorme poder discrecional y abusivo" que induce a los distintos grupos sociales a organizarse para tratar de captar y utilizar los recursos del Estado en beneficio propio. El proceso político se transforma en un juego de influencias y presiones que origina "masivas transferencias entre los distintos grupos sociales y sectores económicos"[39]. Incluso se "institucionaliza" la participación del sector privado en la toma de decisiones del sector público: "durante el período 1958-64, las cuatro organizaciones privadas más poderosas tenían representantes con derecho a voto en todas las instituciones financieras (públicas) incluyendo el Banco Central, el Banco del Estado y la CORFO" (...) "cada grupo empresarial tenía poder de voto en las agencias gubernamentales que eran relevantes para su sector específico"[40].

d) La sociedad chilena se orienta a una búsqueda del ventajismo rentista (*rent seeking*)[41]. "El exceso de control estatal sobre la economía ha hecho que el éxito de las actividades productivas emprendidas dependa mucho más del padrinazgo político –que concede exenciones tributarias o arancelarias, que otorga o niega precios rentables, que permite o prohíbe la importación de sustitutos, que aprueba o no préstamos internos y/o externos, etc.– que de la verdadera rentabilidad social de dichas actividades y de la capacidad técnica y empresarial de quienes en ella trabajan. De este modo, los empresarios buscan más el acercamiento a los políticos y a los personeros de gobierno –Ministros, Subsecretarios, Jefes de Dirinco, Presidente del Banco Central, del Banco del Estado, Presidente de CORFO, etc.– que a los técnicos y profesionales o a los obreros y empleados que laboran en las empresas y que podrían aumentar la productividad real de estos procesos productivos"[42].

"Es más fácil obtener una rentabilidad financiera cobrando un alto precio permitido por un elevado arancel, que una rentabilidad real basada en un precio bajo, al alcance de las grandes masas, permitido por rebajas de costos obtenidas con mejoras reales de productividad". Cuando la tasa de interés real es negativa, permite que cualquier inversionista pueda emprender proyectos de inversión de rentabilidad nula o baja por cuanto los financia con créditos cuyos costos son subsidiados (o negativos). "De ahí que la demanda por créditos exceda a la oferta y que las amistades y los contactos políticos sean más importantes en la obtención de un crédito que la rentabilidad social de los proyectos de inversión" (...) "El Estado ha llegado a tener tal grado de injerencia en la vida económica del país que puede, por propia decisión, otorgar el éxito o causar el fracaso de cualquier actividad. De aquí que los empresarios, en general, se hayan coludido con los grupos políticos dominantes para asegurar la rentabilidad de sus actividades".

El resultado de lo anterior es "una estructura poco competitiva de la organización económica, lo que ha facilitado la formación de grupos de poder cuya acción resulta contraria al interés general". En consecuencia, las políticas redistributivas del Estado han terminado por favorecer a los grupos que poseen mayor poder de organización y de presión; los pobres, que son individuos independientes o del sector informal y que no poseen mecanismos de presión, quedan totalmente marginados del desarrollo económico, sin posibilidades de alterar su situación.

Una economía con un Estado en expansión y grupos de presión que pugnan por su control total conduce al estancamiento; éste impide la solución de los problemas económicos y sociales, generándose una crisis social y política. Las disputas por el control del Estado, el incremento sostenido de la actuación de éste, la interacción persistente entre los intereses económicos y políticos y la incapacidad para resolver los problemas económicos reales terminan por minar y destruir la democracia.

LAS PROPOSICIONES ECONOMICAS
DE LOS ECONOMISTAS ORTODOXOS[43]

La intervención del Estado en la economía genera distorsiones e ineficiencias; la situación extrema alcanzada durante el gobierno de la U.P. permite visualizar claramente este fenómeno, que se arrastra por varias décadas. Más aún, esta actuación del Estado ha sido justificada en aras de superar la pobreza y reducir la situación inequitativa del ingreso; el resultado obtenido es justamente el contrario. En síntesis, el Estado es el problema y no el mecanismo de solución; su transformación en un Estado subsidiario será la base del crecimiento económico. Este es el credo de los economistas ortodoxos.

Más en detalle, el lento crecimiento de la economía chilena es inducido por una mala asignación de recursos, producto de políticas económicas deficientes, principalmente las políticas cambiaria, arancelaria, tributaria y de precios.

La política cambiaria se ha caracterizado por mantener un tipo de cambio sobrevaluado que origina déficit crónicos de balanza de pagos. Dicha situación ha conducido al diseño de una política arancelaria para frenar las importaciones, evitando así la pérdida de reservas internacionales. El aumento de los aranceles se concentra en aquellos bienes cuyos precios al gobierno no le preocupa que suban: los bienes considerados suntuarios y prescindibles. La combinación de estas dos políticas subsidia la importación de los bienes considerados esenciales, distorsionando los incentivos proporcionados al sector productivo nacional, pues lo induce a concentrarse en la producción de bienes suntuarios y prescindibles; los precios relativos resultantes desestimulan la producción de bienes esenciales consumidos por la mayoría.

La política de control de precios complementa la acción de las políticas cambiaria y arancelaria y exacerba los efectos nocivos sobre la asignación de recursos. En efecto, los bienes de primera necesidad son los que están sujetos a un control más estricto de precios; en cambio, "los bienes suntuarios son generalmente dejados fuera de los controles de precios, pues ningún gobierno se siente obligado a proteger a los consumidores de más altos ingresos".

En consecuencia, para evitar el derroche de las escasas divisas existentes en el país el gobierno aplica un conjunto de políticas cuyo resultado es "la producción de bienes importables con un costo varias veces superior al necesario para producir bienes exportables, con cuyo valor se podrían importar aquellos bienes en mayor cantidad"; con este tipo de desarrollo económico, "el país queda supeditado a la tasa de crecimiento de su pequeño mercado interno, y por ende alejado del enorme desarrollo de los mercados mundiales y del consiguiente avance de la tecnología".

Otros precios distorsionados son aquellos correspondientes a los factores productivos. Las políticas de remuneraciones y previsión social distorsionan el precio de la mano de obra; "aumentos de remuneraciones superiores a los aumentos de productividad y el alto costo del sistema previsional han elevado sustancialmente el costo del trabajo como factor productivo". Por otro lado, el control de la tasa de interés, cuyo nivel real ha llegado a ser negativo y complementado con un tipo de cambio sobrevaluado, disminuyen el costo relativo del capital. Esta combinación de precios de los factores productivos induce a la sustitución de trabajo por capital, lo que explica la lenta creación de puestos de empleo productivos.

La política tributaria, que "ha estado dirigida a obtener el máximo ingreso fiscal posible", también ha distorsionado la asignación de recursos a través del "establecimiento de impuestos discriminatorios o por el exceso de 'franquicias' tributarias que se otorgan con fines específicos". Además, "es conveniente que el nivel tributario general no sea exageradamente elevado como para frustrar las posibilidades de ahorro del sector privado".

Este conjunto de "políticas erradas" es el responsable del lento crecimiento de la economía chilena; como se ha dicho, ha llevado al Estado a asumir la función de generador de empleo y a hacerse cargo de elevar el nivel de inversión. La consecuencia final es un impresionante incremento en el gasto público, produciendo déficit fiscales crónicos que constituyen la base del persistente fenómeno inflacionario.

El corolario de este proceso de creciente presencia del Estado en la esfera económica es un mal uso del poder político. "El excesivo poder del Estado ha quedado en evidencia durante el gobierno de la U.P., al demostrarse cómo se puede usar para aniquilar al adversario político y halagar –a costa de la economía– a la masa ciudadana para adquirir el poder total y permanente". En consecuencia, resulta imprescindible reformar la organización económica, social y política de Chile, "de tal modo que la intervención del Estado –cuando se justifique– no se realice a través de autoridades discrecionales sino que indirectamente, a través de normas claras, conocidas y de aplicabilidad general que sean, por lo tanto, impersonales". El sistema descentralizado de mercados competitivos es la solución óptima en este contexto.

Los principios globales para reorganizar la estructura económica chilena son los siguientes: a) Establecimiento de la siguiente tríada: vigencia del mercado, apertura al comercio exterior y aplicación de políticas generales; es decir, un modelo descentralizado en el que los agentes económicos toman decisiones independientemente de la autoridad central[44]. b) El papel de los incentivos económicos es fundamental para estimular una alta productividad en el trabajo, y para provocar elevados niveles de ahorro e inversión. Para que estos incentivos económicos puedan operar es necesaria la eliminación de todo tipo de controles. c) El mercado es el mecanismo óptimo para la asignación de recursos, y "*es preferible* que el sector privado sea quien canalice esos recursos"; el Estado debiera abocarse a "corregir o eliminar las distorsiones que ocurran en el funcionamiento del mercado, sin tratar de sustituirlo"[45]. d) El gasto público debiera expandirse a una tasa inferior a la del PGB; "esto congelaría la estructura relativa actual entre sector privado y sector público"[46]. Para ello se requiere, por razones más bien prácticas que teóricas, un déficit público igual a cero.

Lo anterior supuestamente se condensa en la noción del "Estado subsidiario". "La función de las autoridades económicas es la creación de las condiciones que generen los incentivos adecuados que estimulen al sector privado a emprender un número creciente y variado de actividades".

180

En términos más específicos, las políticas sugeridas por los economistas ortodoxos son las siguientes: i) establecer la "libertad de precios en todas aquellas actividades en que exista un nivel razonable de competencia interna y/o externa"[47]; "la existencia de precios libremente determinados por la competencia tanto de productores como de consumidores refleja la escasez relativa de los bienes", ii) políticas de comercio exterior: "elevar el tipo de cambio a un nivel real y mantenerlo alto a través del tiempo", "rebajar los aranceles en grado importante" (...) "llegando en el menor plazo posible a una tarifa *única* de alrededor del 30%", "abolir las prohibiciones de importación", "crear mecanismos de promoción de exportaciones", "diseñar una política *racional* de endeudamiento externo", iii) solución al déficit fiscal, con especial énfasis en "poner fin a los déficit de las empresas estatales", "imponer sobriedad en las remuneraciones del sector público", "reducir el gasto fiscal", "eliminación de los subsidios fiscales con la sola excepción de los programas sociales y redistributivos", "cambiar el impuesto a la compraventa por el IVA (impuesto al valor agregado)", y iv) creación de un mercado de capitales eficientes en el que haya una tasa de interés (nominal) libre; flexibilidad para la creación de nuevas instituciones financieras.

Esta lista de políticas globales y específicas parece actualmente un conjunto de lugares comunes. Sin embargo, cada una de las medidas enunciadas constituía por separado una reforma profunda para la época; el programa completo era, simplemente, *revolucionario*[48].

En efecto, a nivel conceptual, en la década del 60 se había destacado y privilegiado la planificación en desmedro del mercado; la existencia de externalidades y fallas del mercado había sido sobreenfatizada; en un contexto de muchas distorsiones, los precios sociales eran muy diferentes a los precios de mercado (para una asignación eficiente de recursos, interesan los precios sociales). Además, según la teoría del Segundo Mejor Optimo (*Second Best*), no es obvio que la eliminación aislada de cada distorsión incremente la eficiencia global. Por otra parte, la memoria histórico-económica sólo registraba controles de precios, control del crédito y de la tasa de interés, aranceles elevados y barreras no tarifarias, etc. En consecuencia, no era fácil explicar

181

quién fijaría o cómo se determinarían los precios de los bienes si se eliminaban los controles; ¿qué evitaría el incremento exagerado del precio de los bienes esenciales (inelásticos)?, ¿qué frenaría el poder monopólico de los productores y comerciantes localizados en cada barrio o comuna?; si se reducían las barreras proteccionistas, ¿cómo subsistirían las ineficientes empresas locales ante la competencia de las importaciones? Plantear la necesidad de reducir y eliminar el déficit fiscal y público es más fácil de decir que de hacer, pues, ¿qué pasaría con las personas despedidas del sector público?, ¿cómo se neutralizaría la reacción de los funcionarios públicos ante una caída importante en sus remuneraciones reales? Por último, si se reducía el nivel de inversión pública, ¿qué garantizaba el incremento de inversión privada?, ¿cómo se resolvería el problema del desempleo?, ¿de dónde surgirían los empresarios privados "schumpeterianos"?

Sugerir precios libres, economía abierta, eliminación del déficit público y un papel preponderante del sector privado en ese contexto era ir contra la corriente. Parecía un modelo económico muy consistente, pero sólo válido en el plano teórico del pizarrón; se creía que la Realidad era distinta, y que el modelo en cuestión no iba a funcionar. Tomó bastante tiempo probar lo contrario.

LAS REFORMAS ESTRUCTURALES
DE LA DECADA DEL 70[49]

Aplicación de las reformas estructurales

La profunda crisis política, institucional, económica y social de 1973 fue utilizada como marco de referencia para una reversión completa de la actuación del Estado en la economía chilena y de las políticas de desarrollo vigentes en las cuatro décadas anteriores.

Antes de 1973, la economía chilena se caracterizaba por una larga historia de intervenciones y controles gubernamentales, y por una estrategia de desarrollo basada en la sustitución de importaciones, puesta en marcha mediante una alta protección arancelaria y no arancelaria y complementada con una moneda sobrevaluada. En 1973, una economía con fuerte control estatal, con un control casi total de precios y casi cerrada se transformó en una economía de libre mercado, con libertad de precios y completamente liberalizada, integrada a la economía mundial, con una presencia cada vez más predominante del sector privado. La mayor parte de las medidas de liberalización y desregulación fueron aplicadas en medio de un drástico programa de estabilización antiinflacionario.

Los análisis económicos tradicionales de las reformas estructurales post-1973 enfatizan aspectos vinculados al tipo de monetarismo (monetarismo de economía cerrada y monetarismo de economía abierta) y a la secuencia de las reformas (apertura de la balanza comercial previa a la liberalización de la cuenta de capitales; reforma fiscal previa a la apertura externa). Puesto que nuestro objetivo es identificar y analizar los cambios ideológicos profundos y de largo plazo, nos parece más conveniente utilizar como marco de análisis las modificaciones que experimenta el papel del Estado.

El Estado, y todo aquello vinculado al sector público, se transformó en la causa central de todos los problemas; mientras menor fuera su interferencia en la economía, mayor y más rápido sería el bienestar de la sociedad. Este es el trasfondo de las numerosas reformas económicas instauradas durante el régimen militar: privatizaciones y reprivatizaciones, reformas del Estado y reformas fiscales, liberalización, desregulación, apertura de la economía y autonomía del Banco Central. En otras palabras, el objetivo final apunta a que el Estado no disponga de ningún instrumento que pueda alterar la evolución óptima que genera el libre juego de las fuerzas del mercado; este tipo de entorno supuestamente estimula al sector privado a convertirse en motor dinámico del crecimiento.

En un sistema de mercados libres, en el que impera el *laissez-faire*, la función primordial del Estado debe ser la mantención de la ley y el orden; entre otras cosas ello implica la protección de la propiedad privada y velar por el cumplimiento de los contratos. Cuando el Estado se dedica a otras tareas, no está usando los recursos de manera eficiente para realizar aquello que constituye su objetivo "natural" y para lo cual posee ventajas comparativas.

Objetivos adicionales que complementan el planteamiento anterior son, en primer lugar, la modernización del Estado, lo que implica una disminución del burocratismo y del exceso de controles e intervencionismo del sector público, aumentando la operatividad del sector público. Con ello se reducirían las pérdidas de tiempo y recursos experimentadas por el sector privado en las diversas tramitaciones requeridas. La simplificación de las reglas y los procedimientos necesarios tiene una externalidad positiva importante: disminuirían apreciablemente las instancias estimuladoras del "ventajismo rentista" y de la corrupción. Por otro lado, para que el sector privado pueda evaluar correctamente sus proyectos de inversión a nivel microeconómico, la responsabilidad del Estado consistiría en la mantención de un entorno macroeconómico equilibrado, con reglas estables y permanentes. Por último, el Estado no deberá participar en absoluto en la producción de bienes, ni siquiera en los bienes sociales: sólo se preocupará de regular y velar para que se cumplan ciertos niveles mínimos de educación y salud.

La realización chilena de este modelo de *laissez-faire* con un papel protagónico para el sector privado contempla los siguientes elementos:

– La reforma del Estado, un proceso que abarca diversos objetivos en distintos períodos de la dictadura militar: a) Eliminación del Area de Propiedad Social y restitución a sus antiguos dueños de aquellas empresas y tierras expropiadas con procedimientos irregulares por parte del gobierno de la Unidad Popular; esto es lo que podría denominarse proceso de reprivatización. b) Reducción del gasto público y eliminación del déficit fiscal. c) Aumento de la eficiencia de las empresas públicas. Estos tres procesos se efectúan en la década del 70. d) Tras el colapso financiero y productivo de 1982, resulta necesario un segundo proceso de reprivatización. e) Privatización de las empresas públicas tradicionales creadas por la CORFO. f) Reformas tributarias. g) Presiones para el aumento del ahorro público.

– Flexibilización del mercado laboral, para aumentar la competitividad internacional de la economía; en la práctica, esto implicó el debilitamiento del poder sindical y la atomización de los trabajadores.

– Ensalzamiento del sector privado y del agente individual. La privatización pasa a ser sinónimo de racionalización, eficiencia y calidad: "todo lo que hace el sector privado es óptimo y bello". Por otra parte, se postula que cada individuo es lo suficientemente maduro y responsable para captar y asumir las consecuencias de sus acciones. En este sentido, sería más ética y eficiente la proposición "ayúdate a ti mismo" que aquella que sugiere una actitud paternalista y condescendiente por parte del Estado[50].

– Lo anterior ha justificado e implicado una importante transferencia de activos reales y financieros del sector público al sector privado. Parte importante de estas transferencias está vinculada a los procesos de privatización y reprivatización, pero otra parte, probablemente bastante superior, corresponde a la socialización (o estatización) de las pérdidas del sector privado durante el colapso económico de 1982-83.

El cuadro 3.2 presenta de manera sintética el conjunto de reformas económicas instituidas durante el régimen militar en la década del 70[51]. El cuadro 3.3 proporciona la secuencia temporal de aplicación de estas reformas, y también tres variables (crecimiento, inflación y desempleo) que ilustran el entorno macroeconómico en el cual se realizan. Examinemos algunos aspectos de estas reformas en torno a las tres dimensiones mencionadas.

Dentro de las reformas relacionadas con el área productiva veamos separadamente el proceso de reprivatización y el de aumento de la eficiencia de las empresas públicas. El primer proceso de reprivatización[52] transcurre en 1974; 257 empresas y alrededor de 3.700 parcelas y fundos intervenidos y/o transferidos ilegalmente al Estado (o a los trabajadores) fueron rápidamente devueltos a sus antiguos dueños. Este proceso de reprivatización no involucró transacciones monetarias; a los dueños se les solicitó que se desistieran de cualquier tipo de demanda judicial y legal (o que no iniciaran una); además, tenían que hacerse cargo de las deudas contraídas. En el sector agrícola, como se vio en el Capítulo 2, los gobiernos de Frei y Allende habían llevado a cabo un profundo proceso de reforma agraria. Con posterioridad a 1973, el 30% de la tierra expropiada fue devuelta a sus dueños anteriores, y el 20% fue rematada entre habitantes no rurales. Aproximadamente el 30% del resto de la tierra expropiada fue asignada a pequeños campesinos, pero se

CUADRO 3.2. REFORMAS ESTRUCTURALES BÁSICAS
DE LA ECONOMÍA CHILENA. DÉCADA DEL 70

Situación en 1972-73	Post-1973
1. Privatización	
El Estado controla más de 400 empresas y bancos.	En 1980, 45 empresas (incluyendo un banco) pertenecen al sector público.
2. Precios	
Control generalizado de precios.	Precios libres (excluyendo salarios y tipo de cambio).
3. Régimen Comercial	
Tipo de cambio múltiple. Existencia de prohibiciones y cuotas. Tarifas elevadas (promedio 94% y 220% arancel máx.). Depósitos previos de importación (10.000%).	Tipo de cambio único. Arancel parejo de 10% (excluyendo automóviles). No existen otras barreras comerciales.
4. Régimen Fiscal	
Impuesto ("cascada") a la compraventa. Elevado empleo público. Elevados déficit públicos.	Impuesto al Valor Agregado (20%). Reducción del empleo público. Superávit públicos (1979-81).
5. Mercado Interno de Capitales	
Control de la tasa de interés. Estatización de la banca. Control del crédito.	Tasa de interés libre. Reprivatización de la banca. Liberalización del mercado de capitales.
6. Cuenta de Capitales	
Total control del movimiento de capitales. El Gobierno es el principal deudor externo.	Gradual liberalización del movimiento de capitales. El sector privado es el principal deudor externo.
7. Régimen Laboral	
Sindicatos poderosos con gran poder de negociación. Ley de inamovilidad. Reajustes salariales obligatorios. Altos costos laborales no salariales (40% de los salarios).	Atomización sindical con nulo poder de negociación. Facilidad de despido. Drástica reducción de salario real. Bajos costos laborales no salariales (3% de los salarios).

CUADRO 3.3. SECUENCIA TEMPORAL DE LAS REFORMAS ESTRUCTURALES
DE LA DÉCADA DEL 70

	1974	1975	1976	1977	1978	1979	1980	1981
Liberalización de Precios	■	▨						
Privatización	■	■	▨	▨	▨			
Reforma Fiscal	■	■	■	▨	▨			
Liberalización Comercial	■	■	■	■	■	■		■
Liberalización Mercado Interno de Capitales		■						
Apertura Cuenta Capitales						■	■	■
Reforma Laboral						■	■	

	1974	1975	1976	1977	1978	1979	1980	1981
Crecimiento (%)	5,5	-12,9	3,5	9,9	8,2	8,3	7.8	5,5
Inflación (%)	369	343	198	84	37	38	31	9
Desempleo	9	16	19	18	17	17	17	16

redujeron los programas estatales que brindaban apoyo al campesinado mediante líneas de créditos especiales y asistencia técnica; por lo tanto, cerca de un tercio de estos campesinos se vieron forzados a vender su tierra y a trabajar la de los nuevos dueños.

Otro proceso de reprivatización, que transcurre entre 1974 y 1978, contempla transacciones monetarias y corresponde al desmantelamiento de la APS creada por el gobierno de la U.P. A fines de 1973, más de 400 empresas y bancos estaban legalmente bajo el control del Estado (por intervención o por propiedad). A fines de 1980, sólo quedaban unas 45 empresas (incluyendo un banco) en el sector público; las restantes habían sido reprivatizadas.

Esta venta de empresas controladas por el Estado se efectuó en medio de una grave recesión interna (el PGB de 1975 cayó en

187

-12,9% y el desempleo aumentó a casi 18%, después de haber alcanzado una cifra de un dígito en el año anterior), con un mercado de crédito muy estrecho. Sólo contados agentes económicos del sector privado pudieron hacer ofertas, lo que condujo a la formación de grandes conglomerados que dominaban la estructura económica mediante la propiedad y el control de las principales empresas y bancos. El Estado recibió US$ 543 millones por la venta de esos bancos y empresas[53]; se ha calculado en un 30% el monto del subsidio proporcionado por el Estado en este proceso de reprivatización[54]. La mayoría de estas empresas fue adquirida con un pago inicial equivalente a un 10% a 20% del monto total; la CORFO proporcionó el crédito necesario para el resto. Se estimuló la concentración de la propiedad en pocos grupos a través de la venta de grandes paquetes de acciones, o incluso del 100% de las acciones de una empresa, suponiendo que este procedimiento generaría mayores precios de venta de las empresas reprivatizadas. Muchas de ellas, así como muchos bancos reprivatizados, prácticamente quebraron en 1982-83, siendo intervenidas y rescatadas por el Estado y constituyendo lo que se llamó el área "rara" de la economía[55]; posteriormente vivieron una segunda reprivatización.

En cuanto al aumento en la eficiencia de las empresas estatales, tres nuevos principios rigen su comportamiento: a) El principio del autofinanciamiento, que implica que las empresas estatales no reciben transferencias o crédito del gobierno central; tampoco pueden contraer endeudamiento externo. b) El principio de comportamiento definido por la maximización de utilidades, lo cual implica dos cuestiones diferentes: se acaba el uso de las tarifas públicas como un mecanismo de subsidio, y las empresas estatales pueden comenzar a subcontratar parte de sus actividades. c) Cierta libertad para la fijación de precios en las empresas estatales. El resultado de estas medidas se observa en un período relativamente breve. En 1973, las empresas públicas tenían un ahorro negativo y un déficit de 8% y 10,4%, respectivamente (en relación al PGB); en 1976, presentaban un ahorro positivo de 1,6% y un déficit de 0,1%[56].

La reforma fiscal de 1974-75 está orientada a reducir el tamaño del gobierno y a eliminar los persistentes déficit fiscales y públicos. El gasto público experimentó una drástica contracción a través de una severa reducción de la planilla del sector público, que se reduce del 20% del PGB (1971-72) al 15% en 1975, hasta alcanzar el 12% en 1981[57]; el empleo público disminuye en un 30% durante este período. Además, se observan una caída del gasto social y de la inversión pública. Por el lado de los ingresos fiscales, en 1975 se realizó una profunda reforma tributaria[58]: los impuestos fueron totalmente indexados a la inflación, utilizando una indexación mensual con respecto al IPC, y creando además una unidad tributaria especial también indexada al IPC; estas medidas prácticamente eliminaron el efecto Olivera-Tanzi[59]. El impuesto de compraventa "en cascada" fue reemplazado por un sistema de impuesto al valor agregado (IVA) de 20%, que pasó a ser la principal fuente tributaria del gobierno. El IVA de 20% suprimía todas las exenciones existentes y se aplicaba a todos los bienes y servicios (domésticos e importados), incluyendo bienes de consumo básicos. Su fiscalización era más fácil, lo que reducía la evasión[60]. La reforma fiscal también incluía la eliminación de impuestos sobre el patrimonio y las ganancias de capital, así como una importante reducción en las tasas aplicadas a utilidades. En síntesis, se simplificó notablemente la compleja estructura tributaria anterior.

El resultado de la reforma fiscal se evidencia en la rápida reducción de los déficit fiscales y su transformación en superávit. Los ingresos tributarios crecieron desde un 22% del PGB (1973-74) hasta un 27% (1975-77), desapareciendo los déficit fiscales crónicos y registrándose superávit fiscales desde 1979 hasta 1981.

Tras las privatizaciones y las reformas fiscal y tributaria, un tercer conjunto de medidas estaba previsto para minimizar la intervención del Estado en la economía: aquellas orientadas a la liberalización y desregulación de la economía, así como a su integración internacional.

a) Liberalización de precios. El sistema gubernamental que controlaba casi la totalidad de precios fue desmantelado muy rápidamente. A un mes del golpe militar, el Decreto Ley 522 eliminó la gran mayoría de los controles de precios. Sin embargo, al mismo tiempo se estableció una breve lista de precios fijos, en su mayor parte bienes alimenticios y tarifas de servicios públicos; más adelante se liberó la mayor parte de los precios de esta lista[61].

b) Liberalización del mercado financiero nacional. Las tasas de interés (que siempre habían estado controladas) se liberaron a partir de 1975. Además, se eliminaron las restricciones selectivas y cuantitativas para el crédito bancario, se redujo el financiamiento preferencial para pequeños empresarios y campesinos, se disminuyeron los requisitos de reserva obligatoria para los bancos comerciales, se permitió la operación de instituciones financieras no bancarias (las financieras) y se facilitó asimismo la operación de los bancos extranjeros. Esta liberalización del mercado financiero interno se llevó a cabo con bastante celeridad, y en 1977 estaba casi concluida. El Banco del Estado, por ejemplo, el más importante y que pertenecía al sector público, vio reducida su participación en el mercado crediticio interno desde casi 50% a comienzos de los setenta a 14% hacia 1981[62].

c) Flexibilización del mercado laboral. Antes de 1973, la legislación laboral contemplaba una ley de inamovilidad, aumentos obligatorios de salarios, salarios mínimos, compensaciones relativamente altas para los trabajadores, constantes elementos nuevos en los costos no salariales de la mano de obra, etc. Esta legislación laboral, además, fue aplicada en un contexto en el cual los sindicatos tenían un poder de negociación relativamente alto y creciente. Los principales elementos de la reforma a esta legislación laboral fueron los siguientes: los sindicatos y los trabajadores perdieron su poder de negociación[63], se flexibilizaron los reglamentos referentes a inamovilidad laboral, bajó notoriamente el aporte previsional pagado por los empleadores (de 40% en la década del 60 a menos de 3% en los años 80), y se registró una reducción general de los costos no salariales de la mano de obra. Durante parte importante de este período (1973-82) existieron reglamentos gubernamentales para la indexación de salarios, pero el mismo gobierno redujo el nivel del salario real en más de un 30% entre 1973 y 1975.

La integración de la economía local a la economía mundial, por su parte, implicaba sustituir la estrategia de "desarrollo hacia adentro" (ISI) por la estrategia de "desarrollo hacia afuera"; los precios relativos domésticos se alinean según los precios relativos internacionales, y el país se especializa en la producción de aquellos bienes en los cuales tiene ventajas comparativas. De esta manera, el Estado no puede interferir en la asignación de recursos, porque los precios relativos son exógenos al país. La liberalización de la balanza comercial logra este objetivo[64].

La apertura de la cuenta de capitales busca la integración financiera de Chile a los mercados internacionales. Para una pequeña economía abierta, la política cambiaria adecuada sería la de tipo de cambio nominal fijo; éste actuaría como ancla nominal de la economía. Según el enfoque monetario de balanza de pagos (EMBP), si esta pequeña economía enfrenta una oferta muy elástica de crédito externo, la cantidad de dinero local pasa a ser endógena si no hay políticas de esterilización, y la tasa de interés (y no el tipo de cambio) constituye el mecanismo automático que equilibra la balanza de pagos. Según este enfoque, la cuenta de capitales desempeña un papel central en la resolución del problema de desequilibrio externo: para que se genere un flujo de capitales financieros hacia el país debe dejarse incrementar libremente la tasa de interés.

La gran ventaja de una pequeña economía abierta que funciona de acuerdo al EMBP es que posee una regla simple y muy visible: el nivel del tipo de cambio nominal. Cualquier alteración de esta regla es inmediatamente percibida por todos los agentes económicos.

Dada la elevada tasa de inflación que heredó el régimen militar, se hubiera esperado que el control de la inflación fuera la primera prioridad como objetivo económico; *ex-post*, es interesante observar que fue realmente la realización de las reformas estructurales descritas el principal logro económico de la década del 70.

En cuanto a la inflación, es sorprendente todo lo que se hizo para controlarla y todo lo que ésta se resistió. Brevemente, repasemos el programa de estabilización antiinflacionaria[65]: al comienzo (fin 1973-principios 1974), se decretó una casi completa liberalización de precios; esta liberalización abrupta supuestamente constituía un mecanismo estabilizador, pues en cuanto los precios libres hubieran alcanzado su nivel de equilibrio la inflación se detendría. En 1974, hay sólo 33 precios controlados; en 1976, menos de 10, pero todavía la inflación anual alcanza los 3 dígitos. Durante 1975 se aplica un programa estabilizador basado en el enfoque monetario de economía cerrada, según el cual la inflación es producida por la expansión monetaria, la que a su vez es causada por el déficit fiscal (en 1973 y 1974 hay niveles de déficit fiscal de 2 dígitos (% del PGB)); en consecuencia, la disciplina fiscal y el control monetario son los elementos básicos de la lucha contra la inflación. El programa contempla severos shocks fiscales y monetarios; el PGB cae en -12,7% y el desempleo supera el 15%. Pero, a pesar de la gran reducción del déficit fiscal (1,8% del PGB en el año 1977), la tasa de inflación aún supera el 80% anual en 1977. En 1978 se pone en marcha un nuevo programa estabilizador, esta vez basado en el enfoque monetario de economía abierta, en el cual el mecanismo central para reducir la inflación es el tipo de cambio. Este es usado como un ancla nominal para guiar las expectativas inflacionarias: un tipo de cambio nominal fijo supuestamente genera la igualación entre la inflación interna y la externa. En 1979 se instaura un tipo de cambio nominal fijo que dura 3 años; finalmente la inflación se reduce al nivel de un dígito en 1981.

En síntesis, la inflación tardó *ocho años* en disminuir al nivel de un dígito. La principal explicación para este lento proceso apunta hacia la inconsistencia (desde 1978 en adelante) en los criterios de indexación del tipo de cambio y de los salarios; mientras el tipo de cambio tiene una indexación según la inflación futura (*crawling peg* activo), los salarios tienen una indexación según la inflación pasada[66]. Pero justamente la inflación se reduce cuando rige esta inconsistencia de política económica (1978-81), por lo que habría que explicar realmente por qué se redujo la inflación a pesar de ella.

Aún no está resuelto, por lo tanto, el dilema del lento descenso de la inflación en la década del 70. A nuestro juicio, hay dos factores que habría que incluir en la explicación. Uno de ellos es el shock de oferta generado por la liberalización del mercado doméstico de capitales, que generó altas tasas de interés nominales y reales; estas tasas se mantienen persistentemente a altos niveles durante años. El otro factor está vinculado a la liberalización de la cuenta de capitales: el gran flujo de crédito externo expandió la disponibilidad de recursos monetarios domésticos e indujo un aumento sustancial y sostenido del gasto interno.

Las Fuerzas Armadas y los economistas de Chicago

Muchos de los cambios más amplios y profundos aquí comentados fueron implantados en un breve período (2 a 4 años) por un grupo de economistas chilenos conocidos como los *Chicago boys* [67]. El esquema de liberalización económica y privatización fue impuesto en medio de serias restricciones políticas y en un ambiente de represión a los derechos humanos. ¿Qué elementos determinaron el alto grado de afinidad entre el poder centralizado de la dictadura militar y el esquema de descentralización económica de libre mercado? ¿Qué permitió a los economistas de Chicago reestructurar completamente la economía sin resistencia alguna por parte de la comunidad empresarial? ¿Podrían haber hecho lo mismo bajo un régimen democrático? [68]

Parece extraño que una dictadura de las Fuerzas Armadas, en la cual todo el poder está centralizado jerárquicamente, apoye un modelo económico basado en la descentralización y la atomización de las decisiones económicas, y que afirma que todo lo relacionado con el Estado es ineficiente. Sin embargo, los militares y los economistas de Chicago comparten el mismo proyecto de "salvar a Chile": los militares se sienten los protectores del país, y los economistas de Chicago se consideran los poseedores de la fórmula para maximizar el bienestar de la sociedad chilena [69].

Tanto los militares como los economistas de Chicago se consideran tecnócratas. En sus respectivas especialidades, el concepto de clase social es irrelevante; sus políticas económicas se caracterizan por el uso de reglas claras, homogéneas y parejas, que no favorecen los intereses de ninguna clase en particular [70]. Los militares sentían haber salvado a Chile de convertirse en un país comunista, y los *Chicago boys* afirmaban tener la receta para transformar a Chile en un país altamente desarrollado, en el cual se erradicaría para siempre la amenaza comunista. Además, los militares no confiaban en los políticos; por esta razón se cerró el Congreso, se suspendió la Constitución, se prohibieron los partidos políticos y los líderes opositores fueron encarcelados o exiliados. El contexto político era un paraíso para los tecnócratas; los economistas de Chicago creían ser poseedores del enfoque correcto para los problemas económicos de Chile puesto que su análisis "científico" no estaba distorsionado por consideraciones políticas.

El modelo burocrático-autoritario de O'Donnell (1972) explica el surgimiento de las dictaduras militares en América Latina en las décadas del 70 y del 80. Tras la crisis de fines de los 60, con el fracaso económico de los gobiernos democráticos y la falta de entendimiento de los políticos, surgen en la región gobiernos autoritarios asesorados por tecnócratas, que se caracterizan por la represión política y la exclusión de la participación democrática; su objetivo es el progreso económico ordenado y la modernización del país. La combinación militar-tecnócrata aísla al gobierno y a la economía de la agitación política y de las presiones de *lobbies* y grupos de interés. Las Fuerzas Armadas crean las "condiciones" para que el proceso económico no sea perturbado por el proceso político; los tecnócratas aplican las políticas adecuadas para estimular el crecimiento.

Se ha señalado que las dictaduras militares latinoamericanas no son en absoluto equivalentes a los fascismos europeos de la década del 30. Las primeras tienen como objetivo central lograr "la apatía civil", puesto que temen a la movilización de masas, incluso la de sus simpatizantes; además, no fomentan la constitución de partidos políticos que actúen como nexo entre el Estado y la sociedad civil. Las FF.AA. no necesitan partidos políticos ni representantes de los civiles; son jerárquicas y son las garantes del orden[71]. Aquí rige la aplicación del principio de ventajas comparativas: las FF.AA. se preocupan de los aspectos políticos y éticos, mientras que los tecnócratas se dedican a la cuestión económica.

Los economistas de Chicago contaron con el pleno apoyo del general Pinochet para desarrollar el nuevo modelo económico. Dada la prolongada permanencia del general Pinochet en el poder, el modelo económico se mantuvo a pesar de los fuertes costos sociales que implicaba. Los hombres de negocios y los empresarios no reaccionaron, a pesar de que muchos de ellos sufrieron pérdidas económicas: en un régimen represivo, cualquiera que da a conocer abiertamente su desacuerdo paga un alto costo. Además, el gobierno anterior había sido considerado por los empresarios como un "régimen de los trabajadores", que constituyó una seria amenaza a la propiedad privada y a los fundamentos del sistema capitalista; ahora percibían al gobierno militar como "su gobierno" y, aunque las reformas y los cambios de política podían implicar pérdidas a corto plazo, la situación en general sugería buenas perspectivas para la obtención de beneficios en el mediano y en el largo plazo.

Los mismos responsables de las reformas económicas reconocen que "con un régimen democrático no habríamos hecho ni la quinta parte de lo que hicimos"[72]. La eliminación de determinados gastos públicos, subsidios, exenciones tributarias, de la estructura arancelaria discriminatoria, etc., habría encontrado la oposición de los políticos y los grupos de poder. Por otra parte, estos economistas no se preocupan de los costos económicos y sociales de las reformas[73]; tampoco emiten juicio alguno respecto del contexto político.

Exitos del Modelo Económico

Hacia comienzos de los 80, las reformas liberalizadoras habían producido el nuevo "milagro económico chileno"[74]. El cuadro 3.4 resume los indicadores escogidos como evidencia de este "milagro".

a) La tasa de inflación, que ascendía a más de 600% al año durante 1973 (más del 1.000%, según el IPM), bajó a menos del 10% en 1981 (o a -3,9%, según el IPM).

b) La tasa promedio anual de crecimiento económico llegó casi a 8% durante el período 1976-81.

c) La exportación total aumentó entre 3 a 4 veces (en dólares corrientes) durante 1973 y 1980/1981, alcanzando la cifra récord de US$ 4.705 millones en 1980. Sin embargo, el aumento de exportaciones no tradicionales fue más impresionante, porque en 1973 éstas sólo alcanzaban los US$ 100 millones, y en 1980 habían subido a más de US$ 1.800 millones.

d) Las reservas internacionales del Banco Central aumentaron de US$ 167 millones en 1973 a US$ 4.074 millones en 1980.

e) El déficit público (excluyendo la APS), que había alcanzado la impresionante cifra de 21,0% del PGB en 1973, registró *superávit* de 5,5% y 2,9% en 1980 y 1981, respectivamente.

f) Los salarios reales aumentaron en 9% por año durante la mayor parte de los "años del milagro"[75].

CUADRO 3.4.   INDICADORES DEL "MILAGRO ECONÓMICO CHILENO"

	1973	1980	1981
Inflación anual (%)			
IPC (revisado)	606,1	31,2	9,5
IPM	1.147,1	28,1	-3,9
Crecimiento económico (PGB) (porcentaje)	-4,3	7,8	5,5
Exportaciones (millones de US$)			
Exportación Total	1.309	4.705	3.836
Exportación no tradicional	104	1.821	1.411
Reservas internacionales (millones de US$)	167	4.074	3.775
Déficit presupuestario (porcentaje PGB)	21,0[a]	-5,5[b]	-2,9[b]
Aumento anual de salarios reales (%)	-25,3[c]	8,6	9,0

Fuente: Ministerio de Hacienda; Banco Central (1986); Cortázar y
Meller (1987).
[a] Excluye el déficit del APS.
[b] Una cifra negativa indica superávit.
[c] Corresponde a los tres primeros trimestres de 1973.

Este "milagro económico" estuvo asociado a un "boom de importaciones" y a un "boom especulativo". En cuanto al primero, el cuadro 3.5 muestra algunos indicadores ilustrativos[76]: la tasa de crecimiento anual de las importaciones (según Cuentas Nacionales) en el período 1976-81 fue de 21,8%; las importaciones de bienes de consumo alcanzaron una expansión anual promedio cercana al 40% en ese período. Esta tasa es muy superior a aquella observada para las importaciones de bienes de capital (15,8%) y bienes intermedios (11,3%).

El sector financiero tiene un papel primordial en el boom especulativo, por cuanto éste se sostiene e incrementa sólo si existe una oferta de crédito que lo sustente. En consecuencia, la relativamente abundante disponibilidad de crédito de fácil acceso explica cómo se sustenta y cómo se propaga un boom de estas características. Pero la existencia de "crédito fácil" no explica totalmente qué es lo que llevó a los agentes económicos a endeudarse y gastar al ritmo y a los montos a los cuales lo hicieron.

CUADRO 3.5.   INDICADORES DEL BOOM DE IMPORTACIONES. 1976-81

| | Año 1976 | | Año 1981 | Crecimiento |
	Millones US$ corrientes	Millones US$-1981ᵃ	Millones US$ corrientes	Anual[b] %
Importaciones Totales	1.776	1.885	6.364	27,5
Importaciones Bienes Consumo	229	367	1.907	39,0
Importaciones Bienes Consumo no Alimenticio	127	204	1.167	41,8
Importaciones Automóviles	54	87	428	37,7
Importaciones Bienes Capital	375	601	1.250	15,8
Importaciones Bienes Intermedios	1.172	1.879	3.207	11,3

Fuente: Banco Central. Los valores corresponden a importaciones CIF.
[a] Para la deflactación se ha utilizado el IPM-EE.UU.
[b] Estas tasas de crecimiento anual han sido calculadas utilizando dólares contantes (1981).

Son otros los factores que incidieron en el boom especulativo de 1976-1981[77]. Por un lado, el elemento propagandístico, que continuamente enfatizó dos aspectos: el consumismo y el "milagro económico". Por otro, el elemento visual, por el cual la avalancha de productos importados que llenan las vitrinas y las calles, así como el boom de la construcción de espectaculares centros comerciales y departamentos de lujo ("todo importado", menos el sitio), proporcionarían la evidencia empírica para el elemento propagandístico. También el repentino acceso al "crédito fácil" de numerosos agentes económicos, que se sienten deslumbrados ante la posibilidad de "comprar hoy y pagar mañana"; quienes siempre habían tenido serias dificultades para obtener pequeños préstamos tienen que haberse encandilado ante esta nueva experiencia en la que "cada banco es un banco amigo", y donde, si solicita un crédito de 100, le sugieren que mejor se lleve 200.

Mientras el boom del consumo del año 1971 fue financiado con emisión monetaria interna, el boom del consumo del "milagro económico" fue fundamentalmente financiado mediante endeudamiento externo. La drástica reducción de este crédito externo en 1982 y años posteriores acabó bruscamente con el auge económico de la década del 70.

EL COLAPSO ECONOMICO Y FINANCIERO DE 1982-1983

La crisis de 1982-1983

En 1982, el "milagro económico" chileno dio paso a la peor crisis de la economía chilena en los últimos cincuenta años. Ese año el PGB *cayó* en 14,4%, y la tasa de crecimiento económico también fue negativa para 1983 (cuadro 3.6); la industria y la construcción registraron tasas de crecimiento negativo de -21,1% y -23,4%, respectivamente.

El promedio anual de quiebras en el período 1975-81 fue de 277; esta cifra aumentó a 810 en 1982. Además, durante ese año la verdadera situación de angustia financiera se disfrazó mediante continuos préstamos bancarios a clientes insolventes (principalmente empresas relacionadas o asociadas a los propietarios de bancos). Esta situación explotó a comienzos de 1983 cuando el gobierno liquidó tres bancos, intervino cinco de los principales bancos comerciales y el Banco Central debió ofrecer extensos créditos al resto, con el fin de proveerlos de liquidez de corto plazo; la "cartera mala" o préstamos incobrables del sistema bancario superaban en tres a cuatro veces el patrimonio del banco. En resumen, la mayoría de los agentes había excedido ampliamente los límites de endeudamiento razonable y sus dificultades (e imposibilidades) respecto del pago de dichos préstamos afectaba a la economía en su conjunto.

Por otro lado, el desempleo efectivo (que incluía programas especiales de empleo público en los que los beneficiados recibían entre US$ 20 y US$ 40 por mes como indemnización de cesantía) superó el 30% en 1983.

El Banco Central registró una pérdida de sus reservas internacionales, que a fines de 1983 equivalían al 53,6% del nivel que tenían en 1981. En cuanto a la deuda externa, a fines de 1977 ésta ascendía a US$ 5.200 millones; a fines de 1982, había alcanzado la suma de US$ 17.100 millones. En 1983, su monto era aproximadamente un 13% superior al PGB.

El presupuesto fiscal, que había alcanzado un superávit en 1980 y 1981 (véase cuadro 3.4), registró un déficit de 2,3% y 3,0% en relación al PGB durante 1982 y 1983, respectivamente.

CUADRO 3.6.   ALGUNOS INDICADORES DEL "COLAPSO CHILENO"*

	1982	1983
Crecimiento económico (% PGB)	-14,1	-0,7
Industria (crecimiento anual)	-21,1	+3,2
Construcción (crecimiento anual)	-23,4	-5,5
Desempleo abierto (%)	19,6	26,4
Desempleo efectivo (%) (incluyendo programas públicos)	26,1	31,3
Número de quiebras de firmas (promedio anual para 1975-81: 277)	810	381
Cambios en las Reservas Internacionales del Banco Central (millones de dólares)	-1.197,8	-554,8
Déficit presupuestario (% PGB)	2,3	3,0
Cambios anuales en los salarios reales (%)	0,3	-10,9
Inflación anual (%)		
IPC	20,7	23,1
IPM	39,6	25,2

Fuentes: Banco Central (1986); Ministerio de Hacienda; INE; Fiscalía Nacional de Quiebras.
* No se incluyen indicadores relativos al colapso financiero.

Por último, la tasa de inflación anual aumentó a más de 20% durante esos dos años.

Ante la magnitud del colapso económico, los analistas tendieron a buscar un solo factor responsable de la crisis: la fijación del tipo de cambio nominal que condujo a la sobrevaluación del peso, la falta de control del mercado financiero interno, la liberalización de la cuenta de capitales, errores de política respecto al momento y al ritmo con que se realizaron las reformas de liberalización, el dogmatismo de las autoridades económicas y distintos shocks externos adversos (como el deterioro de los términos de intercambio, el aumento de la tasa de interés internacional y la repentina reducción del crédito externo). Sin embargo, la verdad es que la profunda crisis económica de 1982-83 fue originada por una mezcla de todos estos factores, es decir, fue consecuencia tanto de errores en las políticas internas como de shocks externos adversos.

Los errores en las políticas internas tienen que ver con la forma en que se realizan las reformas, la existencia de políticas inconsistentes y el manejo de las políticas macroeconómicas en algunos períodos cruciales. Analicemos individualmente algunas de estas explicaciones[78].

El cuadro 3.7 presenta las cifras de la balanza de pagos del período 1977-81. La balanza comercial muestra un déficit creciente que alcanza al 11% del PGB en el año 1981. Este déficit comercial en aumento se debe principalmente al crecimiento de las importaciones, que aumentan tres veces entre 1977 y 1981, mientras que las exportaciones crecen menos de dos veces durante el mismo período (en 1977, el valor FOB de exportaciones e importaciones era casi igual). La cuenta corriente muestra déficit más altos, con cifras que representan el 7,7% y el 16,0% del PGB en 1980 y 1981, respectivamente. Sin embargo, a pesar de estas pérdidas, la balanza de pagos global muestra superávit durante todo el período 1977-81, gracias a la entrada masiva de créditos externos, que no sólo ayudó a financiar los déficit de la cuenta corriente sino que además incrementó significativamente las reservas internacionales del Banco Central (ver gráfico 3.4).

La política del tipo de cambio puesta en práctica en 1979 ha sido considerada la principal causante de los enormes déficit en la balanza comercial y en la cuenta corriente de 1980 y 1981. Usando como marco teórico el enfoque monetario de la balanza de pagos, las autoridades económicas decidieron fijar el valor del tipo de cambio nominal (a $ 39/US$) en junio de 1979, estimando que ésa era la política cambiaria apropiada para una pequeña economía abierta e integrada a la economía mundial. Ese año, la inflación interna bordeaba el 40%, pero, según las autoridades económicas, la fijación del tipo de cambio nominal la igualaría con la inflación mundial; el tipo de cambio nominal fijo reduciría la inflación esperada y disminuiría directamente el ritmo de alza de los precios de los bienes transables.

Junto con esta política de fijar el tipo de cambio nominal, se redujo el control de la cuenta de capitales, pues, de acuerdo con

CUADRO 3.7.   BALANZA COMERCIAL, BALANZA CUENTA CORRIENTE
Y BALANZA DE PAGOS. 1977-81 (MILLONES DE US$)

	Balanza comercial (CIF)	Balanza corriente	Balanza de pagos
1977	- 186	- 551	+ 113
1978	- 599	-1.088	+ 712
1979	- 514	-1.189	+1.047
1980	-1.041	-1.971	+1.244
1981	-3.270	-4.733	+ 67

Fuente: Banco Central.

GRAFICO Nº 3.4.   CUENTA CORRIENTE Y BALANZA DE PAGOS,
1977-1981

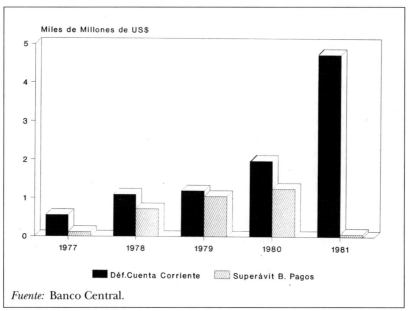

Fuente: Banco Central.

el enfoque monetario de la balanza de pagos, la oferta de dinero
se hace entonces endógena[79] (el Banco Central adopta una política no esterilizante)[80] y, por la Ley de un Solo Precio, es el tipo
de cambio el que determina el nivel de los precios internos.
Como extensión de la Ley de un Solo Precio, al existir un tipo de
cambio nominal fijo la inflación interna se iguala a la inflación

201

externa; el tipo de cambio se convierte entonces en el principal mecanismo de estabilización[81].

Cuando comenzó a aplicarse esta política de tipo de cambio nominal fijo, se supuso que la convergencia entre inflación interna e internacional sería muy rápida, lo que era necesario para evitar una apreciación del tipo de cambio que produciría una pérdida de competitividad y un incremento de la deuda externa. Sin embargo, el proceso fue muy lento, por un lado porque la reducción de los controles de la cuenta de capitales permitió la entrada de grandes flujos de crédito externo que incrementaron el gasto interno, presionando el alza de los precios de los bienes no transables; por otro lado, la existencia de una inercia inflacionaria institucionalizada hizo que muchos precios, tales como los salarios, la tasa de interés interna, los arriendos, las deudas, etc., se indexaran a la tasa de inflación del período anterior. Se necesitaron dos años para que la inflación interna semestral llegara a una cifra de un dígito (cuadro 3.8). La tasa de crecimiento del IPC chileno en el primer semestre de 1981 fue de 5,5%, es decir, similar a la tasa de crecimiento del IPM de Estados Unidos; pero ya en junio de 1981 la inflación acumulada del IPC chileno respecto de junio de 1979 era del 67%, mientras que la cifra equivalente para el IPM de Estados Unidos era de 26,2%.

Como mecanismo de estabilización, el tipo de cambio funcionó lentamente y creó distorsiones graves durante el proceso de ajuste. La lentitud de la convergencia de la inflación produjo un fuerte deterioro en el tipo de cambio real, desincentivando la exportación y provocando un gran crecimiento de las importaciones, en desmedro de la producción nacional. El deterioro del tipo de cambio real y la correspondiente pérdida de competitividad del sector transable entre junio de 1979 y junio de 1982 supera el 30%[82]. La existencia de un creciente déficit en la cuenta corriente (DCC) no fue considerado un problema por las autoridades económicas, puesto que cada año había superávit fiscal y de balanza de pagos, señal de que no existía sobrevaluación de la moneda nacional.

Además, el superávit fiscal implicaba que el DCC era generado por el sector privado; en consecuencia, no había motivo de preocupación porque éstos sabían lo que estaban haciendo. En otras palabras, hay DCC "malos y buenos": el "DCC malo" es el

CUADRO 3.8. TASAS DE INFLACIÓN SEMESTRAL EN CHILE DESPUÉS
DE LA PUESTA EN PRÁCTICA DE LA POLÍTICA DE TIPO
DE CAMBIO NOMINAL. JUNIO 1979 - JUNIO 1982
(PORCENTAJES)

	Indice de Precios al Consumidor		Indice de Precios al por Mayor		IPM de Estados Unidos	
	Inflación Semestral	Inflación Acumulada respecto de junio 1979	Inflación Semestral	Inflación Acumulada respecto de junio 1979	Inflación Semestral	Inflación Acumulada respecto de junio 1979
Dic. 79	20,6	20,6	26,7	26,7	7,0	7,0
Jun. 80	14,5	38,1	14,8	45,5	6,4	13,8
Dic. 80	14,7	58,3	11,6	62,3	5,6	20,1
Jun. 81	5,5	67,0	- 1,2	60,4	5,0	26,2
Dic. 81	3,8	73,4	- 2,8	56,0	0,4	26,7
Jun. 82	0,4	74,1	- 0,7	54,9	1,3	28,3

Fuentes: INE (Instituto Nacional de Estadísticas) y Banco Central (1986).

generado por el déficit del sector público, lo que es doble motivo de preocupación (hay que eliminar los dos déficit); en cambio, el "DCC bueno" generado por el sector privado no debía siquiera ser tema de discusión[83].

El deterioro del tipo de cambio real no fue revertido al lograrse la convergencia entre la inflación interna y la externa[84]. Además, si se suponía que el nivel del tipo de cambio real fijado en junio de 1979 era el de equilibrio, entonces un tipo de cambio real apreciado en más de 30% tres años más tarde no podía ser también de equilibrio, especialmente cuando el déficit en la cuenta corriente (expresado en dólares) había aumentado más de tres veces[85].

La apreciación del tipo de cambio real coincidía con un gran aumento del gasto interno, lo que estimulaba la producción y el empleo (véase cuadro 3.9). Durante el período 1979-81, la economía chilena vivía un boom en el que se daba una extraña combinación de factores: sobrevaluación de la moneda nacional, altas tasas de crecimiento, niveles de consumo extremadamente altos (particularmente de bienes importados), gran flujo de créditos del exterior y enormes alzas en los precios de las acciones y de los bienes raíces. La apreciación del tipo de cambio real fue uno de los factores que condujeron al aumento del gasto, espe-

CUADRO 3.9.   TASA DE CRECIMIENTO ANUAL DE LAS VARIABLES
MACROECONÓMICAS CHILENAS. 1979-81 (PORCENTAJES)

| | Gasto Interno | Producción Interna | | | Importaciones | | Salarios Reales | Empleo |
| | | Total | Transables | No transables | Total | Bienes de consumo no alimenticios | | |
	(1)	(2)	(3)	(4)	(5)	(6)	(7)	(8)
1979	10,5	8,3	7,0	10,0	22,7	19,0	8,2	2,3
1980	9,2	7,5	5,5	10,0	18,7	38,3	8,6	3,5
1981	11,6	5,3	4,8	5,4	15,7	37,3	9,0	5,1

Fuentes: Columnas (1), (2), (3), (4) y (5): Cuentas Nacionales: Banco Central (1986).
Columna (6) de la Balanza de Pagos: Banco Central (1986). Las cifras en dólares han
sido deflactadas por el IPM de los Estados Unidos.
Columna (7): Cortázar y Meller.
Columna (8): Jadresic (1986).

cialmente de los bienes durables. Según el cuadro 3.9, el gasto
interno aumentaba en 10,5%, 9,2% y 11,6% por año durante el
período 1979-81, mientras que la producción interna mostraba
tasas de crecimiento altas pero menores: 8,3%, 7,5% y 5,3%[86].
En 1981, el nivel de gasto interno era un 10,3% más alto que el
PGB. Las importaciones muestran tasas anuales más altas incluso,
especialmente en la importación de productos de consumo no
alimenticios, que aumentó en 38% por año durante 1980 y 1981.

Una moneda sobrevaluada afecta el gasto interno a través de
dos mecanismos distintos; primero, la apreciación del tipo de
cambio real implica una reducción del precio relativo de los
bienes transables respecto de los no transables, lo cual estimula
un cambio en el consumo interno favorable a los bienes transables. Además, las reformas de la política comercial habían reducido la protección de los bienes de consumo durables, lo que
favorecía su importación. Este doble efecto desincentiva la producción interna de bienes transables (cuadro 3.9). Por otra parte, un tipo de cambio nominal fijo con indexación retroactiva de
los salarios equivalente al 100% del IPC, y con una tasa de inflación en descenso, generó salarios reales más altos, que indujeron
a un consumo más elevado.

Otros factores que contribuyeron a la expansión del gasto de
los agentes chilenos fueron el acceso relativamente más fácil a
préstamos de consumo (los bancos comerciales y las financieras

CUADRO 3.10. INDICADORES ESCOGIDOS DEL SECTOR FINANCIERO. CHILE 1976-81

	Tasa de interés anual real para préstamos (%) (1)	Indice de crédito al sector privado en términos reales (2)	Indice real de precios de acciones (3)	Indice real de bienes raíces (urbanos) (4)
1976	51,4	100,0	100,0	100,0
1977	39,4	197,4	165,1	n.c.
1978	35,1	324,8	296,8	n.c.
1979	16,6	427,6	336,6	n.c.
1980	12,2	597,4	620,7	166,3
1981	38,8	719,1	493,3	363,3

Fuentes: Columnas (1), (3), (4): Arellano (1983).
Columna (2): Ramos (1984).

competían ahora en un mercado que anteriormente había estado controlado por el comercio mayorista y minorista) y el aumento de los precios de las acciones y de los valores de bienes raíces (cuadro 3.10), en el ambiente de euforia que se vivía, hizo que los agentes se sintieran más ricos: a pesar de tener el mismo stock de activos fijos, la gente pensaba que el valor de su patrimonio había crecido, por lo que elevaba su nivel de consumo permanente.

En suma, los cambios de precios relativos, la estimulación de una conducta de mayor gasto y la liberalización de las importaciones, junto con la sobrevaluación de la moneda nacional, generaron déficit crecientes en la cuenta comercial de la balanza de pagos; la liberalización de la cuenta de capitales proporcionó los recursos necesarios para financiar dicho déficit[87].

En la explicación anterior, el origen de la crisis de 1982 se relaciona con la parte real de la economía, es decir, el déficit en la cuenta corriente habría generado el superávit de la cuenta de capitales[88]. Una hipótesis alternativa revierte la causalidad anterior y plantea que la causa principal del colapso fue la liberalización de la cuenta de capitales: la gran entrada de crédito externo indujo la apreciación del tipo de cambio y la expansión del gasto interno, es decir, el superávit de la cuenta de capitales generó el déficit en la cuenta corriente[89]. En otras palabras, la política de fijación del tipo de cambio nominal no fue un error; el mismo ingreso considerable de capitales con un sistema de tipo de cambio flotante habría producido una apreciación incluso mayor del tipo de cambio[90].

Entre 1977 y 1981, la economía chilena presentó entradas netas de capital cada vez mayores (cuadro 3.11). Para absorber esta gran entrada de capitales externos, se requería de una apreciación del tipo de cambio de forma tal de generar un déficit en la cuenta comercial que lograra un equilibrio en los mercados de bienes transables y no transables.

Dos explicaciones distintas (y no excluyentes) conducen al papel preponderante de la liberalización de la cuenta de capitales en la generación de la crisis. La primera de ellas sostiene implícitamente que los flujos de capitales son autónomos o *exógenos:* en cuanto se reducen las trabas y los controles, se produce el flujo de estos créditos externos. Cabe recordar que en los años 70, debido al shock de precios del petróleo, había una sobreoferta mundial de "petrodólares", y en toda América Latina se elevó el ingreso de créditos externos. Dado el carácter "periférico" de la región, eventos vinculados a los mercados de capitales internacionales y a la situación económica de los países industriales generan flujos *autónomos* hacia América Latina[91]. La segunda explicación, que podría ser incluso complementaria con la anterior, supone una causa *endógena* para el flujo de capitales; en este caso, el diferencial de tasas de interés interna y externa induce a los agentes locales a recurrir al endeudamiento externo.

El efecto de ambas explicaciones es el mismo: el crédito externo abundante es el principal responsable de la apreciación cambiaria y ésta es la que induce la expansión del gasto interno y el déficit comercial. En otras palabras, el elevado ingreso de capitales fue consecuencia tanto de elementos de demanda como de oferta. Por el lado de la demanda, la reducción de las restricciones sobre la cuenta de capitales, junto con el persistente diferencial entre la tasa de interés interna y la internacional, constituyeron los factores principales. El aumento de la liquidez internacional en los años 70, la actitud favorable de los bancos internacionales hacia la evolución de la economía chilena y la eliminación de las trabas al ingreso de capitales produjeron montos cada vez mayores de préstamos externos.

CUADRO 3.11. ENTRADAS NETAS TOTALES DE CAPITAL: CHILE, 1977-81

	Entradas netas totales de capital exceptuando reservas (millones de US$)	Entradas netas totales de capital exceptuando reservas (% PGB)	Deuda Externa (Bruta) (millones de US$)
1977	577	4,7	5.613
1978	1.946	12,7	7.011
1979	2.247	10,7	8.663
1980	3.165	12,3	11.207
1981	4.698	15,9	15.591

Fuentes: Banco Central (1986) y (1988).
Ministerio de Hacienda (1982).

La deuda externa chilena casi se triplicó en 4 años, aumentando de US$ 5.600 millones en 1977 a US$ 15.600 millones en 1981 (cuadro 3.11). Una entrada de capital más lenta habría llevado a una apreciación menor del tipo de cambio y a un menor aumento del gasto interno, lo que habría implicado una carga también menor de ajuste para la economía chilena cuando la banca internacional decidió reducir drásticamente el flujo de crédito.

Como se puede observar, ha habido gran debate respecto a la dirección de la causalidad existente entre la cuenta corriente y la cuenta de capitales. Una solución "salomónica" es aquella sugerida por McNelis, para quien inicialmente la cuenta corriente es lo que induce el incremento del crédito externo, pero, posteriormente, a medida que comienza la liberalización de la cuenta de capitales y se van eliminando las restricciones, los flujos de capital adquirieron vida propia y se "tornaron exógenos o independientes de los acontecimientos en la cuenta corriente"[92].

La última hipótesis para la crisis de 1982 dice relación con la liberalización del mercado de capitales interno. Al liberalizarse el mercado doméstico de capitales, el que tradicionalmente ha operado en un contexto de controles y represión financiera, ni las instituciones bancarias y financieras ni la Superintendencia de Bancos poseen el capital humano ni la tecnología para velar por un manejo prudente del negocio bancario y financiero, y para evaluar adecuadamente los riesgos de las diversas operaciones; la falta de control del nuevo mercado financiero interno provoca una gran fragilidad en el conjunto del sistema financiero[93]. Las operaciones de los bancos comerciales y de las financieras casi no fueron supervisadas ni reguladas. El número de instituciones financieras aumentó de 19 bancos (de los cuales sólo uno era extranjero) en 1974 a 45 bancos (de los cuales 19 eran extranjeros) y 15 financieras en 1981. El cuadro 3.11 muestra que el crédito real al sector privado creció en más de 600% en el período 1976-81. Una parte de este incremento en el crédito real financió la inversión fija, que tenía tasas anuales de crecimiento superiores al 15% durante el período 1976-81.

Numerosos elementos contribuyeron a la fragilidad del sistema financiero:

a) La tasa de interés real para los préstamos fue muy alta durante todo el período (ver cuadro 3.12). Estas altas tasas afectan la solvencia de las empresas productivas, que incumplen el pago de los préstamos otorgados por los bancos afectando la solvencia de los mismos. Los deudores piden más crédito para evitar la quiebra, y los bancos acceden a proporcionar nuevos préstamos y a renovar los créditos incobrables con el fin de postergar las pérdidas. Debido a la persistencia de esas altas tasas de interés, el riesgo de insolvencia de las empresas productivas y de los bancos aumenta y todo el sistema financiero se ve en problemas.

b) Había una estrecha relación en la propiedad de empresas productivas e instituciones financieras, especialmente aquellas pertenecientes a los grandes grupos económicos. Un alto porcentaje de los préstamos se otorgó a empresas relacionadas con el banco o financiera, y muchos de estos préstamos eran cuestionables desde un punto de vista financiero; además, se observa un ciclo reiterado de renovaciones de dichos créditos (*rollover*). Debido a una información asimétrica y a la inexistencia de un balance consolidado de todo el grupo económico, era prácticamente imposible para la Superintendencia de Bancos evaluar el riesgo de dicho tipo de créditos.

El *rollover* de créditos impagos de empresas en una situación de insolvencia afecta finalmente al capital y a la viabilidad de los bancos, pertenezcan éstos o no a grupos económicos. Además, afecta el nivel de la tasa de interés y el monto disponible para los nuevos préstamos; empresas solventes pueden comenzar a no serlo en el nuevo contexto, contribuyendo a incrementar el *rollo-*

CUADRO 3.12. EVOLUCIÓN DE VARIABLES EXTERNAS RELEVANTES
PARA LA ECONOMÍA CHILENA, 1978-83

	Términos de intercambio (1980=100)	Precio del cobre centavos US$/lb.		LIBOR %		Crédito Externo[b] (millones de US$)
		Nominal	Real (1976)[a]	Nominal	Real[a]	
1978	84,4	61,9	54,1	8,3	1,1	1.769
1979	99,4	89,8	69,8	12,0	2,6	2.014
1980	100,0	99,2	67,5	14,2	2,0	2.995
1981	83,6	78,9	49,3	16,5	6,0	4.336
1982	78,1	67,1	41,0	13,3	5,3	831
1983	91,8	72,2	43,6	9,8	4,6	376

Fuentes: Banco Central (1986); CEPAL.
[a] Deflactada por IPM de EE.UU.
[b] La diferencia con las cifras del cuadro 3.10 se debe a la exclusión de la inversión extranjera directa.

ver de créditos impagos. Este tipo de interacción entre empresas productivas y sector financiero genera un juego especulativo tipo Ponzi en el que todos tienen incentivos positivos para seguir jugando, aumentando el nivel de riesgo y acrecentando la magnitud de los recursos involucrados (a través de las crecientes tasas de interés).

c) La sobrevaluación de la moneda nacional y el ambiente de euforia alimentado por la masiva entrada de capital generó un boom especulativo; el índice real de precios de las acciones aumentó en un 84,4% en 1980, mientras que el índice real de precios de los bienes raíces (urbanos) aumentó en casi 120% durante 1981 (cuadro 3.10). Estos mayores precios de los activos financieros y fijos estimularon a los agentes a endeudarse, pero, al explotar el globo especulativo, estos precios bajaron mientras las deudas en dólares crecían junto con la devaluación.

El resultado final consistió en un juego de suma negativa en el cual la mayor parte de los agentes tenía deudas que superaban con creces el valor de sus activos, dándose una situación de quiebra generalizada.

Las explicaciones anteriores respecto de la crisis 1982-83 están vinculadas a cuestiones de política interna. Ahora nos referiremos brevemente a otro tipo de explicación: los shocks externos.

La economía chilena experimentó shocks externos adversos de gran magnitud desde 1980 en adelante (cuadro 3.12). Teniendo como referencia los años 1979-80, los términos de intercambio chilenos se deterioraron en 20% durante 1981-82; el precio del cobre bajó 20 centavos de dólar en 1981 respecto del precio que tenía en 1980, y bajó 12 centavos adicionales en 1982 (cada disminución de un centavo en el precio del cobre representa una caída de US$ 25 millones en las exportaciones chilenas). Es decir, el deterioro de los términos de intercambio tuvo un impacto negativo en la economía chilena equivalente a cerca del 3% del PGB de cada año.

El segundo shock externo provino del aumento de la tasa de interés internacional. En este caso existen dos efectos distintos, el shock nominal y el shock real: una tasa de interés nominal relativamente alta produce problemas de liquidez, mientras que una tasa de interés real relativamente alta constituye una carga para los deudores. Durante el período 1979-82, y especialmente en 1981, el shock nominal fue provocado por la tasa de interés internacional que, en promedio, ascendía a 14% por año; el shock real se produjo durante 1981-83, cuando la tasa de interés real alcanza un promedio de 5,3% por año. Como resultado de estos shocks, los pagos de intereses que debía efectuar Chile, que ascendían aproximadamente al 20% de las exportaciones en 1978, aumentaron a casi 40% en 1981 y a más de 50% en 1982 (el valor de las exportaciones es similar en dichos años).

El tercer shock externo se produjo por la repentina disminución del crédito internacional; mientras que en 1981 Chile recibió US$ 4.300 millones en créditos externos, en 1982 este flujo bajó a US$ 831 millones y a US$ 376 millones en 1983 (cuadro 3.12). Esto es, en 1983 el flujo de crédito externo anual equivale al mensual de dos años atrás.

En resumen, los shocks externos agravan el desequilibrio generado por las políticas internas. Además, la simultaneidad y persistencia de estos fenómenos contribuyeron a la inducción de un proceso de ajuste más drástico. Algo menos del 50% de este deterioro se explica por factores externos, mientras que el resto se debe a políticas económicas internas que no consideraron ni el creciente desequilibrio externo de la cuenta comercial ni el hecho de que una parte importante de los créditos externos generalmente no se destinaron a la expansión de la capacidad productiva interna.

El mecanismo de ajuste automático

A comienzos de los 80, la economía chilena contaba con un sistema de libre mercado y libertad de precios, un sector externo liberalizado (con un sistema de aranceles de tasa uniforme del 10% y un tipo de cambio nominal fijo), una total desregulación del mercado financiero con tasas de interés libres, escasos controles sobre los movimientos de capital y ningún tipo de presiones por parte de grupos sociales o políticos, además de autoridades económicas y gubernamentales que manifestaban claramente que el sector privado era el principal agente en el ámbito económico. Predominaban entonces dos principios fundamentales de política económica, la total neutralidad de la política económica y, dadas las características estructurales descritas, la conducción de la economía chilena mediante "reglas permanentes" que no se modificarían, pasara lo que pasara. Estas reglas eran las siguientes: un tipo de cambio nominal fijo, un presupuesto fiscal equilibrado y la endogeneidad de la oferta monetaria. En resumen, el gobierno no desempeñaría papel alguno en el manejo macroeconómico; sólo debería velar por el cumplimiento de las reglas. Este ambiente económico da cuenta del tipo de medidas o "no medidas" adoptadas cuando la crisis comenzó a desarrollarse.

El proceso de ajuste chileno de la década del 80 resulta interesante; pocos países en desarrollo han puesto en práctica el esquema económico de "libre mercado, apertura y desregulación", por lo que constituye una oportunidad para analizar el desempeño de una economía de este tipo sometida a una situación de fuerte desequilibrio externo.

El ajuste chileno fue un proceso sumamente disparejo, que sufrió varios giros de orientación ligados a los múltiples cambios de ministros de Hacienda durante este período[94]. El resultado fue una recesión costosa, prolongada y grave. Sólo en 1987 el PGB recuperó los niveles de 1981.

Analizaremos el desarrollo de la crisis y el proceso de ajuste siguiendo su secuencia histórica; en este sentido, a veces los análisis trimestrales (e incluso los mensuales o diarios) permiten una mejor comprensión de lo sucedido que el tradicional marco anual[95].

A partir del segundo semestre de 1981 y hasta el primer semestre de 1982, la tasa de interés fue el principal instrumento del "mecanismo de ajuste automático". Durante el segundo semestre de 1982, el tipo de cambio ocupó el lugar central en el ajuste "macroeconómico caótico".

Desde el segundo trimestre de 1981, diversas señales sugerían la existencia de profundos problemas económicos (cuadro 3.13): a) El DCC mostraba una tendencia trimestral al alza; de US$ 400 millones en el segundo trimestre de 1980 se llegó a un déficit cercano a los US$ 1.400 millones en el segundo trimestre de 1981. b) El Banco Central, que había aumentado sus reservas durante los 16 trimestres anteriores, pierde casi US$ 200 millones. Nuevamente, en el trimestre siguiente, la pérdida de reservas del Banco Central es cercana a los US$ 300 millones. A partir de ese momento, el Banco Central perdió reservas durante los 6 trimestres siguientes. c) El índice de precios de las acciones comenzó a descender en forma continua a partir del tercer trimestre de 1980. A fines del tercer trimestre de 1981, la disminución en términos reales era cercana al 33%. d) A partir del segundo trimestre de 1980, el número de empresas que se declaraba en quiebra fue de más de 100 por trimestre. En el segundo trimestre de 1981 se produjo la quiebra de la principal refinería privada de azúcar en Chile (CRAV), con una pérdida de US$ 100 millones. e) En el segundo semestre de 1981 dos grandes bancos, junto con dos bancos de menor magnitud y dos financieras, debieron ser intervenidos por el Banco Central[96].

Hasta bien entrado el primer semestre de 1982 las autoridades económicas demostraron una actitud sorprendentemente pasiva en cuanto a la adopción de cualquier medida macroeconómica destinada a evitar el creciente desequilibrio externo de la cuenta corriente. El dogmatismo desempeñó un papel importante en este sentido. Según el marco teórico del enfoque monetario de la balanza de pagos, la economía chilena contaba con un mecanismo automático de ajuste, por lo que no era necesario aplicar

CUADRO 3.13. PRIMERAS SEÑALES DE PROBLEMAS ECONÓMICOS GRAVES.
1980-I A 1980-II

		Sector externo (US$ millones)		Indice de precios de acciones (Dic 78=100)		Número de quiebras de empresas	Número de intervenciones de bancos y financieras
		Saldo de cuenta corriente (1)	Cambios en Reservas Int. (2)	Nominal (3)	Real (4)	(5)	(6)
1980-	I	9,4	584,0	233,0	160,4	68	-
	II	- 390,1	576,6	347,1	222,5	113	-
	III	- 617,9	264,2	378,3	228,2	125	-
	IV	- 972,4	335,1	367,9	206,2	109	-
1981-	I	833,8	53,6	346,3	186,1	84	-
	II	-1.377,2	-192,6	336,3	175,8	112	-
	III	-1.464,2	129,3	299,8	153,2	101	8
	IV	-1.057,4	-288,7	278,3	140,0	134	-
1982-	I	- 687,8	-197,7	270,5	135,1	125	-
	II	- 656,9	-258,6	259,4	129,8	238	2

Fuentes: Columna (1): Le Fort (1986).
Columna (2): Banco Central (1986).
Columnas (3) y (4): Bolsa de Comercio (varios números).
Columna (5): Sindicatura Nacional de Quiebras.
Columna (6): *Estrategia* (varios números).

medidas de política. Supuestamente, la tasa de interés interna sería el instrumento que pondría en operación el mecanismo de ajuste automático.

La devaluación, como forma de hacer frente al problema del desequilibrio externo, fue totalmente descartada, por considerarse que era inútil para una pequeña economía abierta totalmente indexada; además, el tipo de cambio nominal fijo (que llevaba dos años sin variaciones) era el ancla nominal de todo el sistema, el símbolo del éxito, la confiabilidad y la continuidad del modelo económico[97].

Dada la importancia conceptual del mecanismo de ajuste automático, es conveniente reiterar su lógica. Este mecanismo operaba de la siguiente manera[98]: en una pequeña economía abierta como la chilena, con un tipo de cambio nominal fijo y sin políticas de esterilización por parte del Banco Central, la oferta monetaria se vuelve endógena y fluctúa sólo como resultado de los ingresos y egresos de divisas. Si los ingresos no alcanzan a financiar el DCC, se producirá una pérdida de reservas internacionales

213

que a su vez generará una contracción monetaria que aumentará la tasa de interés. Dicho aumento producirá una disminución del gasto y de la demanda de importaciones hasta un nivel compatible con el nivel de endeudamiento externo que Chile puede sustentar; por otra parte, la contracción del gasto interno hará disminuir el precio de bienes no transables, lo que contribuirá a aumentar la competitividad internacional de la economía chilena[99]. Además, el diferencial entre la tasa de interés interna y la tasa de interés internacional atraería al capital extranjero. Por lo tanto, al permitir que la tasa de interés interna desempeñe su papel sin ningún control sobre su valor, se eliminará el desequilibrio del sector externo.

Las autoridades económicas permitieron que la tasa de interés fuera el único mecanismo de ajuste durante un año entero (segundo semestre de 1981 y primer semestre de 1982). El cuadro 3.14 muestra cómo operó dicho mecanismo[100]. El Banco Central comenzó a perder reservas internacionales a partir del cuarto trimestre de 1981, a una velocidad que fluctuaba entre los 200 y 300 millones de dólares por trimestre (cerca del 1% del PGB); el M_1 real había estado disminuyendo durante 1981 y en el segundo trimestre de 1982 llegó a un nivel inferior en un 9,4% al del año anterior; la tasa de interés interna real aumentó considerablemente en el tercer trimestre de 1981, y siguió haciéndolo de ahí en adelante hasta alcanzar un 45,8% (sobre una base anual) en el segundo trimestre de 1982.

Se da una extraña asimetría en el funcionamiento del mecanismo automático. Durante 1980, mientras el Banco Central acumulaba divisas, la tasa real de interés interna mostraba una fuerte inelasticidad descendente; sin embargo, en 1981, luego de pequeñas ganancias alternadas con pérdidas de reservas por parte del Banco Central, se produjeron fuertes aumentos en la tasa de interés interna real. Además, el cuadro 3.14 indica que niveles similares en la cantidad real de dinero (como los de 1980 y los del segundo semestre de 1981, y asimismo el nivel del primer semestre de 1982) generan niveles muy diferentes en la tasa real de interés interna: en el segundo semestre de 1981, ésta era dos veces mayor que el valor de 1980, y tres veces mayor en 1982.

El fuerte aumento de la tasa de interés interna afectó rápidamente el gasto interno y el nivel de las importaciones. El cua-

CUADRO 3.14. EL FUNCIONAMIENTO DEL MECANISMO AUTOMÁTICO, 1980-I A 1980-II

| | Cambios en reservas internacionales (millones de US$) | Dinero en términos reales (M₁/P) (miles de millones de $-Dic 78) | Tasa de interés real* (Base anual) % | Gasto interno | | Importaciones | | Flujos de capital internacional (millones de US$) | Tasa de variación del precio de bienes no transables (Base anual) |
| | | | | (millones de $-1977) | Tasa de variación anual % | (millones de US$) | Tasa de variación anual % | | |
	(1)	(2)	(3)	(4)	(5)	(6)	(7)	(8)	(9)
1980 -I	584,0	36,2	15,7	92.785	11,7	1.191,8		572,4	30,1
-II	576,6	37,9	13,5	93.995	0,2	1.328,2		539,6	39,6
-III	264,2	37,3	16,6	94.767	8,9	1.539,3		932,7	38,1
-IV	335,1	40,1	12,2	106.283	17,1	1.761,2		1.120,3	24,8
1981 -I	53,6	41,4	15,0	103.367	11,4	1.590,5	33,5	1.060,0	20,2
-II	-192,6	40,7	21,2	104.415	11,1	1.970,1	48,3	1.764,0	19,7
-III	129,3	38,2	27,7	116.585	23,0	1.644,5	6,8	1.218,2	25,3
-IV	-288,7	39,7	38,8	105.039	-1,2	1.173,4	-33,4	655,8	20,2
1982 -I	-197,7	39,4	42,9	89.277	-13,6	1.095,2	-31,1	654,4	0,8
-II	-258,6	37,4	45,8	83.674	-19,9	907,5	-53,9	340,4	2,4

Fuentes: Columnas (1) a la (7): Banco Central (1986).
Columna (8): Le Fort (1986).
Columna (9): Le Fort y Guillet (1986).
* Tasa de interés de colocaciones de 30 a 90 días correspondiente a los préstamos otorgados por los bancos comerciales.

dro 3.14 muestra lo siguiente (en comparación con el trimestre equivalente del año anterior): 1) Tras un año de tasas de expansión bastante elevadas del gasto interno, se produjo una disminución de -1,2% en el cuarto trimestre de 1981; posteriormente siguió disminuyendo, un 13,6% en el primer trimestre de 1982 y un 19,9% en el segundo trimestre. 2) El impacto sobre el nivel de las importaciones fue bastante fuerte. En dólares corrientes, éstas disminuyeron en un 33,4% el cuarto trimestre de 1981 y en un 53,9% el segundo trimestre de 1982. Estos resultados indicarían que el mecanismo de ajuste automático estaba operando correctamente.

A pesar del fuerte incremento de la tasa de interés interna –que originó grandes diferenciales que iban en aumento en relación con las tasas de interés internacionales[101]–, la entrada de capitales externos comenzó a disminuir en forma significativa; la oferta de crédito externo se estaba volviendo fuertemente inelástica. Por otra parte, los precios internos de bienes no transables estaban reaccionando con mucha lentitud; con el fin de mejorar la competitividad internacional chilena, estos precios debían tener una tasa de variación mucho menor que la correspondiente a la inflación internacional. A pesar de la marcada disminución del gasto interno, este nivel estaba aún muy lejos de la meta.

Por último, el mecanismo automático estaba teniendo un efecto altamente perjudicial sobre el sector productivo y el empleo. En el cuadro 3.15 se puede observar el impacto sobre el sector real de la economía: hasta el segundo trimestre de 1982, el PGB había disminuido en 12,8% respecto del nivel del año anterior, la producción industrial cayó un 24,8% y la tasa efectiva de desempleo aumentó a 24,9%. Este cuadro también contiene información sobre el sector de la construcción, que muestra casi un 30% de descenso en su actividad en el mismo período; sin embargo, este hecho sí sería coherente con el objetivo del mecanismo automático. La producción de bienes no transables tenía que disminuir a fin de que los recursos pudieran desplazarse hacia la producción de bienes transables. Pero, en realidad, la forma en que operaba el mecanismo automático desalentaba la producción total, tanto de bienes transables como de los no transables.

Lo anterior ilustra cuán errado era el planteamiento del mecanismo automático (confiar sólo en las fluctuaciones y no aco-

CUADRO 3.15. IMPACTO DEL MECANISMO AUTOMÁTICO
SOBRE EL SECTOR REAL, 1980-I A 1980-II

		Producto Geográfico Bruto		Indice de producción industrial (1981-II=100)	Indice del sector de la construcción (1981-II=100)	Tasa efectiva de desempleo %
		Millones $-1977	Variación Anual %			
		(1)	(2)	(3)	(4)	(5)
1980	-I	86.936	11,0	84,3	72,6	16,8
	-II	89.750	3,2	89,3	78,3	18,4
	-III	89.122	5,4	90,0	75,7	17,1
	-IV	97.638	11,8	97,3	85,4	15,5
1981	-I	94.303	8,5	88,5	91,6	13,7
	-II	98.136	9,3	100,0	100,0	15,1
	-III	97.829	9,8	96,1	92,2	15,5
	-IV	93.148	- 4,6	88,4	93,9	16,1
1982	-I	86.735	- 8,0	70,9	75,7	21,0
	-II	85.530	-12,8	75,2	70,3	24,9

Fuentes: Columnas (1) a (4): Banco Central, Boletín Mensual, varios números.
Columna (5): Jadresic (1986); incluye los programas PEM y POJH.

tar el incremento de la tasa de interés). Por una parte, para recuperar la competitividad internacional se debería haber generado una *deflación,* en la que el precio de los bienes no transables debería haber *caído casi un 30%*; por otra, es sabido que a pesar del apreciable diferencial de tasas de interés los flujos de capital dejan de ingresar cuando el nivel de endeudamiento de un país se torna riesgoso. Esta simple doble lección no fue nunca asimilada por varios economistas que ocuparon puestos destacados en la época, y que aún hoy sostienen que no se dejó que el mecanismo automático funcionara el tiempo adecuado para lograr el ajuste. Este es un caso evidente en el que el remedio fue peor que la enfermedad, e ilustra hasta qué punto el dogmatismo impide la percepción de la realidad.

Políticas macroeconómicas caóticas

Desde julio de 1981 hasta mayo de 1982, las autoridades económicas declararon reiteradamente que el mecanismo automático

217

resolvería los problemas del desequilibrio externo chileno. Pero, tras casi un año de espera, existía la sensación de que el proceso estaba funcionando con gran lentitud y a un costo social muy elevado. La fuerte disminución de la producción, el gran aumento del desempleo, el gran número de quiebras y los problemas del sector financiero dieron origen a un escepticismo generalizado, no sólo en contra del mecanismo automático sino respecto de la totalidad del modelo económico. Comenzó a cundir la sensación de que el sector privado no sería capaz de sacar por su cuenta a la economía chilena de la recesión, y que era necesaria la intervención del gobierno. Dicho escepticismo se vio estimulado por un acontecimiento inesperado: la devaluación.

La devaluación del 14 de junio de 1982 fue considerada "el acontecimiento económico" del año (probablemente lo haya sido de la década; diez años después aún persiste en la memoria la época del dólar a $ 39 y las terribles consecuencias de la tardía devaluación). Para una mejor comprensión del impacto producido por esta medida, se debe recordar que durante casi tres años había existido un tipo de cambio nominal fijo ($ 39/US$), el que era considerado como un factor económico crucial del sistema y su marca distintiva. Este tipo de cambio no era considerado un instrumento, sino la *meta* de la política económica. Además, desde julio de 1981 las autoridades habían reiterado *ad infinitum* que no habría devaluación: primero cada mes, luego semanalmente y casi al final en forma cotidiana, a través de todos los medios de comunicación. Los economistas de Chicago entregaron todo tipo de argumentos en contra de la devaluación. En primer lugar, se señalaron todas las ventajas de contar con un tipo de cambio fijo, conocido y estable. En segundo lugar, manifestaron que la devaluación sería inútil puesto que la economía chilena tenía una homogeneidad perfecta de grado 1 respecto del tipo de cambio[102], por lo que cualquier devaluación sería automática e instantáneamente transferida a los precios; en consecuencia, no habría un cambio en los precios relativos, y el desequilibrio existente persistiría ahora en un contexto inflacionario. Por último, la devaluación no sólo era considerada inútil sino además peligrosa, porque podía tener un impacto negativo sobre la inflación y las expectativas. En resumen, la propaganda oficial y la gran difusión de las opiniones de los economistas del gobierno habían convencido a la mayoría de la gente de que no habría devaluación[103]. Al producirse ésta, la gente, particularmente aquellas personas que tenían deudas en moneda extranjera, se sintió engañada por el gobierno. Repentinamente la devaluación generó una gran falta de credibilidad y la cuestión del tipo de cambio continuó en el centro de la polémica durante un año entero.

Una devaluación tiene efectos positivos y negativos. Un efecto positivo sobre el nivel de la actividad económica lo da el proporcionar incentivos para la producción de bienes transables (bienes de exportación y bienes competitivos con las importaciones), complementado por el hecho de que las importaciones se vuelven más costosas y por tanto disminuye su demanda; estos factores contribuyen a la reducción del desequilibrio del sector externo. Sin embargo, los efectos no son simétricos: mientras que el nivel de importaciones desciende rápidamente, el nivel de exportaciones aumenta muy lentamente. La devaluación mejora también la imagen externa del país, en términos de su capacidad de generar divisas, puesto que se produce un aumento de su competitividad internacional.

Entre los efectos negativos está el generar presiones inflacionarias a través del aumento del precio de los insumos importados; también genera expectativas inflacionarias, particularmente cuando toda la gente ya había aprendido que la devaluación genera inflación. La devaluación aumentó además el nivel de endeudamiento de las personas endeudadas en moneda extranjera (en mayo de 1982, casi el 50% del crédito otorgado por los bancos comerciales estaba expresado en dólares). Teóricamente, los bancos comerciales no deberían verse afectados por la devaluación, puesto que sus operaciones financieras externas en moneda extranjera coincidían exactamente con sus operaciones financieras internas en divisas, es decir, los préstamos en moneda extranjera que los bancos nacionales obtenían en el mercado internacional se transferían a agentes económicos del mercado interno; en otras palabras, el riesgo de la variación del tipo de cambio era asumido por deudores privados no bancarios. Sin embargo, los bancos comerciales se vieron indirectamente afectados por la devaluación debido principalmente a las dificultades de sus clientes para pagar sus incrementadas deudas.

219

Antes de la devaluación, las autoridades económicas tenían como dogma la política de no intervención: "Todas las reformas estructurales ya se habían puesto en práctica; por lo tanto, la economía chilena contaba con mecanismos de autocorrección para resolver cualquier problema económico", "cuanto menos interfiera el gobierno en la esfera económica, tanto mejor". Después de la devaluación, el equipo de economistas de Chicago[104] tuvo grandes dificultades para cambiar desde una política de no intervención a políticas activas que debían enfrentar la gran variedad de problemas que se iban presentando. El tipo de cambio y las políticas monetarias fueron los principales instrumentos utilizados para hacer frente al desequilibrio externo y la fuerte recesión interna.

Políticas cambiarias aplicadas durante 1982

Durante el período junio-septiembre de 1982, la economía chilena se rigió por cuatro políticas cambiarias distintas: el tipo de cambio nominal fijo de $ 39/US$ vigente hasta el 14 de junio, una devaluación abrupta de 18% (ese día) seguida de un ajuste gradual (0,8% de devaluación mensual) del tipo de cambio basado en una canasta de monedas[105], un tipo de cambio totalmente libre (5 de agosto) que duró menos de una semana y fue seguido por una "flotación sucia", y otra devaluación abrupta del 40% (29 de septiembre) seguida de un ajuste gradual basado en el diferencial entre la inflación interna y la inflación externa (ver cuadro 3.16 para la evolución mensual del tipo de cambio nominal y real en Chile durante 1982).

La modificación de la política cambiaria puesta en práctica el 14 de junio de 1982 tenía dos componentes: una devaluación abrupta del 18% (el tipo de cambio aumentó de $ 39/US$ a $ 46/US$) y el reemplazo de la política cambiaria anterior por una norma de ajuste gradual del tipo de cambio caracterizada por una devaluación mensual de 0,8%, considerando además la variación relacionada con los cambios en una canasta de cinco monedas diferentes (dólar, marco, yen, libra y franco)[106]. La idea de vincular el peso chileno a una canasta de monedas es positiva desde el punto de vista teórico, puesto que intenta man-

CUADRO 3.16. Evolución mensual del tipo de cambio nominal
y real en Chile, año 1982

	Tipo de cambio nominal (Pesos/Dólar)[a] (1)	Indice del Tipo de Cambio Real[b] (junio = 100) (2)
Enero-mayo	39,0	-
Junio: 1-14	39,0	100,0
Junio: 15-30	46,4	-
Julio	46,6	116,7
Agosto	60,6	147,7
Septiembre	65,0	151,8
Octubre	67,7	150,9
Noviembre	70,1	151,2
Diciembre	74,4	158,6

Fuente: Estrategia (varios números).
[a] Las cifras utilizadas corresponden al promedio de la información semanal (las cifras del viernes se utilizan como la cifra semanal).
Desde agosto hasta diciembre se utilizó el tipo de cambio correspondiente al dólar vendedor.
[b] El tipo de cambio nominal ha sido deflactado por el IPC.

tener constante el valor real del tipo de cambio al considerar el peso relativo de los socios comerciales del comercio exterior chileno; la norma anterior –vincular el peso chileno exclusivamente al dólar– implicaba que la apreciación del dólar era un factor adicional que había contribuido a la sobrevaluación de la moneda chilena.

Pero el monto de la devaluación era demasiado bajo. Se pensaba que la economía chilena había perdido al menos un 30% de su competitividad internacional desde la aplicación de la política de tipo de cambio nominal fijo, por lo tanto una devaluación de 18% era una medida insuficiente y tardía (too little, too late). Además, la devaluación de 0,8% mensual, junto a las variaciones relacionadas con el ajuste gradual del tipo de cambio basado en la canasta de cinco monedas, era una norma verdaderamente compleja para la mayoría de los agentes económicos (e incluso para los economistas), particularmente si se la compara con la norma de tipo de cambio nominal fijo que había imperado durante los tres años anteriores[107].

CUADRO 3.17. VENTAS MENSUALES NETAS DE MONEDA EXTRANJERA
POR PARTE DEL BANCO CENTRAL, 1982
(MILLONES DE DÓLARES)

Enero	25,2
Febrero	60,0
Marzo	71,9
Abril	224,5
Mayo	97,3
Junio: 1-14	55,8
Junio: 15-30	110,0
Julio	203,7
Agosto	247,7
Septiembre	579,8
Octubre	515,2
Noviembre	386,2
Diciembre	149,9

Fuente: Banco Central, *Informe Económico y Financiero,* varios números.

GRAFICO Nº 3.5. TIPO DE CAMBIO NOMINAL Y VENTAS DE DIVISAS, 1982

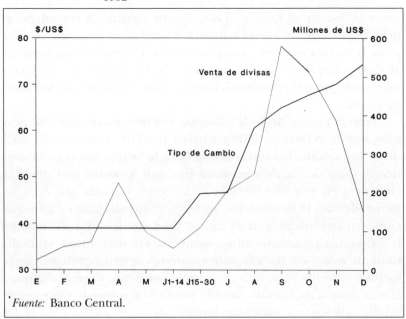

Fuente: Banco Central.

222

Inmediatamente después de esta primera rectificación las autoridades económicas perdieron el control sobre la misma, a pesar de que el nuevo tipo de cambio nominal permaneció constante durante casi 50 días. La política cambiaria comenzó a ser determinada por los agentes económicos a través de su deseo de adquirir moneda extranjera; la venta neta (diaria) de divisas por parte del Banco Central configuraba en gran parte los múltiples cambios que las autoridades económicas comenzaron a adoptar respecto de la política cambiaria (y monetaria).

El cuadro 3.17 proporciona datos sobre las ventas mensuales netas de moneda extranjera por parte del Banco Central al sector financiero[108] durante 1982. Antes de junio y con excepción de abril, estas ventas eran inferiores a los US$ 100 millones. De julio en adelante, comenzaron a aumentar mes a mes llegando hasta alrededor de US$ 600 millones en septiembre. En las dos semanas anteriores a la devaluación del 14 de junio de 1982, las ventas netas ascendieron a la mitad de lo que lo fueron en las dos semanas posteriores a la devaluación, lo que sugeriría que ésta no había sido anticipada por la mayoría de los agentes económicos; la información mensual del Banco Central sobre venta de divisas también concuerda con la evidencia semanal (ver gráfico 3.5). Por otra parte, el hecho de que las ventas de moneda extranjera del Banco Central aumentaran en el tiempo es una muestra clara de que la nueva política cambiaria era considerada inadecuada.

Con el propósito de poner fin a esta situación se decidió modificar totalmente el sistema cambiario. En la primera semana de agosto se estableció un sistema cambiario completamente libre, suponiéndose que se daría una flotación limpia. Las autoridades económicas declararon explícitamente que no habría intervención por parte del Banco Central. Chile no había tenido un tipo de cambio libre durante al menos 50 años, por lo que esta nueva política de flotación limpia fue una verdadera sorpresa para todos los agentes económicos. Esta medida sería coherente con la hipótesis de las expectativas racionales, por la que tan sólo a través de medidas sorpresivas las autoridades económicas pueden lograr un impacto sobre la economía. Nuevamente, los economistas de Chicago proporcionaron argumentos concluyentes a favor de la política de cambio libre: con ella se protegerían las reservas del Banco Central, poniendo término a la tendencia creciente de ventas netas de moneda extranjera; permitiría que el Banco Central contara con una política monetaria autónoma, al cortarse el vínculo entre el tipo de cambio y la oferta monetaria; el tipo de cambio anterior, controlado y regulado, era el último precio de la economía chilena que no era libre[109]; ahora, "la economía chilena podría alcanzar el óptimo de Pareto"[110].

Técnicamente, la medida se adoptó en un momento altamente inadecuado. Habían transcurrido menos de dos meses desde una modificación bastante significativa en la política cambiaria; los agentes económicos aún no se habían recuperado del impacto de la devaluación anterior cuando repentinamente se produjo otro cambio de gran magnitud en las reglas del juego. Había gran incertidumbre en la economía y la política de flotación libre agravó esta sensación. Por otro lado, el mercado interno de divisas es relativamente pequeño y el tipo de cambio pasa a ser determinado por las presiones especulativas y no por el comportamiento de las exportaciones, las importaciones o los flujos netos de capital. Además, en este tipo de mercado libre el papel del sector público debe ser especificado *a priori*, particularmente si se considera que las empresas estatales del cobre generan alrededor del 35% de las divisas por concepto de exportaciones, y que las importaciones de petróleo son efectuadas por una sola empresa estatal.

Jamás se debe anunciar una modificación de política cambiaria un día jueves por la tarde[111], sino después de la tarde del viernes: el 6 de agosto de 1982 la situación era verdaderamente caótica. Todo el mundo quería comprar dólares y los bancos comerciales no querían venderlos; nadie sabía cuál era el precio del dólar. El ministro de Hacienda "aclaró" el asunto manifestando que "el precio del dólar será determinado por la interacción de la oferta y la demanda"; el presidente del Banco Central ofreció mayores pistas al señalar que "el Banco Central se va a comportar como cualquier agente económico, sin estar sujeto a las presiones del mercado de divisas". Ni uno ni otro consideraron necesario proporcionar una cifra cuantitativa.

La política de flotación libre sólo duró tres días. El primer día, el peso se devaluó en un 18,5%; al tercer día se había devaluado en un 43,4% (ver cuadro 3.18) en relación al valor que

CUADRO 3.18. VALORES DIARIOS DEL DÓLAR BAJO LOS SISTEMAS DE
FLOTACIÓN LIBRE Y FLOTACIÓN "SUCIA", AGOSTO -
SEPTIEMBRE DE 1982 (PESOS/DÓLAR)*

Agosto	2	46,7	
	3	46,8	ajuste gradual del
	4	47,1	tipo de cambio
	5	47,0	
Agosto	6	55,7	
	9	62,8	flotación libre
	10	67,4	
Agosto	11	62,7	
	12	60,2	
	13	57,3	flotación "sucia"
	30	61,7	
Septiembre	10	62,0	
	17	69,3	
	24	67,0	

Fuente: El Mercurio, varios números.
ª Estos valores corresponden al dólar vendedor. La tasa de inflación en Chile en agosto y
   septiembre de 1982 fue de un 3,2% y un 4,3% (medida según el IPC), respectivamente.

tenía el último día antes del inicio del cambio libre. A fin de
evitar devaluaciones adicionales y una "corrida" mayor contra el
peso, el Banco Central tuvo que intervenir en el mercado cambiario vendiendo una cantidad de dólares mucho mayor que la
que vendía antes del anuncio de la política de flotación limpia.

Durante agosto y septiembre de 1982, se hizo evidente que el
Banco Central estaba interviniendo en el mercado cambiario.
Sin embargo, las autoridades económicas insistieron en que la
flotación era limpia y que las operaciones en moneda extranjera
del Banco Central correspondían a las divisas asociadas a las
empresas estatales del cobre. No obstante, las ventas diarias de
dólares del Banco Central eran mucho mayores que las que corresponderían a la explicación anterior. El resultado de este comportamiento fue una pérdida aún mayor de credibilidad de las
autoridades económicas; el Banco Central tuvo que incrementar
sus ventas diarias de moneda extranjera durante agosto y septiembre de 1982 para evitar una mayor devaluación del peso (ver
cuadros 3.17 y 3.18).

Durante este período de "flotación sucia" se pusieron en práctica dos políticas cambiarias no ortodoxas: (a) Se creó el tipo de cambio preferencial ("dólar preferencial")[112], con un valor de $ 50/US$ (17 de agosto de 1982; el cuadro 3.18 contiene los valores del dólar en agosto), lo que implicaba una violación de la Ley de un Solo Precio en el mercado cambiario. El "dólar preferencial" sólo podía ser adquirido por aquellos que habían solicitado préstamos en moneda extranjera antes del 5 de agosto de 1982; de esta forma se pretende compensar a quienes habían tenido fe en la política del tipo de cambio nominal fijo. Este subsidio a los deudores en moneda extranjera representa una cantidad muy substancial de los recursos públicos. (b) En vista del hecho de que el Banco Central seguía perdiendo divisas, se impusieron controles y restricciones a la adquisición de moneda extranjera (20 de septiembre de 1982). En consecuencia, existían ahora tres mercados cambiarios diferentes: el mercado del "dólar preferencial", el mercado formal de las exportaciones e importaciones y los movimientos de capital financiero formales manejados por los bancos comerciales, y el mercado informal para las operaciones entre agentes privados. Se necesitaron algunos días para aclarar quiénes tenían acceso al mercado cambiario formal; la situación de las transacciones invisibles y asuntos afines, por ejemplo, no estaba claramente definida.

Bajo este nuevo esquema de mercado cambiario triple, lo que quedaba sin aclarar era cuál iba a ser la regla para la evolución futura del precio de las monedas extranjeras en el mercado formal (que se regía por el régimen de "flotación sucia"). Las medidas de acceso restringido eliminan el componente especulativo del mercado cambiario –los funcionarios del Banco Central filtran a los especuladores–, de modo que es posible alcanzar el "verdadero" valor de equilibrio de la moneda extranjera. Sin embargo, el Banco Central no esperó hasta descubrir cuál era este "verdadero" valor, y acabó con la política cambiaria de flotación sucia. El 29 de septiembre de 1982 se puso en práctica una nueva política cambiaria, fijándose el tipo de cambio en $ 66/US$, cifra que representa una devaluación nominal de casi 70% en relación con el dólar a $ 39, pero que correspondía a una devaluación real ligeramente superior al 50% (ver cuadro 3.16). El segundo componente de la nueva política cambiaria era una regla de minidevaluaciones con ajuste gradual diario. En esta ocasión se estableció una regla muy simple. El tipo de cambio se devaluaría diariamente según la diferencia entre la inflación interna y la inflación internacional[113]. La validez de esta nueva medida era de 120 días; 15 días después tal período se alargó a 200 días. Pero no se informó acerca de la política cambiaria transcurrido ese plazo; de hecho, en octubre de 1982, los 200 días parecían ser un horizonte de muy largo plazo.

Veamos algunos comentarios técnicos que suscita esta tercera (o más bien cuarta) modificación de la política cambiaria. Esta vez el monto de la devaluación sí coincidió con las expectativas de los agentes económicos, es decir, con el valor que en ese momento predominaba en el mercado cambiario (ver cuadro 3.18); los argumentos de los economistas que presionaban a favor de una devaluación menor dado que ésta –del 50%– era mucho más elevada que la pérdida de competitividad internacional (estimada en un 30%), no fueron escuchados. Sin embargo, aunque la mayoría de los agentes estaba de acuerdo en ese momento (octubre de 1982) en que el tipo de cambio tenía un valor "correcto" y que la norma de ajuste gradual era fácil de entender, la mayoría de la gente se mostraba reacia a aceptar préstamos en moneda extranjera, a pesar del gran diferencial existente entre los intereses de los préstamos en pesos y los préstamos en moneda extranjera. La evidencia empírica de este comportamiento la da el hecho de que los bancos comerciales nacionales tenían algunas líneas de crédito externo que no estaban usando, por la sencilla razón de que los agentes económicos chilenos no querían aceptar préstamos en moneda extranjera: había una incertidumbre casi total respecto del valor futuro del tipo de cambio, y una gran desconfianza en las aseveraciones de las autoridades económicas y en su habilidad para afrontar las necesidades futuras de moneda extranjera. Con el fin de resolver este tipo de problema, el Banco Central adoptó la siguiente medida (21 de octubre de 1982): para permitir que los bancos comerciales nacionales pudieran obtener créditos externos en moneda extranjera, y pudieran convertir dichos créditos a préstamos en pesos en el mercado crediticio interno, el Banco Central asumiría el riesgo cambiario y los bancos comerciales tendrían asegurado su acceso a la recompra de divisas dentro de un plazo de seis meses. Estas fueron las operaciones *swap*, que implicaban un subsidio significativo por parte del Banco Central, y que predominaron durante muchos años.

Políticas monetarias aplicadas durante 1982

Las políticas monetarias desplegadas para enfrentar la crisis evidentemente se relacionan con las políticas cambiarias del mismo período. Mientras regía la política de tipo de cambio nominal fijo el dinero era considerado endógeno, es decir, cualquier aumento o disminución de la oferta monetaria serían inducidos exclusivamente por las operaciones en moneda extranjera efectuadas por el Banco Central. Durante el primer semestre de 1982 (y, de hecho, durante todo el año), el Banco Central vio disminuidas sus reservas; antes de la devaluación del 14 de junio, la oferta monetaria M_1, tanto en términos nominales como reales, había experimentado una merma del 10% respecto del nivel presentado en diciembre de 1981 (ver cuadro 3.19). Esta política monetaria endógena restrictiva, denominada "política monetaria de extrema neutralidad", era parte del mecanismo de ajuste automático.

La semana siguiente a la devaluación del 14 de junio, las autoridades monetarias, temiendo las expectativas inflacionarias que dicha devaluación generaría, afirmaron que la "política monetaria endógena de extrema neutralidad" sería mantenida. Ello se justificaba señalando que la sola devaluación, al tener un efecto positivo sobre la balanza comercial, produciría un incremento en las reservas acumuladas por el Banco Central y aumentaría por ende la oferta monetaria. Sin embargo, el principal efecto de la devaluación fue la creación de expectativas de nuevas devaluaciones, induciendo a una adquisición generalizada de moneda extranjera (cuadro 3.17), lo que a su vez redundó en una disminución de la liquidez de la economía.

La semana subsiguiente a la devaluación del 14 de junio, la opinión pública comenzó a reaccionar ante el nivel de desempleo de 25% y la brusca recesión de la economía (cuadro 3.19), prevaleciendo la sensación de que era urgente tomar alguna medida destinada a reactivar la economía, ya que ni el mecanismo

CUADRO 3.19. Evolución de los indicadores monetarios
y del sector real durante 1982. Chile,
meses seleccionados

	Dinero en términos nominales (M_1) (miles de millones de US$) (1)	Dinero en términos reales (M_1/P) (miles de millones de $) (2)	Tasa de variación anual del PGB* (%) (3)	Tasa de variación anual del Indice de Producción Industrial (%) (4)	Tasa efectiva de desempleo[a] (%) (5)
1981-Dic.	82,5	41,3	- 4,6	-12,4	16,1
1982-Mayo	74,0	37,1		-16,6	
Junio	74,1	37,0	-12,8	-20,6	24,9
Agosto	70,8	33,6		-18,2	
Sept.	71,6	32,5	-19,1	-17,8	29,1
Oct.	66,6	28,9		-17,7	
Dic.	75,0	31,1	-16,2	-15,1	29,3

Fuentes: Columnas (1), (2) y (3): Banco Central.
Columna (4) : SOFOFA.
Columna (5) : Jadresic (1986); incluye los programas PEM y POJH.
* Cifras trimestrales.

de ajuste automático anterior ni la devaluación de ese momento parecían capaces de lograr un efecto en el corto plazo.

Las autoridades del Banco Central declararon que aplicarían una política monetaria más activa, aumentando el M_1 en un 11% en términos nominales durante los 6 meses restantes del año (según sus estimaciones, la inflación para el resto del año sería de un 11%). Este tipo de política monetaria fue denominada "neutralismo activo", dado que su propósito era mantener constante el nivel de M_1 en términos reales, sobre la base de su nivel de antes de la devaluación. Sin embargo, usar junio de 1982 como base para el nivel real de M_1 representaba una disminución del 10% en la oferta monetaria respecto del nivel que tenía hacia fines de 1981.

El solo anuncio de que se aumentaría M_1 por medio de otro mecanismo y no mediante operaciones de cambio de moneda extranjera introdujo un elemento de incertidumbre en cuanto al manejo de la política monetaria. En este sentido, el presidente del Banco Central llegó incluso a afirmar que "aun cuando ya tenemos un programa monetario, estamos dispuestos a cambiarlo rápidamente si resulta no ser el correcto". Desde ese momento, como los chilenos habían sido entrenados a pensar que todo aumento en la oferta monetaria que no proviniera de operaciones en moneda extranjera generaría inflación, los agentes económicos comenzaron a preocuparse de los cambios en el M_1 y de las "noticias" emitidas por el Banco Central respecto de sus objetivos en cuanto a la oferta monetaria.

Al establecerse el sistema de tipo de cambio flotante (en agosto de 1982), las autoridades monetarias afirmaron que ahora se encontraban en mejor situación para aplicar una política monetaria autónoma; el programa anterior, establecido en junio de 1982, había fallado porque el tipo de cambio no era libre. Ahora, el M_1 nominal aumentaría 12% durante el transcurso de los próximos 5 meses[114]. El sector privado consideraba que este programa de expansión monetaria era insuficiente, dado que el M_1 nominal ya estaba un 14% por debajo del nivel que tenía a fines de 1981 (el M_1 real de agosto era un 18% inferior a ese nivel; ver cuadro 3.19). Lo que sucedía realmente era que, a pesar de haber instaurado un sistema de tipo de cambio flotante, el Banco Central era totalmente incapaz de controlar la oferta monetaria.

En septiembre de 1982 fueron designados un nuevo ministro de Hacienda y un nuevo presidente del Banco Central. Estos afirmaron claramente que la política monetaria sería el instrumento principal para reactivar la economía. Mediante dicha política –"política monetaria activa"–, el M_1 real recuperaría el nivel que tenía antes que el Banco Central llevara a cabo la venta de grandes cantidades de divisas. No se entregó información más específica (en términos de meses) al respecto; las nuevas autoridades económicas tardaron más de 40 días en ser más explícitas. Mientras tanto, la recesión iba aumentando: en el tercer trimestre de 1982, el desempleo alcanzó un 29,1%, al tiempo que el PGB y la producción industrial experimentaron una disminución de un 19% y un 18% respectivamente, en comparación con el año anterior (ver cuadro 3.19).

En la segunda semana de octubre, el ministro de Hacienda informó que se aumentaría el M_1 real hasta alcanzar el nivel que presentaba en junio de 1981, lo que implicaba un incremento superior al 20%. Sin embargo, no se estableció el plazo dentro del cual se llevaría a cabo dicho incremento, tarea que correspondía al Banco Central.

Las autoridades monetarias pusieron en práctica esta medida del siguiente modo: el 20 de octubre anunciaron que el M_1 se incrementaría en un 16% durante los 15 meses siguientes. Dos días después, afirmaron que existía un error tipográfico en el anuncio anterior y que el aumento de un 16% estaba programado para los 3 meses siguientes. Sin embargo, no quedaba claro si dicho aumento sería en términos nominales o reales. Considerando que la inflación correspondiente al mes de septiembre había superado el 4%, y que se predecía que sería de un 4% mensual durante los próximos 3 meses, existía una diferencia bastante grande entre un aumento del M_1 real o del M_1 nominal. El Banco Central tardó 24 horas más en aclarar que el aumento de 16% se refería al M_1 nominal.

La "política monetaria activa" fue incapaz de incrementar el M_1 real a un nivel cercano a aquel del año 1981 (ver cuadro 3.19). De este modo, las autoridades económicas chilenas se dieron cuenta de que, a pesar de haber aplicado distintos sistemas de tipo de cambio, no tenían control sobre la oferta monetaria, por lo que la política monetaria no constituía un instrumento útil ni poderoso para reactivar la economía cuando ésta se encuentra en medio de una profunda recesión y existe libertad para el movimiento de capitales.

Resumen del año 1982

Ya hemos revisado las diversas hipótesis que intentan explicar la crisis de 1982-83. Las medidas utilizadas para hacer frente a esta crisis tuvieron como efecto el aumentar su magnitud y por ende su costo. Cabe señalar que la puesta en práctica de contramedidas destinadas a corregir errores previos –aplicadas en los peores momentos de la crisis– tuvo grandes efectos redistributivos (por ejemplo, la aplicación del tipo de cambio subsidiado o dólar preferencial).

En tanto el desempleo aumentaba a más del 20% y el PGB bajaba a una tasa anual negativa cercana al 10%, el "mecanismo de ajuste automático" era aplicado en forma dogmática. Posteriormente, las autoridades económicas estaban más interesadas en lograr credibilidad que en reactivar la economía, ya que se pensaba que la credibilidad era un requisito previo a la reactivación. Sin embargo, en el intento por recuperar la confianza se cometieron una serie de errores. A fin de neutralizar el impacto generado por la primera devaluación, y para no tener que admitir la existencia del grave problema de desequilibrio externo (y por tanto de problemas cambiarios), se mantuvo el libre acceso al mercado de divisas. Luego, con el propósito de aumentar la credibilidad, y estando en medio de una "corrida" contra el peso, se levantaron todas las restricciones relativas al movimiento de capitales de corto plazo[115]. Sin embargo, las cosas se dieron al revés. La insuficiente y tardía devaluación del 14 de junio de 1982 generó expectativas de mayores devaluaciones. La mantención del libre acceso al mercado de divisas y la eliminación de las restricciones al movimiento de capitales de corto plazo estimuló la fuga de capitales. Las numerosas políticas cambiarias y monetarias poco claras y sujetas a frecuentes modificaciones acrecentaron la desconfianza en las autoridades económicas. A fines de 1982, el Banco Central había sufrido una disminución del 30% de sus reservas internacionales, de tal modo que se hacía necesario introducir controles cambiarios e imponer restricciones al movimiento de capitales.

Las altas tasas de interés real, la elevada devaluación real, la brusca contracción del PGB y la repentina contracción del flujo de crédito externo causaron serios problemas a los sectores productivos y financieros. Muchos de los deudores no pudieron cumplir con el servicio de sus deudas en moneda extranjera dado el nuevo tipo de cambio, otros no pudieron pagar las altas tasas de interés de sus deudas en moneda nacional, y los bancos comenzaron a acumular una cantidad cada vez mayor de "créditos incobrables".

Desde fines de 1982 en adelante, la deuda interna pasó a ser un problema muy crítico. El colapso total del sistema financiero se evitó gracias a la constante liquidez otorgada por el Banco Central a los bancos privados. Además, el gobierno tuvo que efectuar operaciones de rescate especiales para los diferentes tipos de deudores; como hemos visto, se estableció un tipo de cambio preferencial (más bajo) para los deudores en moneda extranjera, pero también se llevaron a cabo reprogramaciones especiales para los grandes grupos económicos, la "cartera mala" de la banca fue adquirida por el Banco Central, se subsidiaron los créditos para la vivienda, se condonaron multas e intereses vencidos, etc. El Banco Central proporcionó la mayor parte del financiamiento necesario para estos programas, los que alcanzaron cifras considerables. Al mismo tiempo, los desempleados y los trabajadores experimentaron una contracción significativa de sus ingresos.

EL PROCESO DE AJUSTE DE LA DECADA DEL 80

Ante el shock de la deuda externa de 1982, Chile experimentó problemas económicos y dificultades de ajuste similares a las del resto de los países latinoamericanos; el haber ya establecido las reformas estructurales básicas sugeridas por el Fondo Monetario Internacional y el Banco Mundial no implicó una mayor protección para enfrentar los shocks externos o para reducir el costo del ajuste. Sin embargo, hacia fines de la década del 80 la economía chilena había logrado efectuar el ajuste externo e interno, y se encontraba en mejores condiciones que gran parte de las economías latinoamericanas para enfrentar la década del 90.

La economía chilena estaba afectada en 1982-83 por un desequilibrio interno y un desequilibrio externo. El primero se expresa en la elevada tasa de desempleo y en el deterioro de las remuneraciones de los trabajadores. El desequilibrio externo está vinculado a la escasez de divisas producida por el enorme esfuerzo que implica el servicio de la deuda externa. La opción del gobierno fue reducir el desequilibrio externo, aunque ello implicaba agravar en el corto y mediano plazo el desequilibrio interno[116].

Al igual que en otros países latinoamericanos, la deuda externa se transformó entonces en la variable prioritaria. El equipo económico de la época optó por la "inversión en reputación"[117], pensando que un país que no adopta una posición conflictiva con los acreedores externos y que paga puntualmente el servicio de la deuda externa independientemente del costo interno en que haya que incurrir, es un país confiable que a la larga recuperará el acceso a los mercados de capitales internacionales.

El proceso de ajuste de la economía chilena no fue gradual; hubo, además, importantes alteraciones de política económica y retrocesos en la evolución del desequilibrio externo. Sin embargo, el resultado final fue bastante exitoso (ver cuadro 3.20). En efecto, al comparar el año 1981 (el que registra el mayor desequilibrio externo) y los años 1982 y 1983 (los de mayor desequilibrio interno) con el período final de la dictadura militar, 1987-89, se observa que: 1) Un déficit comercial (FOB) equivalente al 70% de las exportaciones del año 1981 se ha transformado en un superávit comercial sostenido promedio superior al 20% de las exportaciones. 2) El enorme DCC del año 1981 (US$ 4.700 millones) se reduce en promedio a menos de US$ 500 millones. 3) El ritmo anual de crecimiento económico de cada uno de los años del período 1987-89 es superior al 5,5% del año 1981, y notoriamente mejor a lo observado en la crisis de 1982-83. 4) Las tasas anuales de inflación de fines de los 80, en torno del 20%, aunque relativamente mayores que aquella de 1981 son relativamente bajas de acuerdo al estándar latinoamericano de entonces. 5) Las tasas de desempleo son muy inferiores a las de la crisis. 6) Por último, la deuda externa es un problema relativamente superado a fines de los 80; los coeficientes deuda externa/PGB y deuda externa/exportaciones son muy inferiores a aquellos observados en el período 1982-83, y corresponden a valores que sugieren (en 1989) que la economía chilena ha acomodado satisfactoriamente el servicio de la deuda externa.

Muchos economistas señalan que "el ajuste exitoso de la década del 80" sentó las bases de la saludable economía chilena de la década de los 90[118]. ¿Cómo se logró este proceso de ajuste tan exitoso? Es posible distinguir 3 etapas en este proceso[119]: al principio se aplicaron políticas recesivas para cerrar la brecha gasto-ingreso (1982-83). Posteriormente (1984) se optó por una política expansiva para reducir la brecha interna expresada en un desempleo superior al 30%. A partir de 1985, una tercera etapa trae consigo políticas de ajuste de precios relativos, ante la percepción de que el desequilibrio externo era un problema de largo plazo.

Los años 1982-83 registran la peor recesión económica en Chile desde la década del 30. El PGB cae 15%, la industria y la construcción experimentan contracciones superiores al 20%, el desempleo efectivo[120] alcanza a 30%, el número de quiebras de empresas se triplica, el Banco Central pierde más del 45% de sus

CUADRO 3.20. VARIABLES ECONÓMICAS SELECCIONADAS QUE ILUSTRAN LOS DESEQUILIBRIOS EXISTENTES Y EL AJUSTE EXITOSO. DÉCADA DEL 80

	Balance Comercial (FOB) (Millones de US$)	Cuenta Corriente (Millones de US$)	Crecimiento Económ. (PGB) (%)	Inflación (IPC) (%)	Desempleo (Nacional) (%)	Deuda Externa/ PGB (%)	Deuda Externa/ Exportaciones (Nº)
	(1)	(2)	(3)	(4)	(5)	(6)	(7)
1981	-2.677	-4.733	5,5	9,5	15,1	86,2	4,1
1982	63	-2.034	-14,1	20,7	26,1	108,3	4,6
1983	986	-1.073	-0,7	23,1	31,3	113,2	4,7
1987	1.229	- 808	5,7	21,5	13,1	104,8	4,0
1988	2.219	- 167	7,4	12,7	11,0	86,2	2,7
1989	1.578	- 740	10,0	21,4	9,9	69,0	2,2

Fuentes: Banco Central. Jadresic (1986), actualizado con cifras de las encuestas de desempleo de la Universidad de Chile.

reservas internacionales y la "cartera mala" del sistema financiero privado alcanza en promedio casi a triplicar el nivel de su capital (el Banco de Chile y el Banco Santiago, los dos principales, tienen pérdidas equivalentes a 4 a 5 veces su capital).

El año 1984 es un año distinto dentro del proceso de ajuste. La profunda y prolongada recesión de 1982-83 requirió la aplicación de medidas reactivadoras que redujeran los elevados costos del ajuste; un nuevo equipo económico se encargó de ello. Aunque los deudores internos ya habían recibido cierta ayuda del gobierno para aliviar su situación financiera, la opinión pública percibía que una economía en expansión era la mejor vía para una solución más definitiva al problema de la deuda interna, y para reducir el costo social vinculado al elevado nivel de desempleo. Además, puesto que la brecha gasto-ingreso había sido cerrada y que la devaluación requerida ya había tenido lugar –es decir, que las principales políticas de estabilización y ajuste estructural ya habían sido aplicadas–, se supuso que la economía chilena estaba en condiciones de iniciar el proceso de crecimiento. Las políticas expansivas aplicadas en esta segunda fase generaron un crecimiento del PGB de 6,3% en 1984, y una expansión industrial cercana al 10%[121]; el desempleo efectivo se redujo a menos del 25%. Como contraparte, se registró un rápido deterioro del desequilibrio externo: el superávit comercial (FOB) se redujo de US$ 986 millones (1983) a US$ 283 millones, y el DCC se incrementó de -US$ 1.073 millones (1983) a -US$ 2.060 millones.

Esta extremada vulnerabilidad externa sugiere una nueva percepción económica: el ajuste externo es un proceso de largo plazo, que requiere la mantención de un gasto interno austero. Un nuevo equipo económico se hace cargo a partir de 1985, y su objetivo principal es la reducción de los requerimientos de crédito externo. Para ello se considera necesaria una nueva devaluación real, puesto que la anterior –que había compensado por la pérdida de competitividad internacional experimentada durante los 3 años de tipo de cambio nominal fijo– fue estimada insuficiente para generar la transferencia real requerida por el servicio de la deuda externa. Las exportaciones deberían constituirse en el motor de crecimiento económico.

Fue necesario un monto considerable de recursos externos para financiar este programa. Resulta sorprendente que tras el deterioro de la cuenta corriente en 1984 Chile lograra obtener en 1985 un monto de *new money* por parte de la banca privada internacional similar al obtenido en 1984[122]. Además, se suscribe un programa de 3 años de Facilidad Ampliada (*Extended Fund Facility*, EFF) con el FMI, y un programa de 3 años del tipo SAL (*Structural Adjustment Loan*) con el Banco Mundial.

Las políticas que contribuyen al ajuste macroeconómico de la década del 80 contemplan: una posición no conflictiva ante el problema de la deuda externa, que posibilita la entrada de importantes flujos de recursos provenientes de los organismos multilaterales; una significativa devaluación real, que es posible gracias a la desindexación salarial aplicada en 1982, y al elevado nivel de desempleo producto de la profunda contracción económica; un importante ajuste fiscal, necesario para realizar la transferencia de la gran cantidad de recursos públicos utilizados para evitar el colapso de los sectores productivos y financieros; un conjunto de políticas heterodoxas en comercio exterior (aumento de tarifas, imposición de sobretasas y bandas de precios), política monetaria (tasa de interés "sugerida" por el Banco Central, regulación bancaria) y en cuanto a la movilidad de capitales (control cambiario, etc.). Finalmente, habría que agregar el muy favorable shock externo de términos de intercambio que comienza a fines de 1987 y se prolonga hasta 1992.

El programa de ajuste del FMI y del Banco Mundial

Desde 1983 en adelante, Chile recurrió al FMI[123], lo que implicó desde el comienzo un cambio total de las prioridades en el manejo de la economía chilena. Haciendo total abstracción de la situación económica interna, el primer programa del FMI señala de manera muy explícita que el problema más urgente de Chile es la reducción sustancial de la deuda externa. Para ello debía llevarse a cabo, según el FMI, una reducción rápida y abrupta del DCC. Para este efecto se define un programa económico cuyo componente central lo constituye el pago completo y puntual del servicio de la deuda externa[124].

Los elementos centrales del programa del FMI eran tres. *Política fiscal*: el control del déficit del sector público es desde el comienzo un objetivo prioritario del ajuste. Cabe recordar que el sector público había tenido superávit en el período previo al shock de la deuda externa. Sin embargo, como se verá, ha habido un importante ajuste fiscal. *Política monetaria*: para neutralizar el efecto monetario de los subsidios cuasi-fiscales proporcionados por el Banco Central al sector privado para evitar su quiebra, se establecieron restricciones al monto del crédito que podía ser canalizado hacia el sector público. *Política salarial:* estaba orientada a respaldar la devaluación real, lo que implicó la abolición de la indexación salarial y una reducción en términos reales del piso salarial utilizado en la negociación colectiva. Estas últimas medidas fueron de hecho puestas en práctica antes del primer *stand-by*.

La adopción de un programa de ajuste con el FMI tuvo beneficios y costos para Chile. Entre los primeros, habría que mencionar que el FMI proveyó de un volumen considerable de recursos financieros, y su sello fue fundamental para obtener también recursos de las otras organizaciones multilaterales (Banco Mundial y BID) y de la banca internacional. El primer *stand-by* del FMI (1983) proporcionó un programa macroeconómico anual coherente, en un momento en el que prevalecía el caos y las autoridades económicas no gozaban de ninguna credibilidad. Pero implicó también importantes costos a raíz de la reversión de las prioridades: mientras la discusión económica interna estaba abocada al problema de la reactivación económica para reducir el elevado desempleo, el *stand-by* del FMI requería la adopción de políticas fiscal y monetaria muy restrictivas. Más aún, sin análisis alguno de las causas del desequilibrio externo, el *stand-by* del FMI destacó la importancia de controlar el déficit fiscal; una simple mirada a las cifras es suficiente para determinar la inexactitud de dicho planteamiento (cuadro 3.30). Desde el comienzo, el FMI impuso a Chile una especie de "camisa de fuerza": el pago completo y puntual del servicio de la deuda externa.

A pesar del cumplimiento satisfactorio de los criterios cuantitativos fijados por el FMI[125], al finalizar 1984 el DCC era superior al objetivo fijado por el FMI (ver cuadro 3.21): en vez de estar en 4,5%, el DCC efectivo alcanzó al 7,3%, mucho peor que el de 1983. Esto se debió a las políticas expansivas de 1984.

El programa EFF (Facilidad Ampliada) del FMI para el período 1985-87 estuvo nuevamente orientado a reducir el elevado DCC. Para ello, y a pesar de las significativas devaluaciones reales ya experimentadas, nuevamente fueron decretadas abruptas y elevadas devaluaciones durante 1985. A esas alturas, ya se había percibido que el problema de la deuda externa no era de liquidez; el peso de la deuda externa requería un tipo de cambio real más depreciado del que había sido estimado previamente. Volveremos sobre ello.

Una vez más el FMI definió la estrategia de desarrollo de corto y mediano plazo para Chile: el crecimiento económico basado en la expansión de las exportaciones permitiría servir la deuda externa de una manera ordenada, y el control del nuevo endeudamiento externo reduciría el coeficiente deuda externa/PGB.

Como se observa en el cuadro 3.21, esta vez las autoridades económicas chilenas cumplieron los objetivos económicos definidos por el FMI; de hecho, el nuevo equipo económico que asume en 1985 (calificado por algunos como "más fondista que el Fondo") tenía como primera prioridad cumplir totalmente con los objetivos señalados por el FMI, y particularmente aquellos relacionados con el sector externo.

CUADRO 3.21. EVOLUCIÓN ECONÓMICA PROYECTADA EN PROGRAMAS DEL FMI Y RESULTADOS EFECTIVOS. CHILE, 1983-87

	1983		1984		1985		1986		1987	
	Proyec-ción FMI	Resultado efectivo	Proyec-ción FMI	Resultado efectivo	Proyec-ción FMI	Resultado efectivo	Proyec-ción FMI	Resultado efectivo	Proyec-ción FMI	Resultado efectivo
Déficit Cuenta Corriente (millones de US$)	-1.602	-1.117	-1.300	-2.060	-1.380	-1.329	-1.300	-1.137	-1.000	-811
Crecimiento PGB (%)	4,0	-0,7	4,5	6,3	2,0 a 4,0	2,4	3,0 a 5,0	5,7	3,0 a 5,0	5,7
Inflación (%)	25	20,7	20	23,1	25	26,4	15 a 20	17,4	10 a 15	21,5
Balanza de pagos (millones de US$)	-485	-541	0	17	+80	-99	+15	-228	+10	45
Déficit sector público (% del PGB)	1,7	3,3	0	4,5	3,0 a 3,5	2,9	2,3	1,6	1,7	-0,3

Fuente: Banco Central, Ministerio de Hacienda, FMI, Larrañaga y Marshall (1990).

239

Durante este período, había una interacción extremadamente cercana entre el equipo del Fondo y el del Banco Mundial para asegurar la consistencia de las medidas de estabilización y de ajuste estructural. El Fondo y el Banco Mundial coincidieron totalmente en las cuestiones globales y en las específicas, y trabajaron conjuntamente para apoyar al gobierno de Chile en la renegociación de la deuda externa con la banca privada internacional.

Los elementos más relevantes de los programas de ajuste SAL del Banco Mundial ya habían sido aplicados en Chile previamente al problema de la deuda externa (las reformas estructurales de la década del 70). En consecuencia, constaban de mucha palabrería y requerían cambios menores, los cuales de todas maneras estaban siendo ejecutados por las autoridades económicas chilenas; el acuerdo logrado con los programas SAL constituía un *free ride* para Chile. De hecho, el componente nuevo más importante de los programas SAL fue el Fondo de Estabilización del Cobre (FEC).

La lógica económica del FEC es la siguiente. Por el gran peso de la deuda externa chilena y el restringido acceso al crédito externo, es crucial la mantención de un tipo de cambio real elevado (depreciado) por muchos años. El cobre representa cerca del 45% de las exportaciones, luego un incremento en el volátil precio internacional del cobre genera presiones para una apreciación real del peso, desincentivando así la inversión en actividades productivas de exportaciones no cupríferas. El FEC debería romper la conexión entre el precio del cobre y la producción de exportaciones no cupríferas. La empresa pública CODELCO, cuando obtenga ingresos "extras" debido al mayor precio del cobre, deberá esterilizar dichos ingresos en un fondo especial creado por la Tesorería como depósito en el Banco Central; éste puede utilizar tal depósito sólo para efectos de contabilidad de sus reservas internacionales.

El programa SAL fracasó incluso en relación al cumplimiento de este objetivo específico. Dado el elevado precio del cobre en los años 1988 y 1989, el FEC debería haber acumulado US$ 1.700 millones de dólares a fines de 1989[126]. Las autoridades económicas de la dictadura militar utilizaron la mayor parte de estos recursos para financiar las políticas expansivas de 1988 y 1989, para así ganar votos en el plebiscito de 1988 y en la elección presidencial de 1989. Este comportamiento parece haber violado los principios de neutralidad económica, políticas estables y responsables, y la no intervención del gobierno en la esfera económica.

Dos principios básicos rigen el comportamiento del gobierno chileno durante la década del 80 ante el problema de la deuda externa. El principio no confrontacional implica que el gobierno avala la deuda externa no garantizada del sector privado financiero nacional (el monto de créditos irrecuperables de la banca privada correspondiente a créditos externos ha sido estimado por el Banco Mundial en una cifra superior a US$ 3.500 millones); además, mantiene el pago total y puntual de los intereses de la deuda externa. A cambio obtiene una reprogramación ordenada y conveniente de la mayor parte del capital. El segundo principio asevera que la aplicación de políticas macroeconómicas coherentes y un esfuerzo serio de ajuste atraería créditos externos. Estos dos principios sustentan la noción de que es rentable para Chile invertir en su reputación, pues ello le permitirá el acceso al mercado internacional de crédito voluntario[127].

El cuadro 3.22 ilustra los principales flujos de créditos externos durante el período de ajuste. El *new money* (crédito de mediano y largo plazo) de la banca privada disminuye sostenidamente hasta llegar a cero. Las organizaciones multilaterales (FMI, Banco Mundial y BID) proporcionan un monto anual promedio de US$ 760 millones (en el período 1983-87), lo que equivale al 40% del servicio de la deuda externa. La inversión en reputación sólo tuvo, por tanto, efecto sobre las organizaciones multilaterales. La banca privada internacional dedicó numerosos elogios al proceso de ajuste chileno, pero no le facilitó el acceso al mercado de crédito voluntario (de mediano y largo plazo) hasta el año 1989.

A fines de 1987, la economía chilena experimenta un importante shock positivo en sus términos de intercambio, que reduce (e incluso elimina) la necesidad de nuevos créditos externos. En efecto, si se utiliza el período 1980-86 como base para los precios internacionales de tres importantes productos de exportación, se observa lo siguiente: 1) El precio de la libra de cobre aumenta de 72,4 ¢ US$ /lb (promedio 1980-86) a 80,8 ¢/lb (1987), 117,9

CUADRO 3.22. PRINCIPALES FUENTES DE FINANCIAMIENTO EXTERNO.
CHILE, 1983-87 (MILLONES DE DÓLARES)

	1983	1984	1985	1986	1987
Banca comercial *new money*	1.300	780	714	370	0
Organizaciones multilaterales	335	448	549	507	519
(Banco Mundial, BID, etc.)					
FMI (incrementos anuales)[a]	600	176	303	243	124
Crédito de proveedores	145	391	207	341	509
Crédito comercial de corto plazo	-1.339	280	36	129	147
Total (Flujos financieros de Cuenta de Capitales[b] más el crédito anual del FMI)	1.041	2.075	1.809	1.590	1.299

Fuentes: Fontaine (1989); Banco Central; FMI.
[a] Al final de 1987, el crédito total proporcionado por el FMI era US$ 1.450 millones.
[b] Excluye los pagos de amortizaciones.

¢/lb (1988) y 129,2 ¢/lb (1989)[128]. 2) El precio de la harina de
pescado varía de US$ 391,7/ton. (promedio 1980-86) a
US$ 383,4/ton. (1987), US$ 544,4/ton. (1988) y US$ 409,1/ton.
(1989). 3) El precio de la celulosa sube de US$ 462,8/ton. (promedio 1980-86) a US$ 612,9/ton. (1987), US$ 739,7/ton. (1988)
y US$ 829,5/ton. (1989). Las nuevas Cuentas Nacionales proporcionan las siguientes magnitudes para el efecto positivo de los
términos de intercambio (base año 1986): 2,6% (PGB) en 1987,
6,3% (PGB) en 1988 y 6,9% (PGB) en 1989; dado que la base
utilizada es el año 1986, hay una sobreestimación de este efecto
positivo cercana al 15%. En todo caso, un shock externo positivo
superior al 5% del PGB en los años 1988 y 1989 implica que la
economía chilena recibe un monto anual cercano a los US$ 1.500
millones; una cifra de esta magnitud prácticamente duplica el
crédito anual hasta entonces proporcionado por los organismos
multilaterales.

La devaluación real

Puesto que la mayoría de las reformas estructurales básicas ya
habían sido aplicadas en los años 70, la devaluación pasa a ser el
instrumento central del ajuste de la década del 80.

La devaluación sube el precio interno en moneda local de los bienes transables, aumentando de esta forma el precio relativo de transables/no transables; esta variación de precios relativos incentiva, en la producción, la preferencia por los bienes transables, mientras que en el consumo incentiva la sustitución hacia bienes no transables. Estos dos procesos ayudan a reducir el desequilibrio de la cuenta corriente. Sin embargo, para que una devaluación nominal no sea erosionada por la inflación y efectivamente produzca un cambio en los precios relativos se requieren políticas fiscales y monetarias que ayuden a validar la devaluación. Esta es una condición necesaria pero no suficiente, en el corto y mediano plazo una devaluación real requiere también de una caída del salario real (si existe indexación salarial de 100%, entonces es necesario desindexar). Y del uso de un régimen cambiario con minidevaluaciones después de una devaluación abrupta, que ha probado ser el más apropiado para mantener el nuevo valor real del tipo de cambio[129].

En el proceso de ajuste chileno las devaluaciones nominales han logrado generar devaluaciones reales. El cuadro 3.23 y el gráfico 3.6 muestran que las devaluaciones nominales anuales son superiores a las tasas de inflación correspondientes entre 1982 y 1985; después se dio una cierta correspondencia basada en la aplicación de una regla de minidevaluaciones que consideraba el diferencial entre la inflación interna y la externa. Sin embargo, esta regla de minidevaluaciones (*crawling peg*) no fue aplicada de manera muy estricta: el Banco Central estableció un tipo de cambio de referencia con una franja inicial de 2% que más tarde fue ampliada a 5%; de esta manera, con posterioridad a 1986 el Banco Central tuvo la posibilidad de cambiar, dentro de un margen relativamente pequeño, de un sistema de *crawling peg* pasivo a uno activo.

La devaluación real produjo una importante reasignación de recursos hacia el sector transable. Utilizando la evolución de la participación relativa en el PGB (real y nominal) de los sectores transables y del sector exportador[130], es posible observar que el sector exportador incrementa su participación en el PGB real en 5 puntos porcentuales, mientras que el sector transable lo hace en casi 2 puntos porcentuales. Este incremento relativo en el PGB real está asociado a un mayor uso relativo de factores producti-

CUADRO 3.23. DEVALUACIÓN NOMINAL E INFLACIÓN. CHILE, 1981-89
(PORCENTAJES)

	1981	1982	1983	1984	1985	1986	1987	1988	1989
Devaluación nominal	0,0	30,5	54,8	25,0	63,4	19,9	13,7	11,7	9,0
Promedio de inflación anual[a]	19,7	9,9	27,3	19,9	30,7	19,5	19,9	14,7	17,0

Fuente: Banco Central, *Boletín Mensual,* varios números.
[a] Esta tasa de inflación corresponde al promedio anual de variación del IPC.

GRAFICO Nº 3.6. DEVALUACION NOMINAL Y TASA DE INFLACION
(PORCENTAJES)

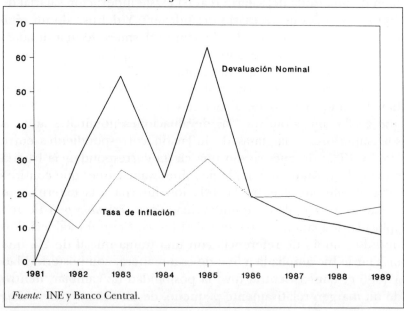

Fuente: INE y Banco Central.

vos y a un aumento de productividad relativamente mayor. El sector exportador, y el sector transable en general, aumenta su participación en el PGB nominal en 12 puntos porcentuales, lo que refleja el mayor incremento relativo de sus ingresos. Una parte de este incremento se debe a un mayor uso relativo de factores productivos; otra parte correspondería a la reversión del deterioro del sector transable durante el período de tipo de cambio nominal fijo (1979-82); sin embargo, una parte importante corresponde a la redistribución intersectorial de ingresos. Dado que cerca del 36% de las exportaciones es generado por la Gran Minería del Cobre (CODELCO), el sector público capta una fracción considerable en esta redistribución interna de ingresos.

Si utilizamos el nivel del tipo de cambio real del bienio 1980-81 como referencia, la devaluación real de los años 80 (hasta 1986) alcanzaría al 80% (ver cuadro 3.24). ¿Cómo fue posible una devaluación real de esta magnitud? ¿qué evitó que las grandes devaluaciones nominales generaran mayores presiones inflacionarias, como lo hicieron en otras economías latinoamericanas? Este es uno de los puntos aún no resueltos ni empírica ni analíticamente. Varios factores se relacionan con él: a) La contracción del salario real torna más competitiva la economía local; pero, ¿cómo puede una caída de salarios reales de 10% (según las estadísticas oficiales) generar una devaluación real de 80%? Una revisión de la evolución de las remuneraciones reales en la década del 80 sugiere que la contracción de éstas habría sido cercana al 20% (cuadro 3.24)[131]. b) La contracción del gasto público, relativamente más intensivo en bienes no transables, ayudaría a elevar el precio relativo de bienes transables/bienes no transables y, en consecuencia, induciría a una devaluación real; resultados econométricos muestran sin embargo que este efecto no es empíricamente relevante[132]. c) Cambios estructurales, como la mayor o menor movilidad o disponibilidad de capitales externos y shocks de términos de intercambio, afectan la evolución del tipo de cambio[133].

La decisión de llevar a cabo una significativa devaluación real constituyó un elemento clave en la reducción de los desequilibrios externos e internos. En efecto, por una parte elevó la competitividad internacional chilena estimulando la expansión de las exportaciones y la producción de bienes competitivos con las importaciones; de esta manera se reduce el desequilibrio externo. Por otra parte, la devaluación (real) genera una transferencia de ingresos al sector exportador en particular, y en este caso a la GMC (sector público); luego, con esta mayor disponibilidad de recursos el sector público puede reducir el déficit fiscal y cuasifiscal, disminuyendo las presiones inflacionarias y contribuyendo a la solución del desequilibrio interno.

CUADRO 3.24. TIPO DE CAMBIO REAL Y SALARIO REAL. CHILE, 1980-87
(1980-81 = 100)

	Tipo de Cambio Real			Salario Real	
	FMI	Banco Mundial	Banco Central	Oficial (INE)	Calculado
	(1)	(2)	(3)	(4)	(5)
1980	106,2	107,4	106,8	95,7	95,0
1981	93,8	92,6	93,2	104,3	105,0
1982	132,3	105,7	103,9	104,0	110,3
1983	124,3	126,0	124,1	93,0	91,1
1984	141,2	127,8	129,8	93,1	86,5
1985	180,6	142,7	159,8	89,0	80,0
1986	195,4	186,8	175,9	90,9	81,5
1987	182,0		90,6	81,2	

Fuentes: Col. 1): Programa EFF-FMI (Julio, 1987).- El tipo de cambio nominal es ajustado por un índice de precios (IPC) ponderado y tipo de cambio ponderado de acuerdo a los 16 socios comerciales más importantes de Chile. Los valores corresponden al mes de diciembre de cada año.

Col. 2): World Bank (1987). Indice de tipo de cambio real ponderado según flujos comerciales. Valores promedios anuales.

Col. 3): Banco Central (citado en Fontaine, 1987). Tipo de cambio real efectivo promedio de cada año, computado como el promedio ponderado (las importaciones son las ponderaciones) del IPM de los principales socios comerciales de Chile, convertido a pesos con el tipo de cambio oficial y deflactado por el IPC (Chile). Valores promedio anuales.

Col. 4): INE.

Col. 5): Los datos básicos de salarios nominales han sido obtenidos de la ACHS (Asociación Chilena de Seguridad) que posee una muestra grande de empresas (4.000) que tiene una amplia cobertura de tamaños de empresas, sectores económicos y regiones. La misma muestra de las 4.000 empresas ha sido utilizada durante el período 1980-87. Los salarios han sido ponderados utilizando cifras nacionales sectoriales de empleo.

Políticas heterodoxas utilizadas en el ajuste

El modelo económico de libre mercado, comercio libre con aranceles bajos, desregulado y políticas neutras fue modificado durante el proceso de ajuste de la década del 80. Veamos primero las distintas medidas económicas relativas al comercio exterior posteriores a 1982.

En primer lugar, los aranceles subieron del 10% (1982) hasta el 35% (1984) (cuadro 3.25), de lo que se deduce que Chile habría efectuado *dos* reformas comerciales, aunque la mayor parte de la atención la ha concentrado la reforma comercial realizada en la década del 70. La reforma comercial chilena de la década del 80, en la cual las tarifas a las importaciones se reducen hasta un 11% (1991), ha pasado totalmente inadvertida, circunstancia particularmente extraña por cuanto mientras la primera resulta un fracaso la reforma del ochenta es notoriamente exitosa. Otro aspecto interesante es la diferencia en la velocidad de realización de ambas reformas comerciales: en la liberalización comercial de los 70, los aranceles se reducen del 22% al 10% en 2 años, mientras que en la década del ochenta bajan del 20% al 11% en un lapso de 5 años y medio (gráfico 3.7).

De manera adicional al incremento arancelario, se aplicaron también sobretasas arancelarias. Cada año, de 1983 a 1989, cerca de 50 productos en promedio debían pagar sobretasas; éstas tenían inicialmente un valor que oscilaba alrededor del 20%, para declinar posteriormente al 5%. Las sobretasas se mantuvieron más de 3 años para algunos productos como neumáticos, productos lácteos, fósforos, prendas de vestir y tejidos de algodón[134].

A partir de 1983, se reestablecieron asimismo bandas de precios para el azúcar, el trigo y el aceite vegetal; este mecanismo, que había sido eliminado en 1980, tenía como objetivo aislar al productor nacional de las fluctuaciones de los precios internacionales. Al transformar las bandas de precios (aplicadas) en el arancel equivalente para cada rubro, se observan los siguientes valores: 64% (promedio 1984-89) para el azúcar, 27% (promedio 1984-87) para el trigo, 70% (promedio 1988-89) para el aceite[135].

La política monetaria, por su parte, cambia radicalmente a partir de 1983. Ya no es más una política monetaria totalmente pasiva con libertad en la determinación de la tasa de interés; desde 1983, y hasta 1989, se aplica una política monetaria activa, concentrada en "sugerir" la tasa de interés de captación (1983-85) y luego, en el período 1985-89, en "orientar" las tasas reales de interés. "La señal de tasas de interés del Banco Central se transformó en un factor determinante de las decisiones de gasto de los agentes económicos"[136]. El efecto de esta acción del Banco Central es notorio: tasas de interés *real* anual superiores al 30% (colocaciones de 30 a 90 días) en 1981 y 1982 disminuyen al 15% (1983), para seguir cayendo hasta alcanzar valores de un dígito a partir de 1986.

CUADRO 3.25. TARIFAS NOMINALES DESPUÉS DEL SHOCK EXTERNO.
CHILE, 1982-90 (PORCENTAJE)

1982	1983	1984	1985	1986	1987	1988	1989	1990
10	20[a]	20÷35[b]	30÷20[c]	20	20	15[d]	15	15

Fuente: Banco Central.
[a] Las tarifas se incrementan a 20% en marzo, 1983.
[b] Las tarifas se incrementan a 35% en septiembre, 1984.
[c] Las tarifas se reducen a 30% en marzo, y a 20% en junio, 1985.
[d] Las tarifas se reducen a 15% en enero, 1988.

GRAFICO Nº 3.7. TARIFAS NOMINALES EN LA DECADA DEL 80

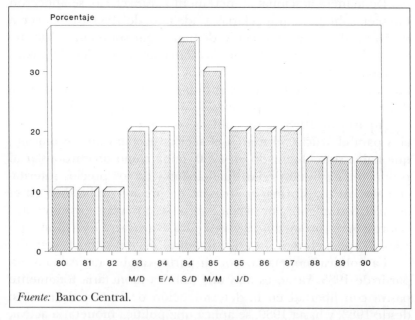

Fuente: Banco Central.

Desde el punto de vista institucional, se produce una profunda modificación en el sistema de regulación y supervisión del sistema bancario y financiero, que culmina con la Ley General de Bancos (1986); de esta forma, se establecen rigurosos mecanismos de control para preservar la solvencia de las instituciones bancarias y financieras. Algunas de las nuevas medidas fueron pleno aprovisionamiento de los riesgos de pérdida y el retiro del 100% de la garantía estatal a los depósitos[137].

Los controles cambiarios fueron establecidos en septiembre de 1982 para frenar la masiva fuga de capitales; ello implicó, entre otras cosas, suspender la venta mensual de US$ 10.000 por persona, instaurar las cuotas máximas de divisas para viajeros al exterior, reducir de US$ 5.000 a US$ 1.000 el monto que un exportador podía mantener en el exterior y establecer un mínimo de 120 días para el pago de las importaciones. El control cambiario generó un mercado paralelo de divisas con un diferencial promedio cercano al 20% en el bienio 1983-84. Además, el Banco Central estableció un mecanismo de *swaps* por el cual un agente efectuaba depósitos en dólares (que pagaban interés) en el Banco Central con una garantía de retrocompra en la que el Banco Central asumía el riesgo de la devaluación[138]. Por último, se creó el mecanismo del dólar preferencial, que era en realidad un subsidio para aquellos agentes endeudados en dólares; el monto de este subsidio alcanzó cifras considerables.

Las sobretasas arancelarias específicas, las bandas de precios y el dólar preferencial violan abiertamente el principio de neutralidad de las reglas económicas. Por otra parte, dada su naturaleza excepcional y transitoria (6 meses para las sobretasas, un año para las bandas), su visibilidad y requerimiento de renovación conducen eventualmente a su eliminación; no obstante, pueden generar importantes rentas privadas durante su vigencia.

Costos del ajuste

La transferencia al exterior

El proceso de ajuste requería de la existencia de superávit en la balanza comercial (CIF) para poder servir la deuda externa; un superávit comercial implica una transferencia de recursos reales al exterior. Para medir el monto total de esta transferencia de recursos efectuada por Chile para acomodar el servicio de la deuda externa, hay que considerar la suma del superávit comercial (CIF) y de las variaciones de reservas internacionales; aunque esta operación mezcla recursos reales y financieros, proporciona una mejor cuantificación del esfuerzo efectivo realizado por el país[139].

CUADRO 3.26. MEDICIÓN DE LA TRANSFERENCIA REAL AL EXTERIOR.
CHILE, 1982-89

Balance Comercial (CIF) Millones de US$	Bal. Com. (CIF) más Variación de Reserv. Int. Millones de US$	Balance Com. (CIF) más Variación de Reservas Internacionales como % de		
		Exportaciones	Pagos Netos de Intereses	Deuda
(1)	(2)	% (3)	% (4)	% (5)
1982 - 492	673	18,2	35,0	3,9
1983 534	1.075	28,1	61,5	6,0
1984 - 193	- 210	- 5,7	- 10,4	- 1,1
1985 484	583	15,3	30,6	2,8
1986 624	852	20,3	45,1	4,2
1987 766	721	13,8	42,4	3,5
1988 1.576	844	12,0	44,0	4,5
1989 943	506	6,3	26,3	2,9

Fuente: Banco Central, *Boletín Mensual,* y *Deuda Externa de Chile.*

Entre 1982 y 1988 (salvo 1984), la economía chilena realizó una transferencia real cercana a US$ 800 millones por año (cuadro 3.26); esta cifra representaba entre el 3% y el 4% del PGB[140] y en promedio un 18% de las exportaciones, con una tendencia declinante hasta llegar al 10% en 1989.

La magnitud del costo de ajuste

Sean Z_t y Y_t el gasto interno real y el ingreso (PGB) real en el año t. La existencia de una brecha gasto-ingreso $(Z_t > Y_t)$ genera un desequilibrio en la cuenta externa; es necesario revertir esta situación para realizar el ajuste externo requerido, y además es necesario que $Y_t > Z_t$ para producir la transferencia real relacionada al servicio de la deuda externa. Para lograr este objetivo, las políticas contractivas (*expenditure-reducing*) se orientan a reducir el gasto Z_t, mientras que las políticas reasignadoras (*expenditure-switching*) se proponen incrementar Y_t; dado el diferencial existente en los rezagos con que actúan estas políticas, el ajuste interno inicial descansa sobre la contracción de Z_t más que en la expansión de Y_t.

La disminución de un desequilibrio externo, entonces, requiere necesariamente de una reducción del gasto interno, lo

250

que implica inevitablemente un costo de ajuste. El *costo primario de ajuste*[141] es aquella contracción de gasto interno necesaria para cerrar la brecha gasto-ingreso y para acomodar además la transferencia real al exterior. *Costo secundario de ajuste* es aquel creado por la existencia de rigideces estructurales (como precios rígidos, especificidad sectorial del capital, imperfecciones, rezagos) y por un mal diseño (*overkill*) de las políticas de ajuste. Estos costos secundarios corresponderían a un proceso ineficiente, y por ello hay que minimizarlos.

La medición de los costos primarios y secundarios de ajuste de la economía chilena, utilizando 1981 como referencia, proporciona los siguientes resultados[142]: 1) Los costos totales del ajuste fueron considerables; el gasto real interno cayó más del 30% durante los primeros dos años del ajuste y más del 20% en los tres años siguientes. 2) Durante los primeros dos años, los costos primarios y secundarios representaron respectivamente cerca del 50% del costo total; en los dos años siguientes los secundarios disminuyeron al 30% del total. 3) La producción de bienes transables cayó casi un 5% del PGB durante los primeros dos años del ajuste, y cerca de un 1% durante los dos siguientes. A pesar de la gran devaluación real de 1982, el sector transable tardó 4 años en recuperar el nivel de producto real que tenía en 1981; la mayor parte de la contracción de la producción de bienes transables provino de aquella destinada al mercado local. La notable expansión de las exportaciones no pudo, hasta 1985, compensar esa contracción total del sector productor de transables.

Estos resultados indican que el proceso de ajuste chileno fue ineficiente, porque generó un costo innecesariamente elevado durante un lapso considerable, como consecuencia de un claro *overkill* en las políticas aplicadas.

Impacto distributivo

Deuda interna y subsidios del Banco Central

Las elevadas tasas de interés real, la gran magnitud de la devaluación real, la profunda recesión económica y la repentina contracción del crédito externo produjeron serios problemas de

251

liquidez y solvencia al sector productivo y financiero. Los deudores en moneda extranjera y nacional no estaban en condiciones de servir sus deudas, y la banca comercial comenzó a acumular una creciente cartera vencida e incobrable, la que se transformó en un problema muy acuciante de 1982 en adelante. El Banco Central tuvo un papel crucial como "prestamista de última instancia", proporcionando un flujo continuo de liquidez para evitar el colapso del sistema financiero y productivo[143].

Pero el Banco Central cumplió además otra función, la de "rescatador de deudores (importantes)". El principal mecanismo utilizado para ello fue el "dólar preferencial". El otro beneficio recibido por estos deudores fue el proceso de desdolarización, esto es, la conversión de deudas en dólares a deuda en pesos justo antes de una nueva devaluación abrupta (septiembre 1984). El subsidio proporcionado por el Banco Central a este último proceso alcanzó a US$ 232 millones.

En 1983, el sistema financiero privado estaba técnicamente quebrado; los préstamos irrecuperables y los riesgosos eran equivalentes a un múltiplo importante del capital de los bancos comerciales. Para evitar un colapso financiero, los principales bancos privados recibieron el total respaldo del Banco Central, y el resto obtuvo importantes "préstamos de emergencia". El Banco Central canalizó grandes flujos de recursos financieros y puso en práctica una serie de medidas para restablecer un sistema financiero solvente[144]; para ello utilizó recursos públicos, que fueron destinados a recapitalizar los bancos comerciales mientras que al mismo tiempo se imponían restricciones en torno al uso de las futuras utilidades bancarias[145].

Las autoridades económicas emplearon diversas soluciones para resolver el problema de los deudores en pesos. Durante 1982 se intentó aplicar la "solución del mercado", esto es, a través de quiebras y remates de las garantías reales asociadas a los créditos no pagados se distribuirían las pérdidas según cada caso específico entre deudores y acreedores. Pero ni los deudores ni los bancos estaban interesados en aplicar esa solución; además, el número de deudores insolventes era tan alto que el lento sistema judicial se hallaba incapacitado para enfrentar el problema. Los deudores en pesos se quejaban además de que estaban siendo discriminados, porque mientras los deudores en moneda

CUADRO 3.27. SUBSIDIOS CUASIFISCALES PROPORCIONADOS
POR EL BANCO CENTRAL. CHILE, 1982-87

	1982	1983	1984	1985	1986	1987	1988
Subsidio vía "dólar preferencial" (millones de dólares)	906	638	395	932	111	37	
Subsidios cuasifiscales totales proporcionados por el Banco Central (% PGB)	4,9	3,9	4,5	6,9	2,8	1,2	0,6

Fuentes: Subsidio "dólar preferencial": Gémines y FMI.
Subsidio Cuasifiscal Total: Larrañaga y Marshall (1990).

GRAFICO Nº 3.8. DEFICIT FISCAL Y SUBSIDIOS CUASIFISCALES DEL
BANCO CENTRAL, 1982-1988

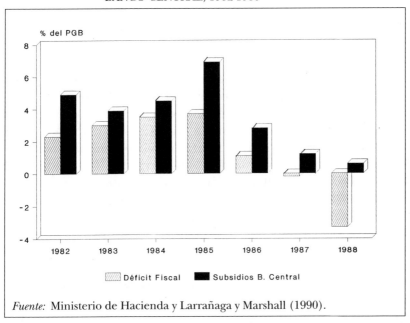

Fuente: Ministerio de Hacienda y Larrañaga y Marshall (1990).

extranjera y los bancos comerciales estaban recibiendo subsidios
del Banco Central, a ellos se les exigía que fueran a la quiebra. Si
uno de los principios básicos de un sistema de mercados libres es
la neutralidad de la política económica, ¿qué justificaba dicha
discriminación?

Como la "solución del mercado" no estaba funcionando y la
situación económica empeoraba, el número de deudores en pe-

sos aumentó significativamente, y comenzaron a presionar por una "solución política": el gobierno debía intervenir para ayudar a los deudores y así redistribuir las pérdidas hacia el resto de la sociedad.

En síntesis, el Banco Central otorgó subsidios relativamente elevados a la banca privada y a los deudores en pesos y moneda extranjera (ver cuadro 3.27 y gráfico 3.8). Desde un punto de vista técnico, tales subsidios tienen un significado análogo a aquellos proporcionados por el gobierno a través del gasto fiscal: son transferencias hacia sectores y agentes económicos en las cuales se utilizan recursos de la sociedad. Por lo general no están incluidos ni computados como "gastos" del sector público.

El monto de recursos que el Banco Central destinó al rescate de deudores alcanzó a 6.000 millones de dólares en el período 1983-85, lo que equivale aproximadamente al 30% del PGB de aquellos años. Los subsidios cuasi-fiscales aportados por el Banco Central, que superaron el 4% del PGB en cada año del período 1982-85, fueron mayores que los déficit públicos tradicionales (sector público no financiero) para el mismo período. La Tesorería tuvo que proporcionar recursos (Bonos de Tesorería) para recapitalizar el Banco Central; a través de esta "donación" se genera la deuda que el Fisco contrae con el organismo emisor.

No obstante la magnitud de los recursos involucrados, hay que observar que el Banco Central evitó la quiebra de la parte más importante del sistema productivo y financiero privado del país; sin embargo, una porción sustancial de esas ayudas *no* tuvo un impacto distributivo de tipo neutral.

Tres son las consecuencias más importantes de esta crisis financiera. En primer lugar, la experiencia del "aprendizaje vía sufrimiento": en vez de anticiparse a posibles resultados negativos, la miopía o ceguera ideológica no permite actuar sino cuando ya se ha generado el problema. Las autoridades económicas diseñaron e instauraron un nuevo sistema institucional de supervisión y regulación del sistema bancario y financiero. Los bancos y los agentes económicos adoptaron actitudes muy cautelosas en sus estrategias de oferta y demanda de créditos en los años posteriores a la crisis financiera: los bancos restringieron sus créditos sólo a clientes confiables y seguros que proporcionaban las garantías reales necesarias y emprendían proyectos de inversión de bajo riesgo y rentabilidad atractiva; los agentes económicos, por su parte, se cuidaron de repetir la experiencia previa de sobreendeudamiento; además, tenían dificultades para proporcionar las garantías requeridas. Por otro lado, la intervención del gobierno en los bancos y empresas pertenecientes a los dos grupos económicos más grandes del país creó el "área rara" de la economía, un sistema no definido de propiedad en el cual no estaba claro a quién pertenecían los activos del complejo y artificioso esquema interconectado de empresas productivas y financieras creado por estos dos grupos. Tomó bastante tiempo desenredar la maraña y reprivatizar esta área "rara". Finalmente, el Banco Central quedó en una situación patrimonial bastante complicada, la que incluso durante la década del 90 afecta los grados de libertad que posee para el manejo de política monetaria.

Desempleo y salarios reales

Los principales efectos de las políticas de contracción del gasto interno fueron el elevado incremento del desempleo y la severa reducción del salario real; ambas circunstancias se mantuvieron además por bastante tiempo. El desempleo efectivo estuvo sobre el 24% durante 4 años consecutivos (1982-85), alcanzando un nivel máximo de 31,3% en 1983. El salario real promedio se redujo casi un 20% y estuvo deprimido por un largo período; el ingreso mínimo líquido se redujo en un 40% (ver cuadro 3.28).

Es interesante examinar la evolución histórica del desempleo y de los salarios reales antes y durante el proceso de ajuste (gráficos 3.9 y 3.10). En la primera etapa del ajuste el desempleo se elevó rápidamente, superando el 20%; simultáneamente, y debido a la existencia de la indexación salarial, los salarios reales aumentaron durante el primer semestre de 1982. Junto con la devaluación se eliminó la indexación salarial y se dictó (1982) una disposición especial orientada a la reducción de salarios *nominales*, especificando que el nivel-piso de los salarios reales era aquel que existía en 1979, antes del establecimiento del tipo de cambio nominal fijo. Esta disposición implicaba una caída de salarios reales cercana a 20%. Utilizando el enfoque neoclásico, se argumentó que una contracción de los salarios reales reduciría el desempleo. Esto es lo que sucedió al final, pero no inme-

CUADRO 3.28. DESEMPLEO Y SALARIOS REALES. CHILE, 1980-89

	Desempleo efectivo* (%) (1)	Indice Revisado de salarios reales (1980-81 = 100) (2)	Indice de Ingreso mínimo líquido (1980-81 = 100) (3)	Ingreso Nacional per cápita (1980-81=100) (4)	Crecimiento del empleo (%) (5)
1980	17,0	89,0	97,1	99,1	3,5
1981	15,1	111,0	102,9	100,9	5,1
1982	26,1	115,4	102,0	81,0	-12,1
1983	31,3	98,6	79,6	80,1	- 3,0
1984	24,7	94,9	67,6	81,6	11,4
1985	21,7	88,6	64,3	81,9	6,3
1986	17,3	89,4	61,3	85,7	8,9
1987	14,1	89,2	57,6	92,2	8,4
1988	11,3	96,0	61,6	100,7	6,3
1989	9,2	n.a.	87,5	109,1	3,7

Fuentes: Columnas (1) y (5): Jadresic (1986) y Universidad de Chile.
Columna (2): Meller (1992). Ver cuadro 3.24.
Columna (3): INE.
Columna (4): Banco Central e INE.
* Incluye PEM y POJH.

diatamente: durante un par de años los salarios reales se redujeron pero la tasa de desempleo se mantuvo sobre el 24%.

Del cuadro 3.29, que sintetiza la estructura de desempleo y empleo según hogares de distintos niveles de ingresos durante los años de la profunda recesión (1982-83), se desprende que el desempleo afecta proporcionalmente en mayor medida a los grupos más pobres de la población: más del 50% de los desocupados pertenece al grupo del 20% de menores ingresos. Además, el impacto del desempleo es relativamente más severo en estos grupos debido a que poseen un menor número relativo de perceptores de ingresos.

La extensión del período de desempleo durante el ajuste fue superior a 3 meses para más del 60% de los desocupados[146], provocando en sus familias serios problemas de supervivencia. Un programa de compensación de desempleo ya existente cubría sólo al 15% de los desocupados, por lo que se crearon un par de programas de empleo público (PEM y POJH) para canalizar subsidios de cesantía, en los que se integraron cerca de 500.000

GRAFICO Nº 3.9.   DESEMPLEO Y SALARIOS REALES EN CHILE,
1980-1988

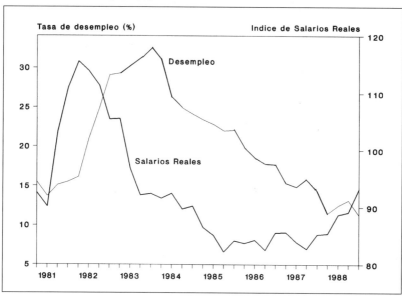

GRAFICO Nº 3.10.   DESEMPLEO Y SALARIOS REALES EN CHILE,
1980-1988

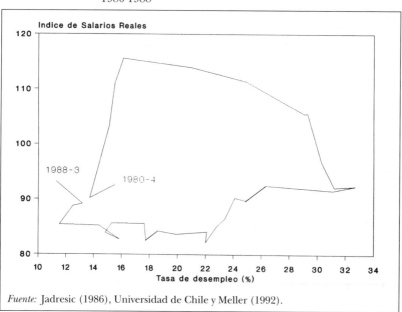

Fuente: Jadresic (1986), Universidad de Chile y Meller (1992).

257

CUADRO 3.29. Estructura de desempleo y empleo según hogares de distintos niveles de ingresos. Gran Santiago, 1981-83 (porcentajes)

	1981	1982	1983
Porcentaje de Hogares cuyo Jefe de Hogar está Desempleado			
Familias del 20% de menores ingresos	10,0	26,8	24,7
Familias del 30% de ingresos medio-bajo	2,9	7,3	10,2
Familias del 30% de ingresos medio-alto	1,6	4,3	6,1
Familias del 20% de mayores ingresos	0,3	2,3	2,5
Porcentaje de Hogares cuyo Jefe de Hogar está Empleado			
Familias del 20% de menores ingresos	56,0	35,1	42,4
Familias del 30% de ingresos medio-bajo	78,7	65,2	64,2
Familias del 30% de ingresos medio-alto	77,4	72,0	66,2
Familias del 20% de mayores ingresos	86,9	78,7	79,4
Número Promedio de Perceptores de Ingreso por Hogar			
Familias del 20% de menores ingresos	1,2	1,1	1,1
Familias del 30% de ingresos medio-bajo	1,5	1,4	1,4
Familias del 30% de ingresos medio-alto	1,8	1,7	1,7
Familias del 20% de mayores ingresos	2,1	1,9	2,0

Fuente: Riveros (1984). Datos básicos provienen de las encuestas de empleo y desempleo de la Universidad de Chile.

personas en los años 1982-83. Durante los años de mayor recesión, entonces, más del 50% de los desocupados no recibió subsidio alguno, el 30% recibió un subsidio equivalente al 60% del ingreso mínimo líquido (POJH), y el 20% restante recibió un subsidio equivalente al 30% del ingreso mínimo líquido (PEM).

El costo total de estos subsidios de desempleo durante los años 82 y 83 fluctuó entre 1% y 1,5% del PGB. Después de 1983 hubo un deterioro cercano al 50% en el poder adquisitivo de los subsidios de desempleo; como también disminuyó el nivel de desempleo, ello implicó una reducción del costo anual de los subsidios de desempleo.

Desde el punto de vista de la política económica, es fundamental la relación entre desempleo y salarios y/o crecimiento del empleo y salarios reales. No hay una relación causal unidireccional que va de salarios reales a desempleo o viceversa.

258

El severo ajuste estabilizador de los años 1982-83 indujo a una profunda contracción económica que generó un desempleo keynesiano; la receta clásica de reducción de salarios reales incrementó el nivel de este desempleo keynesiano. En un contexto en el que los subsidios de cesantía eran reducidos o inexistentes, el desempleo masivo y persistente produjo una sostenida contracción del salario real. Pero con el transcurso del tiempo los salarios reales bajos contribuyeron a la generación de empleo (ver cuadro 3.28). En consecuencia, si bien la contracción de salarios reales fue inefectiva para evitar el incremento del desempleo durante la fase de estabilización del proceso de ajuste, sucede exactamente lo contrario durante la prolongada fase estructural de dicho proceso.

En otras palabras, debido al elevado nivel del desempleo y al prolongado período de contracción del gasto interno, a medida que pasa el tiempo el desempleo keynesiano se transforma en desempleo clásico. La recesión genera capacidad ociosa; debido a la lenta recuperación de la economía, la existencia de esta capacidad ociosa desincentiva la inversión: este proceso genera el desempleo clásico. Dado el bajo nivel de inversión que caracteriza al período recesivo, la capacidad productiva existente no puede absorber toda la mano de obra disponible a los salarios reales inicialmente vigentes; la rentabilidad del stock de capital requerida para llegar al pleno empleo es demasiado baja, y para expandirla se requiere que los salarios reales se depriman y se mantengan así por un tiempo. Esto muestra que la relación existente entre salarios reales y desempleo no es unidireccional.

A nivel agregado, puede decirse que el ajuste estructural chileno de la década del 80 se llevó a cabo a expensas del mercado del trabajo. Debido a sus implicancias distributivas, es importante efectuar un análisis desagregado del mercado laboral por sectores económicos, regiones y tamaños de empresas. Para ello se ha utilizado una muestra relativamente grande de empresas (3.747), que empleaban a más de 200.000 personas[147]. Los resultados muestran que durante el proceso de recuperación del ajuste estructural los trabajadores de las empresas pequeñas (menos de 10 personas) fueron los que experimentaron la mayor caída relativa de salarios reales, que la devaluación real (y el correspondiente cambio de precios relativos) benefició fundamentalmente a los trabajadores de las empresas grandes (más de 50 personas) productoras de bienes transables, y que las empresas pequeñas experimentaron un crecimiento del empleo mayor que las grandes.

La prolongada contracción de los salarios reales generó entonces una gran expansión del empleo[148]. Los mecanismos más importantes (desde el punto de vista empírico) vinculados a esta creación de empleo son, primero, la expansión de la producción de los sectores y empresas relativamente intensivos en trabajo –en este caso, el mecanismo principal fue una alta elasticidad producto-empleo, lo que se da en las empresas pequeñas– y segundo, que si bien las funciones de demanda de trabajo a nivel sectorial tienen una alta inelasticidad salario-empleo, la gran contracción del salario real incentivó un mayor uso relativo del factor trabajo. En este caso, nuevamente el efecto es más importante en las empresas pequeñas, porque en ellas se dio una mayor caída relativa del salario real, y porque las empresas pequeñas poseen en varios sectores elasticidades salario-empleo menos inelásticas.

El ajuste fiscal

El sector fiscal, como se ha señalado, presenta superávit en los años previos al shock de la deuda externa. Justamente este shock es una de las causas de la aparición de déficit fiscales en los años posteriores. El déficit fiscal (como porcentaje del PGB) fluctúa entre 2,3% y 3,7% entre 1982 y 1985 (ver cuadro 3.30), cifras que sugieren que habría habido un ajuste fiscal moderado. Sin embargo, observando cuidadosamente la evolución de variables específicas del gobierno se puede concluir que el empleo público disminuyó en 2%, los salarios reales del sector público fueron reducidos entre 13% y 17% –luego, hay una reducción real de la planilla de sueldos del sector público superior al 17%– y el nivel de gasto social (educación, salud y vivienda) disminuyó en términos reales en 10% desde 1983. Para comparaciones intertemporales se requiere medir este tipo de gastos en términos *per cápita*: los gastos sociales *per cápita* se redujeron entre un 6% y un 12% entre 1980-81 y 1987 (ver cuadro 3.31).

Entre las razones de este severo ajuste fiscal están los programas de subsidio de desempleo que el gobierno tuvo que crear

CUADRO 3.30. DÉFICIT FISCAL, EMPLEO Y REMUNERACIONES DEL SECTOR PÚBLICO Y GASTO SOCIAL. CHILE, 1980-86

| | Déficit Fiscal | Empleo Público (miles de personas) | | Indice de Salarios del Sector Público (1980-81 = 100) | Gasto Social (Miles de millones de $-1986) |
| | | Gobierno Central | Sector Público Total | | |
	(1)	(2)	(3)	(4)	(5)
1980	-5,5	257,7	335,9	92,5	252,7
1981	-2,9	240,8	312,2	107,5	255,2
1982	2,3	235,8	305,2	108,1	250,1
1983	3,0	233,3	300,5	86,9	211,2
1984	3,5	232,6	300,7	85,6	218,5
1985	3,7	236,5	306,0	82,3	231,7
1986	1,1			82,6	223,6

Fuente: Col. (1): Larrañaga y Marshall (1990). El signo negativo corresponde a superávit fiscal.
Col. (2) y (3): Larraín (1988).
Col. (4): Gatica, Romaguera y Romero (1986). Se ha utilizado el promedio de los valores mínimo y máximo de los trabajadores de la Categoría B (sueldos menores).
Col. (5): Cabezas (1988).

CUADRO 3.31. GASTO SOCIAL POR HABITANTE SEGÚN COMPONENTES EN CHILE. 1980-88 (1980-81 = 100)

Año	Gasto Social/Habitante Salud	Gasto Social/Habitante Educación	Gasto Social/Habitante Vivienda
1980	104,0	97,3	99,5
1981	96,0	102,7	100,5
1982	100,7	103,8	68,5
1983	80,1	87,9	56,1
1984	84,5	84,9	61,4
1985	81,7	84,3	89,2
1986	79,8	81,8	82,9
1987	86,6	78,2	90,0
1988	91,7	75,0	89,1

Fuente: FMI.

durante la fase de estabilización del proceso de ajuste, así como una profunda reforma de la previsión social previa a la crisis externa (1981), por la que el sistema de reparto administrado por el Estado fue transformado en un sistema de capitalización individual administrado por el sector privado; la puesta en marcha de esta reforma implicó que el Estado se quedó con el sector pasivo y perdió las contribuciones de gran parte del sector activo, generándose un déficit operacional anual sostenido que fluctúa entre 3% y 4% del PGB. Los subsidios cuasi-fiscales con los que el Banco Central evitó el colapso financiero y productivo, y los servicios de la deuda externa, que comenzaron a representar un porcentaje cercano al 3% del gasto público (1985) fueron también causa del ajuste fiscal que se requería con urgencia[149].

¿Cómo se realizó este ajuste? La planilla de sueldos del sector fiscal se redujo del 7,8% (1981-82) al 5,8% del PGB (1985)[150]. Las pensiones, que habían estado totalmente indexadas al IPC, sufrieron una reducción permanente de su nivel (en 1985) equivalente a un 1% del PGB. El gasto social público *per cápita* (salud, educación, vivienda) bajó hasta cerca del 10%. Por otro lado, los ingresos fiscales aumentaron con la devaluación real, y a raíz de los procesos de privatización y reprivatización; los impuestos y transferencias de las empresas estatales al Fisco se incrementaron en más del 2% del PGB entre 1981 y 1985.

El impacto distributivo de la contracción del gasto público ha sido regresivo, por dos razones: 1) en el caso chileno, los empleados del sector público reciben menores salarios que trabajadores urbanos con una calificación similar, aunque se benefician de una mayor estabilidad de mediano plazo que los empleos del sector privado. Dado el nivel de remuneraciones, un importante porcentaje del empleo público pertenecería al grupo del 40% de menores ingresos. 2) La reducción general del gasto social afecta relativamente más a los grupos de menores ingresos. Casi el 50% del gasto social en salud y educación es recibido por el 40% de menores ingresos, así como el 77% de los programas públicos de vivienda[151].

Una política social interesante aplicada por el régimen militar durante el ajuste fue la focalización de algunos componentes del gasto social en los grupos más vulnerables. Algunos de estos programas proveyeron la distribución de alimentos a madres embarazadas y niños menores de 6 años, así como desayunos y almuerzos escolares para niños de educación primaria de colegios públicos (ver cuadro 3.32). La distribución de alimentos se reali-

CUADRO 3.32. LECHE Y SUSTITUTOS CERCANOS DISTRIBUIDOS POR EL
PROGRAMA NACIONAL DE ALIMENTACIÓN. CHILE, 1980-85
(TON. DE LECHE)

	Programa Básico	Programa Focalizado	Total
1980	25.195	4.020	29.215
1981	24.636	5.146	29.782
1982	24.762	5.525	30.287
1983	17.053	4.993	22.046
1984	11.718	16.132	27.850
1985	12.641	17.630	30.271

Fuente: Ffrench-Davis y Raczynski (1988). Datos basados en INE-Ministerio de Salud.

zaba en policlínicos de salud; así, había además una revisión
médica de las madres embarazadas y de los niños. Estos programas focalizados contribuyeron a mejorar los índices de desnutri-
ción infantil. Chile logra durante la década del 80 una de las más
bajas tasas de mortalidad infantil de América Latina (0,84%).

Observaciones globales sobre el ajuste

La experiencia chilena indicaría que no es deseable la distinción
entre déficit comerciales "buenos" y "malos"; un DCC relativamente elevado, insostenible y no financiable, independientemente
de que haya sido generado por el sector público o por el privado, va a requerir inevitablemente de un ajuste.

El proceso de ajuste externo de la economía chilena fue
relativamente exitoso; a comienzos de la década del 90 la restricción externa no constituye un obstáculo al crecimiento, la tasa
anual de inflación (alrededor del 20%) es relativamente baja para
los estándares latinoamericanos de la época, y las exportaciones
han experimentado una importante expansión cuantitativa.

La adopción de una posición no conflictiva ante los acreedores externos rindió frutos. El continuo apoyo financiero de los
organismos multilaterales supuso la concesión de préstamos durante 5 años consecutivos por un monto relativo de 2,5% a 3%
del PGB; además, el FMI y el Banco Mundial tuvieron un papel
muy activo en las negociaciones y renegociaciones con la banca
privada.

La contracción salarial y el elevado desempleo durante un largo período fueron mecanismos cruciales para el severo ajuste interno, siendo la reducción de salarios reales el factor central para la devaluación real. La pregunta pendiente es si un ajuste tan riguroso podría haber sido impuesto en otras circunstancias políticas: ¿puede un gobierno democrático adoptar un programa de ajuste interno en el que la tasa de desempleo se mantiene sobre el 24% durante 4 años, los salarios reales se reducen en 20% y se mantienen deprimidos durante 5 años, y el gasto social *per cápita* se reduce en un 10% durante 6 años?

Otras consideraciones importantes acerca de este proceso serían el reconocer que algunos shocks externos positivos de una magnitud no despreciable (cerca del 5% del PGB) obviamente facilitaron el ajuste externo e interno, como también la aplicación de políticas heterodoxas (aumento de aranceles y sobretasas, bandas de precios, control de la tasa de interés y control a la movilidad de capitales) en cuanto al ajuste interno.

Pero los costos del ajuste fueron muy elevados. Políticas de ajuste excesivamente severas en una economía que no es perfectamente flexible ni instantáneamente adaptable provocan costos secundarios de una magnitud similar a los costos primarios.

A nuestro juicio, el elemento más negativo del proceso de ajuste chileno fue el tratamiento discriminatorio a los distintos agentes; en este sentido, las autoridades económicas demostraron un claro sesgo regresivo proporcionando subsidios especiales y cuantiosos a los deudores en moneda extranjera y subsidios reducidos o nulos a un porcentaje importante de los desempleados. Mientras 600.000 desocupados recibían un subsidio de desempleo equivalente al 1,5% del PGB, menos de 10.000 deudores en dólares se beneficiaron de una ayuda equivalente al 3% del PGB; 400.000 desocupados no recibieron nada. Los dueños de activos reales y financieros recibieron "protección" durante el proceso de ajuste; los depositantes recibieron un seguro público por sus depósitos, y éstos fueron indexados con respecto a la inflación, mientras que los trabajadores experimentaban grandes pérdidas a través de la desindexación salarial y del desempleo.

Es cierto que el Banco Central debía constituirse en prestamista de última instancia para evitar el colapso del sistema productivo y financiero. Sin embargo, subsiste una compleja cuestión distributiva: cuando una empresa o un banco ha perdido *más* del 100% del valor presente de su capital, ¿a quién pertenece? La mayor parte de las medidas utilizadas tendieron a subsidiar la redistribución de activos a grupos económicos existentes y a sectores de ingresos altos y medios. Podrían haberse dispuesto otras medidas para que trabajadores y desocupados hubieran adquirido cierta participación en dichas empresas en compensación por las pérdidas experimentadas.

El resultado del ajuste, en una economía con un mercado laboral completamente libre y flexible y en la que los subsidios de desempleo son prácticamente inexistentes, es la inseguridad económica y un grave deterioro en el estándar de vida de los trabajadores. Estos no poseen un mecanismo para protegerse durante un ajuste; cuando ni el mercado laboral formal ni el gobierno proporcionan empleos o subsidios a los desocupados, los requerimientos de subsistencia inducen a la adopción de una estrategia de supervivencia en la que *compartir* comida, casa y empleos constituye el elemento central de la economía informal. La función principal de la economía informal no está asociada entonces a su contribución al PGB, sino a atenuar y "resolver" el problema de subsistencia de los desocupados y sus familias.

Este proceso viene a reemplazar una red social inexistente. Pero los costos sociales de este tipo de solución son elevados y están distribuidos de manera poco equitativa; los desempleados y sus familias viven por debajo de la línea de subsistencia. Desde el punto de vista de un país, efectuar el ajuste ante un desequilibrio externo es un bien público que supuestamente beneficia a todos los agentes económicos del país. Entonces, ¿por qué no todos los agentes económicos cooperan y se sacrifican igualmente? Los trabajadores ocupados y el resto de la sociedad deberían compartir parte de sus ingresos con los desocupados, posiblemente a través del mecanismo tributario, que podría financiar un seguro de desempleo, como sucede en los países desarrollados. Los programas austeros de ajuste tendrían un menor rechazo si todos percibieran que cada agente económico está contribuyendo de igual manera.

REFORMAS ESTRUCTURALES
DE LA DECADA DEL 80

La deuda externa es el telón de fondo de las profundas reformas estructurales de la década del 80, período que ilustra cómo una circunstancia particularmente grave y desfavorable puede ser transformada para obtener resultados económicos sorprendentemente exitosos.

En efecto, entre 1982 y 1987 la deuda externa supera el 100% del PGB y es 4 veces mayor que las exportaciones anuales, constituyendo una pesada carga para el país por cuanto el servicio de esta deuda externa, considerando sólo el pago de los intereses, implica un monto anual promedio cercano al 8% del PGB y en torno al 50% de las exportaciones (1982-86). Sólo el pago de intereses ya tiene efectos negativos sobre el crecimiento económico de corto y largo plazo: en el corto plazo, la escasez de divisas es un cuello de botella para la expansión económica, al restringir el nivel de insumos importados necesarios en el proceso productivo; el efecto de largo plazo está vinculado a la transferencia externa que se realiza, la que incide en la disminución de recursos internos disponibles para la inversión y el crecimiento. El dilema planteado en la década del 80, entonces, parecía ser "pagar o crecer".

El cuasi-colapso del sistema productivo y financiero en la crisis de 1982-83 había demostrado la habilidad del sector privado nacional para endeudarse, crecer y quebrar. Si el Estado no era el agente adecuado para transformarse en el motor del crecimiento, ¿cómo podría entonces crecer la economía chilena? ¿quién estaría dispuesto a invertir después del colapso, y sólo para tratar de pagar los intereses de la deuda externa?

Al momento de restaurarse la democracia a fines de los 80, la situación podría sintetizarse así: la deuda externa ha dejado de constituir un problema, existe un sector empresarial numeroso y pujante y las exportaciones se han transformado en el motor del crecimiento de la economía.

Examinaremos las reformas estructurales asociadas a los resultados positivos observados al final de la década del 80, omitiendo la discusión sobre la solución al problema de la deuda externa[152].

Nueva reducción de la presencia del Estado

Tomando la actuación del Estado y sus modificaciones como eje del análisis, y utilizando la misma categorización tridimensional previa, en la década del 80 se observan las siguientes reformas del Estado chileno: en el área productiva, un segundo proceso de reprivatización, un gran proceso de privatización de empresas tradicionalmente estatales y la reforma previsional, por la cual el anterior sistema de reparto (administrado por el sector público) es sustituido por un sistema de capitalización administrado por el sector privado; reformas tributarias orientadas a disminuir la recaudación fiscal, y autonomía del Banco Central.

El segundo proceso de reprivatización del área "rara" (empresas y bancos pertenecientes a los dos grupos económicos más importantes y que habían quebrado en 1982) se llevó a cabo entre 1984-86. El valor neto del stock de activos de empresas y bancos incluidos en esta área "rara" fue estimado en US$ 1.100 millones[153]. Ciertas lecciones se aprendieron del proceso de reprivatización de los años 70; éste fue realmente una privatización basada en el endeudamiento, en la que el elevado coeficiente deuda/patrimonio con el que partieron las nuevas empresas reprivatizadas contribuyó a la fragilidad del sistema financiero[154]; además, se generaron una alta concentración de la propiedad y una gran interrelación entre empresas productivas y bancos, lo que condicionó el funcionamiento de gran parte del sistema productivo y financiero a la adecuada administración de los dos principales grupos económicos.

En este segundo proceso de reprivatización se utilizaron distintos procedimientos de venta: "capitalismo popular"[155], transacciones en la bolsa y subasta entre compradores precalificados. Estas operaciones (salvo aquellas vinculadas al "capitalismo popular") requerían un pago al contado del 100% del monto de la transacción; de esta forma las empresas reprivatizadas partirían sin endeudamiento. En este caso se perseguía claramente la diversificación de la propiedad; ésta, además, aseguraría la irreversibilidad de todo el proceso (el cuadro 3.33 ilustra el número de accionistas involucrados).

Sin lugar a dudas, la privatización de empresas creadas por el Estado y que siempre habían pertenecido al sector público cons-

CUADRO 3.33. EL SEGUNDO PROCESO DE REPRIVATIZACIÓN. 1984-87

Empresas e instituciones financieras*	Mecanismo de reprivatización		Valor Libro Patrimonio (Sept. 1987) (US$-millones)	Número de Accionistas (Sept. 1987)
	Subasta Privada	Capitalismo Popular		
COPEC	X	X	310	15.922
Banco de Chile		X	285	39.179
Banco de Santiago		X	156	15.919
INFORSA	X		85	3.447
Pesquera Coloso			47	6.340
INDUS	X		45	5.158
Banco de Concepción	X		44	6.110
AFP Provida	X	X	18	7.909
AFP Santa María	X	X	13	6.062

Fuente: Hachette & Lüders (1988).
* Ver Hachette y Lüders (1988) para la lista completa de empresas y bancos reprivatizados; en este cuadro se han incluido las que tienen los mayores valores de libro de los activos.

tituye la reforma estructural más profunda de la década del 80. La privatización de las más importantes empresas estatales (excluyendo la GMC) comienza en 1986 y la lista incluye la mayoría de las empresas de servicios de utilidad pública (electricidad, teléfonos, telecomunicaciones, distribución de combustibles), así como una línea aérea (LAN) y la refinería de acero (CAP). El valor total del stock de activos de la privatización programada de empresas estatales alcanza aproximadamente a US$ 3.600 millones (cuadro 3.34).

Los argumentos tradicionales utilizados para la privatización de empresas estatales no eran válidos en el caso chileno, porque estas empresas funcionaban de una manera relativamente eficiente debido a las medidas aplicadas en la década del 70; la mayoría de ellas presentaba superávit y transfería recursos al gobierno central. Estas empresas estatales se habían ajustado para autofinanciarse, por lo que no podían tener un impacto negativo sobre el presupuesto fiscal. Aquellas empresas estatales que efectivamente tenían un impacto negativo sobre el presupuesto fiscal, en cambio, no pudieron ser privatizadas (Ferrocarriles del Estado, por ejemplo).

El argumento fue simplemente el propósito explícito de reducir el tamaño del sector público. Posteriormente, ya a comien-

CUADRO 3.34. PRIVATIZACIÓN DE EMPRESAS ESTATALES. 1986-90.

Empresas estatales	Actividad	Porcentaje Privatización			Mecanismos Privatización				Valor Libro Patrimonio (Sept. 1987) (US$ millones)
		1986	1987	1990	AFP	Bolsa	Emplea-dos	Subasta Privada	
CAP	acero	52	100	100		X	X		679
COFOMAP	forestal	n.d.	n.d.	100				X	
Chile Films	cine	0	0	100				X	
Chilmetro	distr. electr.	63	100	100	X	X	X		206
Chilgener	gener. electr.	35	100	100	X	X	X		264
Chilquinta	distr. electr.	63	100	100	X	X	X		52
CTC	telefonía	11	63	99	X	X	X	X	306
ECOM	computación	100	100	100			X		
Edelmag	distr. electr.	12	12	100			X		
Edelnor	distr. electr.	0	0	16			X		
Elecda	distr. electr.	n.d.	n.d.	98		X		X	
Eliqsa	distr. electr.	n.d.	n.d.	98		X			
Emelari	distr. electr.	n.d.	n.d.	96		X		X	
Emec	distr. electr.	100	100	100		X	X	X	
Emel	distr. electr.	100	100	100			X		
Enacar	carbón	0	0	16	X	X	X		71
Enaex	explosivos	0	100	100			X	X	
ENDESA	gener. electr.	0	30	96	X	X	X		1.314
ENTEL	telecomunic.	30	33	99	X	X	X		93
IANSA	refin. azúcar	46	49	100		X	X		90
ISE Gen.	seguros	0	0	97		X	X		
ISE Vida	seguros	0	0	99		X	X		
Labor. Chile	farmacéutica	23	49	100	X	X	X		
LAN Chile	aerolínea	0	0	68		X	X	X	49
Pehuenche	gen. electr.	0	0	100					
Pilmaiquén	gen. electr.	100	100	100				X	44
Pullinque	gen. electr.	0	100	100				X	
Sacret	financiera	0	0	100					
SOQUIMICH	salitre	55	100	100	X	X	X		102
Schwager	carbón	0	42	100	X	X	X		
Telex	telex	100	100	100				X	8

Fuente: Marcel (1989); Sáez (1992); Hachette & Lüders (1988).

zos de la década del 90, comenzaría a asentarse la noción de que el Estado debía marginarse de la actividad productiva, cuestionándose incluso la propiedad estatal de la GMC. Una hipótesis alternativa sugiere que este proceso tendría una causa exógena: la banca internacional, ante las dificultades para recobrar los créditos (e intereses) concedidos, habría promovido esta privatización para cobrarse con los activos existentes en el país (y a precios subsidiados)[156].

También en este caso se utilizaron diversos procedimientos: "capitalismo institucional", por el cual las AFP (administradoras privadas de fondos previsionales) podían adquirir cantidades limitadas de acciones; "capitalismo obrero", en el que los trabajadores de las empresas estatales recibían incentivos especiales (subsidio de precio) para la compra de acciones de las empresas en las cuales trabajaban pudiendo utilizar además sus ahorros previsionales para tal efecto; "capitalismo tradicional", consistente en la oferta de acciones a agentes precalificados a través de subastas y de la bolsa de acciones[157]. La venta alcanzó a US$ 1.100 millones; el subsidio del sector público a este proceso sería superior al 50%[158]. Todas estas transacciones requerían el pago al contado del 100% del costo de la operación. Nuevamente se observa el propósito de lograr una desconcentración de la propiedad, atrayendo incluso a inversionistas extranjeros.

El cuadro 3.34 entrega porcentajes específicos de privatización que ilustran el ritmo acelerado de este proceso. En 1990, cerca de 30 empresas estatales habían transferido el 100% de la propiedad al sector privado, entre ellas la CAP (7.000 trabajadores), ENDESA (2.900 trabajadores), ENERSIS (2.500 trabajadores), CTC (7.000 trabajadores), SOQUIMICH (4.700 trabajadores), IANSA (2.000 trabajadores), SCHWAGER (2.300 trabajadores), LAN (900 trabajadores), CHILQUINTA (950 trabajadores) y CHILGENER (800 trabajadores).

Algunas críticas a esta privatización apuntan a una eventual falta de transparencia en varias de estas operaciones. Veamos específicamente dos casos. CORFO era propietaria del 83% de las acciones de CAP. En marzo de 1986, decide vender el 61% de sus acciones a CAP; el precio "preferencial" pagado por CAP por estas acciones (marzo-junio, 1986) fue de US$ 0,25, mientras que el precio promedio de cotización en la Bolsa de estas acciones era de US\$ 0,31 en mayo y US\$ 0,39 en junio. De esta manera, CORFO redujo su porcentaje de propietario de CAP al 51% y los antiguos propietarios privados aumentaron su participación del 17 al 49%, pagando US\$ 72 millones por un paquete de acciones que 15 meses después estaba valorado en US\$ 217 millones (ver cuadro 3.34). En el caso de ENDESA, su alto coeficiente deuda/patrimonio desincentivaba la adquisición de acciones; para resolver esta situación, ENDESA emitió acciones por un valor de US\$ 500 millones, las que fueron totalmente adquiridas por CORFO. El precio por acción pagado por CORFO fue de \$ 28,92, mientras que el precio promedio mensual de cotización de las acciones de ENDESA durante 1986 era de \$ 13,81, con un rango que fluctúa entre \$ 6,4 y \$ 20,0[159]. A través de este procedimiento, el coeficiente deuda/patrimonio de ENDESA fue reducido de 2,61 a 0,77. En síntesis, la privatización de ENDESA se realizó transfiriendo una parte importante de su deuda al sector público (CORFO).

Otro tipo de críticas a la privatización señala que, como el proceso fue tan rápido, no hubo mucha discusión en torno al marco regulatorio que condicionaría el funcionamiento de los monopolios naturales (de servicios de utilidad pública) que están ahora en el sector privado[160].

No obstante la validez de los reparos, la privatización de empresas estatales pareciera haber implicado un aumento en la eficiencia de estas empresas, así como una expansión en su nivel de inversiones; evidencia indirecta de ella son las inversiones en el exterior que han realizado algunas de las empresas privatizadas. Además, el efecto de la privatización sobre el nivel de empleo no es en general negativo, como se anticipaba *a priori* (según la argumentación tradicional, la privatización de empresas estatales produciría desempleo por cuanto éstas tendrían una sobredotación de personal debido a presiones políticas). El cuadro 3.35 muestra la evolución del empleo de un grupo de empresas estatales privatizadas; las cifras muestran que el número de empresas privatizadas que expanden su nivel de empleo supera a aquellas que experimentan una contracción[161]; sin embargo, para las 11 empresas del cuadro 3.35 el nivel total de empleo del conjunto de empresas privatizadas es menor que el existente en el período previo.

La tercera reforma en el área productiva afectó al sistema previsional. Hasta entonces, éste era un sistema de reparto admi-

271

CUADRO 3.35. Evolución del empleo en empresas privatizadas
seleccionadas (número de personas ocupadas)

Empresa	1970	1979	1983	1986	1987	1988	1989	1990
Enersis-Chilmetro				2.495[a]	2.587	2.828	2.962	3.052
Chilquinta				983[a]	956	770	746	731
SOQUIMICH	10.814	7.109	4.096	4.704[a]	5.024	5.527	5.453	4.111
Chilgener				760	852[a]	837	845	876
CTC	5.887	7.206	6.338	6.938	7.374	7.518[a]	7.366	7.530
ENDESA	6.512	4.270	2.705	2.905	2.828	2.925[a]	2.980	2.833[b]
Entel	1.161	1.236	1.338	1.402	1.456	1.460[a]	1.546	1.547
IANSA	2.827	1.597	1.079	2.027	2.103	2.023[a]	2.144	2.163
Laboratorio Chile	567		527	592	618	681[a]	749	728
LAN	3.608	2.059	1.372	883	983	1.093	1.430[a]	1.551
Schwager				2.264	2.277	2.296[a]	2.304	2.171

Fuente: Sáez (1992).
[a] Año de privatización es aquél considerado cuando el sector privado tiene una propiedad superior al 50%.
[b] En enero 1991 hubo reorganización en esta empresa y se despidieron 434 empleados.

nistrado por el sector público (donde no hay una correspondencia entre los aportes individuales y los beneficios obtenidos) y presentaba serios problemas: pensiones declinantes en términos reales, crecientes déficit financieros y presiones sobre el presupuesto público; para ayudar a su financiamiento, se requerían aumentos sistemáticos en las tasas de cotización y aportes fiscales adicionales. La reforma previsional (1981) sustituyó este sistema por uno de capitalización individual, donde para cada agente hay una relación directa entre los aportes y los beneficios.

Este nuevo sistema es administrado por el sector privado a través de las AFP, y ha tenido una expansión muy significativa: en 1991 incluye al 85% de la fuerza laboral, y los recursos acumulados alcanzan al 26% del PGB de 1990[162]. Es decir, las AFP generan gran parte del ahorro privado nacional y, dada la magnitud de los recursos involucrados, su impacto en el mercado de capitales es sustancial. El efecto de la reforma previsional es fundamental para la evolución del crecimiento futuro de la economía chilena; la gran importancia de largo plazo de esta reforma no fue percibida durante la década del 80.

La puesta en marcha de la reforma previsional implicó que el Estado se quedó con el sector pasivo mientras que la mayor parte del sector activo se trasladó al área privada, generándose así un déficit fiscal de una magnitud cercana al 3,5% del PGB, que se va reduciendo a medida que fallecen los miembros del sector pasivo; según el Banco Mundial, esta reducción comenzaría a ser más significativa a partir del año 2000. La reforma previsional fue planificada para aplicarse justamente en un momento de superávit fiscal; nadie anticipó el shock de la deuda externa de la década del 80 y su efecto sobre las cuentas fiscales.

En cuanto a las reformas tributarias de la década del 80 (1984 y 1988)[163], perseguían un doble objetivo: reducir la recaudación tributaria, y que los impuestos indirectos pasaran a constituir el componente principal de la recaudación. La reforma tributaria de 1984 implicó una reducción cercana al 40% en la recaudación del impuesto a la renta; la reforma de 1988 redujo la recaudación tributaria en un monto cercano al 2% del PGB.

La reforma tributaria de 1988 podría tener diversas motivaciones: por un lado, la motivación ideológica de largo plazo orientada a reducir el tamaño económico del Estado; por otro, una situación coyuntural de corto plazo, el plebiscito de 1988, y la reducción tributaria sería uno de los mecanismos utilizados para estimular la actividad económica. Además, el precio internacional del cobre experimenta un alza notable, con lo que los ingresos fiscales se elevan cerca del 4% del PGB[164]. Como efecto de este "síndrome holandés", se habría generado una sustitución de la tributación local; la existencia del Fondo de Estabilización del Cobre habría neutralizado una parte de este efecto.

Otro cambio institucional de gran importancia fue realizado en 1989, al finalizar el régimen militar: la autonomía del Banco Central. Un Banco Central autónomo, cuyo objetivo primordial fuera velar por la estabilidad monetaria, constituiría el mecanismo institucional más adecuado para controlar y frenar la inflación; específicamente, el déficit fiscal no podría ser financiado con emisión monetaria[165]. Desde el punto de vista conceptual, un Banco Central con autonomía efectiva produce descentralización y dispersión del manejo y control de la política económica, rompiendo el cuasi-monopolio tradicionalmente ejercido por el ministerio de Hacienda; se establece un contrapeso entre distintos poderes. Además, teóricamente se reduce la factibilidad de ciclos político-monetarios.

Las atribuciones del nuevo Banco Central autónomo son considerables: manejo de la política monetaria y crediticia, formulación de las normas financieras para los sustitutos cercanos al dinero, prestamista de última instancia ante eventuales "corridas" bancarias, control cambiario y manejo de la política cambiaria, regulación de los movimientos de capitales, determinación de la política de reservas internacionales, regulación de las operaciones de endeudamiento externo.

En este contexto es válida la pregunta de Milton Friedman: "¿es realmente tolerable en un régimen democrático concentrar tanto poder en una institución que no está sujeta a ningún control político?" En realidad, la autonomía del Banco Central le otorga independencia para el manejo de la política monetaria, pero no elimina la posibilidad de un comportamiento discrecional y errático por su parte. ¿Por qué sería preferible la discrecionalidad del presidente del Banco Central a la del ministro de Hacienda?

Para evitar ese peligro, la lógica monetarista sugiere el establecimiento de reglas claras que induzcan a un automatismo en el comportamiento de las variables monetarias; ello, supuestamente, posibilitaría la predictibilidad de la evolución de la economía. La economía chilena en el período 1980-81 se ajustaba bastante a la lógica implícita en el funcionamiento ideal de un Banco Central autónomo: el presupuesto fiscal no sólo estaba equilibrado, sino que tenía superávit; existía una regla clara, estable y "permanente", el tipo de cambio nominal fijo, y el Banco Central estaba administrado por economistas monetaristas supuestamente idóneos. El resultado fue un desequilibrio incontrolable en 1982. El Banco Central, como prestamista de última instancia, tuvo que ser rescatado por la Tesorería, que debió financiar los déficit acumulados por el Banco Central. Luego, ¿quién protege a la Tesorería del Banco Central?

En la coyuntura macroeconómica de los 90, un programa económico consistente requiere de la coordinación de las políticas fiscal, monetaria y cambiaria; para ello es necesaria la interacción entre el Banco Central y el Ministerio de Hacienda, sin subordinación de ninguna de las partes. El principio básico del comportamiento de un Banco Central autónomo debe ser el ejercicio de esa autonomía *dentro* del gobierno; un Banco Central autónomo *del* gobierno puede generar señales económicas inconsistentes a nivel global, que pueden conducir a una situación de caos y desequilibrio.

El nuevo papel de las exportaciones chilenas

Diversos indicadores ilustran la significativa expansión de las exportaciones chilenas en el período 1970-90: 1) Estas alcanzaban un valor de US$ 1.100 millones en 1970, y de US$ 8.300 millones en 1990. 2) La participación relativa de las exportaciones en el PGB se incrementa de 16% (1970) a 34% (1990). 3) El ritmo promedio anual de crecimiento de las exportaciones es de 7,9% en este período de 20 años, mientras que el PGB se expande a una tasa media anual de 1,7% en el mismo lapso. 4) La participación relativa del cobre en las exportaciones totales disminuye del 80% (1970) a menos del 45% (1990), lo que indica una diversificación de la canasta exportadora chilena.

A nuestro juicio, un indicador muy significativo del protagonismo que han adquirido las exportaciones chilenas en la economía nacional es la cantidad de empresas exportadoras chilenas surgidas en la segunda mitad de la década del 80. El número de empresas exportadoras (incluyendo empresas chilenas, empresas con capital mayoritario extranjero y *joint ventures*) que exportan más de un millón de dólares anuales ha aumentado de 235 (1986) a más de 500 (1990); el número de empresas que exportan más de US$ 100.000 creció de casi 900 (1986) a más de 1.500 (1990) (cuadro 3.36).

Si antes de 1970 la falta de capacidad empresarial privada era considerada uno de los factores determinantes del bajo crecimiento económico chileno, ahora se constata la presencia de una nueva generación de empresarios chilenos con mentalidad exportadora. Es muy difícil probar la causalidad existente entre las profundas reformas económicas de la década del 70 (entre ellas la reforma comercial) y la aparición de esta nueva generación de empresarios exportadores. Pero, como se ha dicho, las reformas estructurales indujeron a una serie de cambios en los precios relativos que crearon incentivos para la expansión de las exportaciones; la reducción de la protección arancelaria reduce

CUADRO 3.36. NÚMERO DE EMPRESAS EXPORTADORAS SEGÚN MONTO EXPORTADO. 1986-90
Nº DE EMPRESAS

Monto Exportado	1986	1987	1988	1989	1990
Más de US$100 millones	4	6	8	8	8
Entre US$10 millones y					
US$100 millones	38	50	66	76	87
Entre US$1 millón y					
US$10 millones	193	248	303	341	431
Entre US$100.000 y					
US$1 millón	661	772	854	892	1.034
Total	896	1.076	1.231	1.317	1.560

Fuente: Banco Central, información no publicada.

el sesgo antiexportador, y el aumento del tipo de cambio real estimula la producción de bienes transables, lo que constituye un doble incentivo para el sector exportador.

Varios factores explican este cambio: las reformas comerciales de la década del 70 eliminaron el sesgo antiexportador propio de la estrategia de sustitución de importaciones. Sjastaad (1981) ha estimado que la estructura arancelaria de 1970 era equivalente a un impuesto implícito a las exportaciones de un 33%. La eliminación de este "impuesto" estimula la expansión del sector. En segundo lugar, un tipo de cambio sostenidamente depreciado (1984-90) proporcionó incentivos claros y estables a los exportadores. En otras palabras, la significativa devaluación real establecida tras la crisis de 1982-83 y la mantención del tipo de cambio a un nivel extremadamente elevado resultaron claves en la expansión de las exportaciones. Por último, el entorno económico de apertura externa y desregulación ha aumentado la eficiencia global de la economía.

Estos tres factores pueden hacer suponer que el establecimiento de un sistema de incentivos neutros (reducción de aranceles y eliminación de barreras no arancelarias) y un tipo de cambio "adecuado" son condiciones suficientes para estimular la expansión de las exportaciones. Sin embargo, el Estado adoptó medidas específicas que han contribuido al éxito exportador chileno.

a) Durante el período en que la Gran Minería del Cobre estuvo bajo control de las empresas extranjeras, la tasa anual de crecimiento de la producción fue inferior al 2%; cuando la GMC pasó a estar controlada por empresas estatales chilenas, se registró una expansión significativa en su nivel de producción, que superó el 4% anual. Así, la participación chilena en las exportaciones cupríferas mundiales (excluyendo los países de Europa Oriental) aumentó desde el 14% (década del 60) a más del 20% (década del 80).

b) En el caso de las exportaciones frutícolas, el Estado invirtió en la formación de capital humano durante la década del 60; mejoró la formación y la investigación en las universidades locales y estableció un importante programa (Chile-California) por el cual muchos chilenos realizaron estudios de posgrado en economía agraria. El boom de exportaciones frutícolas está relacionado con la introducción de tecnología moderna, y éste precisa de capital humano adecuado para aplicarla[166]. La reforma agraria (1965-73), por su parte, contribuyó a la creación de un mercado de tierras que permitió el ingreso de un nuevo tipo de empresarios al sector agrícola; éstos consideraban la actividad agrícola como una alternativa claramente rentable, y estaban dispuestos a introducir tecnologías modernas para poder competir en los mercados internacionales.

c) En cuanto a los productos forestales, generosos incentivos tributarios han favorecido su expansión: durante largo tiempo la actividad estuvo libre de impuestos; además, en la década del 70 se otorgó un subsidio directo correspondiente al 75% del costo de plantación y manejo de bosques. Este subsidio, proporcionado al comienzo de la actividad productiva, resultaba claramente más atractivo para el sector privado que el uso de un incentivo tributario para el cual había que esperar más de 15 años (según la tributación existente pre 1974).

d) En el caso de la pesca, el libre acceso a los recursos marinos durante la década del 80 estimuló la actividad pesquera, generando sin embargo una sobreexplotación que podría provocar la extinción de varias especies durante los próximos años.

En síntesis, aunque Chile posee ventajas comparativas en la explotación de recursos naturales, acciones específicas adoptadas por el Estado (incluyendo la inacción en el caso pesquero) han sido factores complementarios importantes en la expansión de las exportaciones chilenas.

La composición de las exportaciones chilenas totales durante la década de 1980 fue la siguiente: minería, 56%; agricultura, 12%; productos forestales y madera, 11%; pesca y productos marinos, 10%. También crecieron las exportaciones industriales; la composición actual de las exportaciones de este sector es la siguiente: papel, madera y productos de madera, 31%; harina de pescado y productos alimenticios, 30%; productos metálicos básicos, 9%. En otras palabras, el 70% de las exportaciones industriales está relacionado con materias primas de recursos naturales existentes.

Las ventajas comparativas de Chile siguen siendo estructuralmente las mismas que en el pasado, esto es, cerca del 90% de la canasta de exportaciones depende de la dotación de recursos naturales del país. Pero hay dos novedades importantes. Primero, una clara diversificación de los distintos bienes de recursos naturales que se exportan, por lo que la economía chilena estará expuesta a shocks externos relativamente menores que en el pasado y el colapso del mercado de una materia prima no tendrá efectos tan perjudiciales como ocurrió con la aparición del nitrato sintético en la década de 1920. Segundo, la mayor parte de las exportaciones chilenas son producidas ahora por empresas de propiedad chilena. A comienzos de la década del 90, existen más de 1.500 empresas exportadoras (chilenas, mixtas y extranjeras); en consecuencia, la mayor parte de las rentas ricardianas y del excedente generado por las exportaciones de recursos naturales podría ser reinvertido en el país.

LIBERTAD ECONOMICA Y LIBERTAD POLITICA

El golpe militar de 1973 no corresponde a esos "cuartelazos" tan frecuentes en la historia latinoamericana. Las fuerzas armadas chilenas asumen el poder para reestructurar la nación, el Estado y la sociedad, para "refundar un nuevo Chile". Según esta perspectiva, habrían salvado al país del caos y del infierno marxista; la exclusión de la democracia y la represión política serían el precio de modernizar el país y lograr un progreso ordenado.

Este sacrificio de la libertad política que impone la dictadura militar puede considerarse un costo relativamente reducido si se compara con el caos del pasado y el resplandeciente y moderno porvenir. Esa es la visión propagandística que es reiterada sin descanso a través de todos los medios de comunicación.

Resulta paradójico plantear que una dictadura[167] es el régimen adecuado para modernizar un país, en circunstancias en que todos los países modernos son democráticos. Por ello se diseñó toda una ofensiva ideológica orientada a demostrar que lo que realmente importa es la libertad económica y no la libertad política; es más, la libertad política sería un concepto relativo, por cuanto no existiría mayor diferencia entre la dictadura de las mayorías y la de un dictador[168].

La libertad personal es uno de los valores fundamentales de la civilización occidental; pero, libertad ¿para qué? Por el simple hecho de vivir en sociedad, la libertad personal estará necesariamente restringida por la acción de los otros; además, se verá limitada por las tradiciones y otras normas culturales y religiosas: es distinta la libertad que poseen las mujeres en los países europeos que en los islámicos, por ejemplo.

Hayek define el concepto de libertad en términos negativos: libertad es la ausencia de coerción o coacción. En este sentido, la libertad personal está definida de manera antagónica a la esclavitud[169]: un hombre libre es "dueño de sí mismo" y "puede hacer lo que quiere". Ello implica que la coacción que ejerce la sociedad (el gobierno o el Estado) debe reducirse al mínimo.

Esta idea básica de libertad es, según Hayek, muy distinta al concepto de libertad política, que corresponde al derecho de las personas a participar (vía elecciones) en los asuntos públicos. Esta libertad política es compatible con la ausencia de la libertad personal: "un pueblo libre no es necesariamente un pueblo de hombres libres; nadie necesita participar de dicha libertad colectiva para ser libre como individuo", porque con la libertad política podría decidirse "anular o limitar la libertad individual"[170]. Pero, ¿cómo podría ser esto posible?

Revisando la evolución histórica de las actuales democracias, Hayek señala lo siguiente: la sustitución de la monarquía absoluta por la democracia requirió del establecimiento de constituciones y leyes que definieran y "limitaran los poderes gubernamentales, para evitar el ejercicio arbitrario del poder" y para "restringir las condiciones bajo las cuales era admisible la coacción sobre las personas"; "sólo la coacción acorde con reglas uniformes, igualmente aplicables a todos, era justificable en pro del interés general". Una norma que limita la acción del gobierno protege la libertad individual, puesto que tiene por objeto prevenir la conducta injusta, esto es, el gobierno está *bajo* la ley[171].

La dinámica de funcionamiento de la democracia alteró drásticamente este sistema. Por una parte, un gobierno democrático tiene el poder de dictar nuevas leyes; luego puede estar tentado de "dictar cualquier ley que le ayude a alcanzar los propósitos particulares del momento", lo que "necesariamente significa el fin del principio de Gobierno *bajo* la ley". Por otra parte, para lograr la aprobación de determinadas leyes a través del Parlamento, un gobierno democrático "debe hacer lo que pueda para comprar el apoyo de los distintos intereses, concediéndoles beneficios especiales"; entonces, la dictación de leyes de interés general comienza a ser sustituida por otra de interés específico. La ley pierde el sentido de regla general, y "empieza a ser el nombre para cualquier cosa que emana del poder legislativo".

Para Hayek, en una democracia la necesidad de formar mayorías organizadas para presionar por un programa de acciones particulares introduce una fuente de arbitrariedad y parcialidad. Existe "la creencia de que todo aquello que una mayoría puede acordar es por definición justo"; sin embargo, en la democracia la "voluntad de la mayoría", a través del juego político (arbitrario y parcial), termina teniendo como objetivo principal "la repartición de fondos arrebatados a una minoría". La democracia se transforma en "otra forma de la lucha inevitable en la cual se decide quién obtiene qué, cuándo y cómo", en la que "el resultado es una distribución de ingresos principalmente determinada por el poder político".

Al quebrarse el principio general de *igualdad de tratamiento ante la ley*, la maquinaria democrática "abre las compuertas a la arbitrariedad"; "la creación del mito de la *justicia social* es uno de estos resultados", observándose que "las personas consideran como socialmente justo aquello regularmente realizado por las democracias". "El conocimiento de que una cantidad creciente de ingresos están determinados por la acción gubernamental llevará a nuevas demandas permanentes por parte de grupos cuya posición debe ser determinada por las fuerzas del mercado para el logro similar de aquello que crean merecer".

Lo anterior conduce a que la democracia pierda "gran parte de la capacidad de servir como una protección en contra del poder arbitrario"; "por el contrario, ha llegado a ser la causa principal de un crecimiento progresivo y acelerado en el poder y peso del Estado". Las democracias actuales se rigen frecuentemente por Estados burocráticos, "cuyo poder regulador, contralor y planificador es ilimitado, de manera que coarta la libertad de los individuos tan profunda y constantemente *como pudiera hacerlo cualquier sistema totalitario*". "El despotismo democrático, de apariencias benévolas pero sometido al rigor de las mayorías, está más afanado por la igualdad que por la libertad", lo que reduce "a cada nación a un mero rebaño de animales tímidos e industriosos cuyo pastor es el Gobierno (...) Hemos pasado, pues, de un absolutismo a otro"[172].

Esta argumentación ilustra la futilidad de la libertad política y de la democracia; pero no debiéramos amargarnos, puesto que lo que verdaderamente importa es la libertad económica: para Hayek, Friedman y compañía, si existe libertad económica el contexto político pasa a ser irrelevante.

La libertad económica es el derecho a establecer transacciones voluntarias; el mercado es el espacio en el que se materializan dichas transacciones. Las personas que participan en ellas lo hacen guiadas por el interés propio: si la transacción se concreta se debe a que cada una de las partes obtiene un beneficio, porque de no ser así optaría por no participar en dicha transacción. En consecuencia, el mercado funciona gracias a las preferencias expresadas libre y voluntariamente por las personas, es decir, carece de mecanismos de coacción: el mercado es un sistema impersonal en el cual rigen reglas generales que protegen a todos los que participan en él. Además, la teoría económica ha demostrado que la búsqueda del máximo interés personal por parte de cada individuo conduce, a través del sistema de mercados competitivos, a la asignación eficiente de recursos y en consecuencia al óptimo social.

El libre funcionamiento del mercado garantiza la vigencia de la libertad económica; puesto que en él las preferencias individuales se expresan sin ningún tipo de coacción y en una esfera distinta de la acción de las autoridades políticas, podría decirse que "el mercado es más democrático que cualquier régimen político (...) es realmente el símbolo de la libertad"[173].

Poco tiempo después del golpe militar se liberalizan la mayoría de los precios en la economía chilena y el mercado asume su función de asignador de recursos y contexto en el cual se verifican las transacciones voluntarias entre los agentes económicos. Obviamente, surgen varias interrogantes que cuestionan la validez de la argumentación anterior. ¿Cómo protegió el mercado a los torturados y a los detenidos-desaparecidos? El grado de coacción existente durante la dictadura militar, ¿era realmente similar al de los gobiernos democráticos? ¿Cómo evita el mecanismo de precios libres la instauración de un sistema de terror y de espionaje masivo? ¿Realmente da lo mismo que en el siglo XX haya o no libertad de pensamiento, libertad de expresión, libertad de prensa, libertad de asociación y de reunión?

Rawls identifica el concepto de libertad en un régimen democrático con el "principio de participación". "Este principio de participación exige que todos los ciudadanos tengan un mismo derecho a tomar parte, y a determinar el resultado, del proceso constitucional que establece las leyes que ellos han de obedecer". Todos los adultos responsables tienen derecho a participar en los asuntos políticos; también debieran tener igual acceso al poder público: "Cada uno puede elegir el grupo político en el que quiere participar, presentarse o no a las elecciones y ocupar puestos de autoridad". "El mérito principal del principio de participación es el de asegurar que el Gobierno respete los derechos y el bienestar de los gobernados"[174].

Durante la dictadura militar se suspendió la aplicación del principio de participación; las autoridades militares eran responsables de sus actos sólo ante sí mismas (y ante sus superiores jerárquicos); como diría Hayek, "dictaron sus propias leyes" y, en concreto, pasaron por sobre la ley; no había mecanismo alguno que protegiera los derechos y el bienestar de los gobernados. El libre mercado, los precios libres y la libre competencia contemplaron impotentes e impasibles todo tipo de violaciones a las libertades básicas, incluyendo la más elemental, el derecho a la vida.

La interacción entre libertad política y libertad económica es compleja; hay complementariedad y conflicto entre ambas. En un régimen democrático, en el que por definición existe libertad política, el libre funcionamiento del mercado refuerza y complementa la libertad de acción de las personas. En efecto, una sociedad en la cual la asignación de recursos fuera decidida por el sector político generaría una situación doblemente ineficiente e inadecuada, en relación a aquella en la cual dicha asignación es realizada por el mercado: por una parte, la falta de libertad económica afecta y condiciona la libertad política, puesto que puede generarse un intercambio entre bienes económicos y favores políticos; por otra, el mercado actúa como un complemento de la libertad política porque permite a la sociedad hacer un uso más eficiente de sus recursos políticos al relevar al sector político de funciones que el mercado puede desempeñar en forma más eficiente[175]. Esta aplicación del principio de las ventajas comparativas permite al sector político concentrarse en su función de velar por la libertad política; además, al prevalecer la libertad económica, hay más autonomía para ejercer aquella.

En una democracia, el sistema político está basado en el principio "una persona, un voto", mientras que en el mercado el principio vigente es "un peso, un voto"; ello ilustra el potencial antagonismo entre la libertad política y la libertad económica. Si hubiera un mercado en donde se transaran los votos, la democracia se transformaría en plutocracia; quienes tienen mayor poder económico adquirirían mayor poder político. En un país en el cual hay una distribución inequitativa de la riqueza, "las desigualdades en el sistema económico-social pueden minar cualquier igualdad política que hubiese existido históricamente (...) El sufragio universal es un equilibrio insuficiente, ya que, cuando los partidos y las elecciones no están financiados por fondos públicos sino por contribuciones privadas, el foro político va a estar influenciado por los deseos de los intereses dominantes". Es decir, cuando hay concentración de poder económico existe una amenaza sobre la libertad política. En las democracias modernas hay conciencia en torno a evitar que las libertades políticas vinculadas al principio de participación sean menoscabadas por aquellos que poseen mayores recursos económicos; para ello existen diversos mecanismos, entre ellos el que los partidos políticos se mantengan independientes de los intereses económicos privados a través de la asignación pública de ingresos suficientes para cumplir su papel en el esquema constitucional"[176].

La democracia, con todos sus defectos, sigue siendo el régimen más adecuado para resolver de manera civilizada los complejos problemas de la sociedad moderna; es el sistema que mejor resuelve la transferencia pacífica del poder político, y el que proporciona las mayores garantías para la protección de la dignidad de las personas y de los derechos humanos. No existe un Orden Natural del cual emerge un Orden Social Perfecto. Tampoco existe ni es posible elaborar la Constitución que establezca reglas válidas de aquí a la eternidad. El hecho de que un régimen democrático no sea capaz de resolver de manera definitiva todos los problemas sociales no es una falla de la democracia. La moraleja es que hay que seguir intentando una y otra vez, profundizando y perfeccionando la democracia, buscando nuevas soluciones a los complejos problemas sociales, tanto los ya existentes como los que surgirán en el futuro.

NOTAS

1. En esta sección se utilizan libremente los valiosos aportes y planteamientos de los sociólogos y cientistas políticos de FLACSO. Ver entre otros Moulián (1982, a, b; 1985), Garretón (1983), Lechner (1984, 1985), Flisfich (1985), Varas (1982); ver además Atria y Tagle (1991). Es muy difícil (pero no imposible) para un economista hacer un aporte en este tópico: ver Foxley (1985).

2. Sobre este tópico, ver la selección de artículos de Tagle (1992) y CIEPLAN (1986); ver además Garretón (1983), Valenzuela (1978), Aldunate, Flisfich y Moulián (1985) y las numerosas referencias contenidas en estos libros.

3. Garretón, 1983.

4. La economía está en el óptimo de Pareto cuando no es posible un incremento de bienestar de un agente sin que ello implique una pérdida de bienestar de otro agente. Una economía está fuera del óptimo de Pareto cuando es posible incrementar el bienestar de algunos agentes sin que nadie experimente una pérdida de bienestar; en consecuencia, hay una ganancia de bienestar neta e inequívoca si la economía se desplaza hacia el óptimo de Pareto.

5. Moulián, 1982, 1985.

6. A nuestro juicio, aun cuando agentes externos como la CIA intervinieron, su papel no fue crucial; el golpe de 1973 habría ocurrido aun sin la intervención de la CIA. Según Sigmund (1977), la CIA habría gastado US$ 8

millones para desestabilizar al gobierno del Presidente Allende. Para una versión que enfatiza el papel de los factores externos en el golpe de 1973, ver Chakvin (1982).

7. Pinto, 1962.

8. La población crece alrededor del 2,5%, lo que implica un aumento anual del 1,5% del ingreso *per cápita*.

9. Atria y Tagle, 1991.

10. Moulián (1985) señala que "aquí no se consolidó cualquier democracia. Se estabilizó una democracia con el Partido Comunista y el Partido Socialista participando en el gobierno".

11. Lechner, 1985.

12. Garretón, 1983.

13. Sean c = C/V, i = I/V y v = V/P, en que c e i son el respectivo porcentaje de votos obtenido por el Centro (C) y la Izquierda (I) sobre el total de votantes (V), y v es el porcentaje de votantes (V) sobre la población en edad de votar (P). Los resultados obtenidos en la estimación de un modelo econométrico simple (método Cochrane-Orcutt) para el período 1918-69, utilizando solamente las observaciones correspondientes a las elecciones parlamentarias, son:

$$\ln c = \ 2{,}26 \ + \ 0{,}40 \ln v \qquad R^2 = 0{,}269$$
$$(3{,}87) \qquad (2{,}17)$$
$$\ln i = \ 0{,}40 \ + \ 0{,}77 \ln v \qquad R^2 = 0{,}355$$
$$(0{,}38) \qquad (2{,}55)$$

Los valores entre paréntesis corresponden al estadígrafo t. En la regresión para el centro se han omitido los años 1949 y 1973; en la regresión para la izquierda se ha omitido el año 1941.

14. Este punto ha sido sugerido por Eduardo Engel.

15. R. Moreno, pp. 91-92, en Tagle, 1992. Este tipo de comportamiento no obedece fundamentalmente a un fanatismo ideológico; los gobiernos radicales son sucedidos por Carlos Ibáñez, que no tiene ideología alguna pero cuyo eslogan es "la escoba al poder", para barrer a los radicales.

16. Vial, 1986, p. 100.

17. Arriagada, 1986, p. 149. Para una opinión con un matiz distinto, ver Garretón (1983), quien sostiene que "no hay una 'fe democrática' en la derecha" (pp. 29-30).

18. Para una discusión profunda y extensa de estos temas ver Lechner, 1984; Flisfich, 1985; Foxley, 1985.

19. G. Sartori, citado en Valenzuela, 1978.

20. Valenzuela, 1978; Moulián, 1982, 1985.

21. Viera-Gallo, 1982, p. 53.

22. Valdés, 1986, p. 184.

23. Valdés, 1986.

24. Valenzuela, 1978, p. 79.

25. Moulián (1982, 1985).

26. El "Tacnazo" (1969) fue un incidente relativamente menor, focalizado exclusivamente en reivindicaciones económicas por parte de los militares.

27. Vial, p. 270, en Tagle, 1992.

28. Ver Varas (1982), quien sugiere que "la consolidación hegemónica en el interior de las fuerzas armadas se produce con posterioridad al propio golpe militar" (p. 398). Ver también Joxe (1976) y Vial (1986).

29. Vial, p. 270, en Tagle, 1992.

30. Arriagada, 1986.
31. Garretón, 1983, p. 96.
32. Varas (1982) plantea que "el golpe militar de 1973 ofreció a las fuerzas armadas chilenas la oportunidad histórica para materializar sus tradicionales reivindicaciones corporativas, acalladas durante más de cuarenta años", consiguiendo "salir así de su involuntario ostracismo político" (p. 397).
33. Garretón, 1983, pp. 90-91.
34. En esta sección se expone el diagnóstico efectuado por los economistas ortodoxos respecto al problemático desarrollo de la economía chilena. El material bibliográfico de referencia utilizado en esta sección y en la siguiente es: De Castro (1973), Méndez (1979). Las citas textuales corresponden a estos autores, si no se indica otra cosa.
35. Ver también Exposición de la Hacienda Pública de 1977 y de 1978 de S. de Castro, reproducida en Méndez (1979).
36. P. Baraona usa el término "cultura del reparto" en una conferencia (1993) en la Universidad Finis Terrae.
37. De Castro, 1973, p. 30.
38. De Castro, 1973; Méndez, 1979; Fontaine, 1993.
39. Fontaine, 1993, p. 231.
40. "Las puertas estaban cerradas al comercio exterior, suprimiendo la posibilidad de una competencia efectiva. La situación se tornó extrema hasta incluso permitir la práctica absurda de tener representantes del sector productivo nacional en el directorio del Banco Central". (Méndez, 1979, p. 17). Valenzuela, 1978, p. 16.
41. Es interesante señalar que la esencia de este concepto es utilizada en la elaboración de *El Ladrillo* ("carta de navegación" de los economistas ortodoxos; De Castro, 1973) ya en los años 1972 y 1973. El primer artículo técnico de la literatura económica que introduce el concepto *rent seeking* aparece en 1974: ver Krueger (1974).
42. De Castro, 1992, p. 32.
43. Es escasa la bibliografía local específica sobre este tema; a este respecto interesa lo que se ha escrito en la década del 70, particularmente antes del golpe militar.
44. Esto se contrapone con lo que sucede en un sistema centralizado, en el cual "la autoridad política no controla, porque nadie es eficiente en el control de sí mismo" (De Castro, 1992, p. 64).
45. Cauas, p. 219, en Méndez, 1979.
46. Esto no es considerado realmente el ideal, pues hay que ir hacia una reducción del tamaño del Estado como porcentaje el PGB.
47. Complementariamente se sugiere "un control de precios eficiente en todas aquellas actividades en que existan monopolios y oligopolios a la competencia externa", y una "ley antimonopolios que sancione drásticamente cualquier entendimiento entre productores que disminuya la competencia".
48. Como dice Fontaine (1993, p. 246): "Los economistas de libre mercado tenían una visión verdaderamente revolucionaria. Pretendían derribar el sistema imperante y construir uno totalmente nuevo. Y no le temían a ningún grupo de interés opuesto a las reformas".
49. Sobre este tema existe abundante literatura, por lo que aquí se entrega sólo una presentación esquemática.
50. Cainzos, 1991.

51. Para un análisis más detallado, ver Foxley (1982), Ffrench-Davis (1982), Zahler (1983), Ramos (1984), Corbo (1985), Edwards y Cox (1987).

52. Aquellas empresas que eran privadas y pasan al sector público, porque el Estado las estatiza considerándolas estratégicas o para evitar su quiebra, al ser transferidas nuevamente al sector privado generan el proceso llamado "reprivatización". En Chile hubo 2 procesos de reprivatización: el primero de ellos es inmediatamente posterior al gobierno de la Unidad Popular, y el segundo, al colapso económico y financiero de 1982-83. El término "privatización" es utilizado para aquel proceso que implica la venta al sector privado de empresas públicas creadas por el Estado.

53. Para mayores detalles, ver Larraín (1991).

54. Foxley, 1982. Hachette y Lüders (1988) consideran que los relativamente reducidos precios de venta de bancos y empresas reprivatizados en relación a los valores de libro corresponden a las tasas de interés relativamente elevadas del mercado de capitales doméstico.

55. La reconstitución de la APS durante la dictadura militar ha sido descrita como "la vía monetarista al socialismo".

56. Larraín, 1991.

57. Idem.

58. Arellano y Marfán, 1986.

59. En un contexto inflacionario en el cual los impuestos no están indexados, el rezago en el cobro de la recaudación tributaria genera una erosión en su valor real; esto es lo que se denomina "efecto Olivera-Tanzi".

60. Para una revisión del papel del IVA en la recaudación tributaria, ver Marcel (1986).

61. Ver Wisecarver (1985) para un análisis más detallado sobre la desregulación de precios.

62. Para una discusión detallada de la liberalización del mercado doméstico de capitales, ver Arellano (1983) y De la Cuadra y Valdés (1992).

63. En septiembre de 1973, los sindicatos fueron suspendidos, no siendo autorizados para operar sino hasta junio de 1979, y con muchas restricciones: sólo podían existir a nivel de empresa, dentro de una empresa se estimulaba a los trabajadores a formar varios sindicatos o a no afiliarse a ninguno, los sindicatos no podían formar federaciones sectoriales o nacionales y se eliminaron casi por completo los derechos de sus dirigentes.

64. Para un análisis más completo de la apertura comercial chilena, ver De la Cuadra y Hachette (1988) y Meller (1992).

65. Para una discusión más profunda, ver Foxley (1983), Ramos (1984), Edwards y Cox (1987).

66. Corbo y Fischer, 1993.

67. Ver Fontaine (1988) y Valdés (1989).

68. Para un análisis más profundo de estos temas, ver Moulián y Vergara (1980), Foxley (1982), Meller (1984), Montecinos (1988) y Cortázar (1989).

69. Los economistas de Chicago tienden a olvidar que, incluso en sus propios términos, todos los resultados neoclásicos de optimalidad dependen de la distribución inicial de los activos. Según el teorema de Negishi, el óptimo de Pareto es equivalente al óptimo que se obtiene de la maximización de una función de utilidad ponderada en la que las ponderaciones son proporcionales al patrimonio inicial.

70. Montecinos, 1988.

71. O'Donnell, 1972; Cardoso, 1979.

72. En Montecinos (1988) aparecen muchas citas relacionadas con este tema emitidas por distintos economistas de Chicago que ocuparon altos puestos durante el período 1973-81.

73. Ante la crítica por el alto costo social de sus políticas, un ministro de Hacienda expresa que se trata de "pequeños grupos políticos que invocan a los pobres pero que sólo están preocupados de defender sus intereses particulares" (J. Cauas, en Méndez, 1979, p. 175).

74. "Las reformas chilenas son las más importantes de las aplicadas en los países en desarrollo durante el último tiempo", A. Harberger (*Wall Street Journal*, 5 de octubre, 1979). "Con el fin de reestablecer relaciones amistosas, Chile debería prestar su equipo económico al gobierno de los Estados Unidos", editorial (*Wall Street Journal*, 18 de enero, 1980). "Chile constituye un estudio de caso de una eficiente administración económica", Departamento de Estado de los Estados Unidos, (*Time*, 14 de enero, 1980). Citas extraídas de Foxley (1980).

75. Para un análisis crítico de muchas de estas cifras, y para el cuestionamiento respecto de qué parte del "milagro económico" fue "milagro estadístico", véase Cortázar y Meller (1987).

76. Ver Ffrench-Davis (1980).

77. Meller, 1983.

78. Para un análisis más detallado, ver Ffrench-Davis (1982), Arellano y Cortázar (1982), Zahler (1983), Sjaastad (1983), Ramos (1984), Harberger (1985), Corbo (1985), Balassa (1985), Corbo, de Melo y Tybout (1986), Edwards y Cox (1987), Morandé y Schmidt-Hebbel (1988).

79. Esto es, que el Banco Central no tiene el control de la oferta monetaria.

80. La no esterilización implica que el Banco Central no neutraliza el impacto monetario generado por las variaciones de reservas internacionales.

81. Si P es el nivel de precios internos, P* es el nivel de precios internacionales y e es el tipo de cambio, entonces la Ley de un Solo Precio sostiene que: $P = eP^*$. Tomando derivadas, tenemos que: $P = \hat{e} + P^*$, donde la notación $\wedge$ está relacionada con la tasa de cambio de la variable. Entonces, la tasa de inflación interna P es igual a la suma de la tasa de devaluación $\hat{e}$ más la tasa de inflación internacional P*. Si existe una política de tipo de cambio fijo, $\hat{e} = 0$, y entonces, $P = P^*$.

82. Ver Arellano y Cortázar (1982) y Corbo (1985) para cifras similares. El IPM no es un indicador muy confiable, debido a su cuestionable representatividad.

83. En el EMBP importa lo que sucede con el todo (el resultado de toda la balanza de pagos) y no con una de las partes.

84. Balassa, 1985.

85. El déficit de la cuenta corriente respecto del PGB más que se duplica en el mismo período.

86. Estas tasas de crecimiento están sobreestimadas; en una economía abocada a un proceso de apertura al exterior, la metodología tradicional de cálculo de las Cuentas Nacionales conduce a una *sobreestimación* de las tasas de crecimiento. Para los cálculos revisados de Cuentas Nacionales, ver Meller, Livacic y Arrau (1984) y Meller y Arrau (1985).

87. En Meller (1986), se estima que la sobreexpansión de la importación de bienes de consumo durante el período 1977-81 aumentó la deuda externa en US$ 6,4 mil millones, cifra que representa el 30% de la deuda externa chilena en 1985.

88. Faltaría por explicar por qué los agentes externos financiaron ese exceso de gasto, y por qué se genera un superávit de balanza de pagos. Ver en Schmidt-Hebbel (1988) el análisis y la estimación de un modelo de optimización intertemporal para examinar la validez de un modelo "real" de la cuenta corriente en el "boom" y "crash" de 1976-82.

89. Harberger, 1985; Edwards, 1986; Edwards y Cox, 1987; Morandé, 1988.

90. Edwards (1986) estima que el tipo de cambio nominal a mediados de 1981 habría sido de $ 30/US$, en lugar del tipo de cambio nominal fijo de $ 39/US$.

91. Valdés (1989) plantea que habría habido una política de supervisión irresponsable en los países de los bancos que proporcionaron créditos excesivos a Chile.

92. McNelis, 1991, p. 40.

93. Para un análisis más profundo de esta hipótesis, véase Arellano (1983), Barandiarán (1983), Ramos (1984), Meller y Solimano, (1984), De la Cuadra y Valdés (1992).

94. Entre febrero de 1982 y febrero de 1985 asume un ministro de Hacienda cada 6 meses. Notable contraste con el período anterior, en el que un ministro de Hacienda dura casi 6 años.

95. Cuando comienza a desarrollarse una crisis en un país de América Latina, los acontecimientos económicos se suceden rápidamente; las noticias, los rumores o las políticas erróneas pueden tener consecuencias desestabilizadoras en poco tiempo. El horizonte de largo plazo se acorta considerablemente a un trimestre o incluso a un mes; lo único importante pasa a ser el corto plazo.

96. Las operaciones de rescate efectuadas por el Banco Central implicaron montos superiores a US$ 300 millones para el Banco Español y más de US$ 100 millones para el Banco de Talca, que se contaban entre los seis mayores bancos comerciales privados de Chile.

97. En julio de 1981, el ministro de Hacienda declaró enfáticamente que "el tipo de cambio nominal fijo se mantendrá durante muchos años más".

98. Véase el Informe Anual del Estado de la Hacienda Pública del Ministerio de Hacienda (julio, 1981).

99. Como además se supone que opera la Ley de Un Solo Precio, entonces los precios de los bienes transables no pueden variar porque están determinados por los precios internacionales.

100. En realidad, este esquema había comenzado a operar plenamente a partir del primer trimestre de 1980. El aumento de las reservas internacionales del Banco Central en 1980 causó una expansión de la cantidad de dinero en términos reales, presionando para la baja de la tasa de interés interna real. Sin embargo, a pesar de la entrada masiva de recursos externos, la tasa de interés interna real descendió sólo algunos puntos, quedando muy por encima del valor de la tasa de interés internacional.

101. Durante 1981, la tasa LIBOR aumenta hasta alcanzar un valor anual de 18,5% durante el tercer trimestre. Sin embargo, los cambios observados en esa tasa durante 1981 y 1982 son relativamente pequeños en comparación con los cambios experimentados por la tasa de interés interna en Chile.

102. Corbo (1982), utilizando el modelo de una economía pequeña y abierta en la cual predomina la Ley de Un Solo Precio y con una indexación de un 100% del IPC, proporcionó una verificación empírica de que la economía chilena tenía una homogeneidad perfecta de grado 1 respecto del tipo de

cambio. En un trabajo posterior, sin embargo, demuestra que la economía chilena no tiene una homogeneidad de grado 1 (Corbo, 1985a).

103. Hasta el general Pinochet llegó a decir que "la devaluación equivalía a un suicidio".

104. A pesar de que se cambió tres veces de ministro de Hacienda en el año 1982, todos eran *Chicago boys,* y conservaron el mismo equipo económico en los demás puestos.

105. La desindexación de los salarios se adoptó como medida adicional.

106. La ponderación de las variaciones en estas cinco monedas estaba relacionada con la participación de los respectivos países en el comercio exterior chileno.

107. Hubo otros problemas con el *marketing* de esta primera modificación de la política cambiaria: a) la medida fue anunciada un lunes, cosa que no debe hacerse jamás; una devaluación es mejor comunicarla un sábado. b) Al día siguiente del anuncio de la devaluación, el ministro de Hacienda opinaba: "No me gusta la devaluación y creo que no va a funcionar, pero era lo único que podíamos hacer para lograr aumentar la competitividad internacional".

108. El Banco Central también realizó operaciones (menores) en moneda extranjera con la Tesorería y con otras entidades del sector público.

109. Recordemos que el mecanismo de indexación salarial fue abolido conjuntamente con la devaluación del 14 de junio de 1982.

110. Revista *Estrategia,* primera semana de agosto de 1982.

111. Algo habían aprendido, sin embargo: la anterior modificación de la política cambiaria fue anunciada un día lunes.

112. Dicho dólar preferencial se regiría por una norma de ajuste gradual del tipo de cambio en relación con la evolución del IPC del mes anterior.

113. Se suponía que la inflación internacional era de un 1% mensual durante los tres primeros meses; posteriormente, fue reducida a 0,5% mensual.

114. Debe recordarse que sólo un mes antes se había afirmado que el M_1 aumentaría en un 11% durante los próximos 6 meses. De este modo, las autoridades monetarias parecían estar siguiendo la regla que indica que al reducir el número de meses por 1, el porcentaje de incremento de M_1 debe aumentarse en 1.

115. Con anterioridad a julio de 1982, existían requisitos de encaje y de plazos para créditos financieros externos, destinados a requerir una estadía de dicho capital por un período más largo. Desde el punto de vista de Chile, la permanencia del crédito financiero externo en el país por períodos extensos permitía contar con recursos que podían ser utilizados en inversiones productivas. Sin embargo, cuando los requisitos en cuanto a encaje y plazos fueron eliminados, el Banco Central argumentó que se hacía para establecer la igualdad entre el costo del crédito a corto plazo y el del crédito a largo plazo: "se había eliminado otra distorsión del sistema". Sin embargo, las autoridades del Banco Central no hablan de distorsiones cuando se establece el dólar preferencial.

116. Hay una lógica política que explica esta opción gubernamental. El desequilibrio interno atañe a los trabajadores chilenos, y el desequilibrio externo a la banca internacional y los organismos multilaterales. ¿Cuál de los dos desequilibrios es políticamente controlable? La respuesta es obvia: el desequilibrio interno; es cuestión de sacar los soldados a las calles. Pero un conflicto con los agentes económicos externos no puede resolverse de la misma manera.

117. Rosende, 1987; Fontaine, 1989.
118. Corbo y Fischer, 1993.
119. Hay una diferencia metodológica con respecto a la clasificación de etapas de ajuste de Barandiarán (1988), quien distingue: estabilidad macroeconómica (contracción del PGB), recuperación (el PGB alcanza el nivel previo al ajuste), y crecimiento sostenido. En este enfoque, los valores empíricos del PGB proporcionan el quiebre de las etapas de ajuste. En el enfoque sugerido en el texto, en cambio, las etapas de ajuste están determinadas por el entorno de políticas económicas.
120. El desempleo efectivo incluye los programas especiales PEM (Programa de Empleo Mínimo) y POJH (Programa de Ocupación de Jefes de Hogar), en los cuales los participantes recibían de un 30% (PEM) a un 60% (POJH) del salario mínimo.
121. Fuentes alternativas señalan que la tasa de crecimiento del PGB habría sido de 8,3% en 1984 y de 1,1% en 1985. Las tasas de crecimiento de la industria serían de 11,9% (1984) y 1,6% (1985), y las de la construcción, 19,3% (1984) y -0,5% (1985). Ver Arrau (1986).
122. Rosende, 1987.
123. En los años 80, las autoridades económicas de diversos países latinoamericanos expresaron serios reparos y dificultades para suscribir los severos programas de ajuste sugeridos por el FMI; Chile fue una excepción a esta regla. Según cuenta la leyenda, las autoridades económicas chilenas solían formular sólo una pregunta a la misión del FMI: "¿dónde tengo que firmar?"
124. El primer *stand-by* (1983) suscrito con el FMI va incluso más lejos, por cuanto dentro del servicio de la deuda se incluye pago de intereses y *completa* amortización de capital, de manera que el stock de la deuda llegara al 20% del PGB en el año 1989. (El nivel inicial stock de deuda/PGB era superior al 100%). El que esto implicara que los servicios de la deuda externa representarían 20% del PGB y 75% de las exportaciones para varios años sucesivos no era visto como un gran obstáculo. Posteriormente, el FMI entendió que incluso el solo pago completo de intereses era algo difícil de lograr; entonces apoyó las reprogramaciones de las amortizaciones. Para mayores detalles sobre el programa del FMI, ver Meller (1992).
125. Ver Meller (1992) para la información cuantitativa detallada de los objetivos trimestrales fijados por el FMI para el período 1983-1987.
126. Ver World Bank Chilean Report (1990) para los detalles del funcionamiento del FEC.
127. Rosende, 1987.
128. Un alza del precio del cobre de 1 c/lb implica un monto cercano a los US$ 30 millones. En consecuencia, sólo el aumento del precio del cobre genera a Chile incrementos adicionales promedio de US$ 1.500 millones anuales en el bienio 1988-89.
129. Edwards, 1989.
130. Arellano (1988) ha utilizado previamente este procedimiento sólo para el sector exportador.
131. Para una mayor discusión del efecto de las remuneraciones reales sobre la devaluación real ver Corbo y Solimano (1991) y Meller (1992).
132. Ver Arrau *et al.* (1992), Repetto (1992) y Corbo y Fischer (1993).
133. Sobre este tópico, ver Repetto, 1992.
134. Para mayor detalle, ver Gómez-Lobo y Lehmann, 1991.

135. Ver Muchnik *et al.*, 1992; Chacra y Jorquera, 1991.
136. Fontaine, 1991, p. 113; ver también Tapia, 1991. En los *stand-by* del FMI se observa una presión implícita de este organismo para que el Banco Central elimine esta política de orientación del nivel real de la tasa de interés, lo cual supuestamente se haría cuando el sistema financiero fuera más sólido.
137. Para mayores detalles, ver Held y Szalachman, 1989; Ramírez y Rosende, 1992.
138. Este mecanismo incentivaba el crédito en pesos y la compra de dólares en el mercado paralelo para luego colocar los *swaps* en el Banco Central; ver más detalles en Valdés (1992).
139. Es muy distinta la transferencia al exterior de dos países con el mismo superávit comercial pero con una reducción de US$ 1.000 millones en el nivel de reservas de uno de ellos. Esta medición es casi equivalente al monto total pagado por el servicio de la deuda externa, descontando los créditos externos.
140. Fontaine (1989) proporciona cifras y porcentajes menores. Ello se debe a dos factores: 1) utiliza sólo el superávit comercial (CIF) para medir la transferencia, y 2) no excluye el año 1984, que fue claramente un *outlier*, por lo que su inclusión para el cálculo de un promedio anual genera distorsiones.
141. Aunque se usa la misma terminología que Corden (1988), el significado es algo distinto.
142. Ver Meller (1990) para la metodología de cálculo y para las políticas pertinentes para reducir los costos secundarios del ajuste.
143. La escuela de "banca libre" ha cuestionado este rescate del Banco Central al sistema financiero. Esta escuela señala que el comportamiento altamente riesgoso de la banca chilena en el período 1977-82 se origina en la decisión gubernamental de evitar la quiebra del Banco Osorno en 1977, lo que estimula a los directivos bancarios a adoptar un comportamiento de "riesgo moral" (Barandiarán, 1983; Harberger, 1984). Sin embargo, una banca libre en un país como Chile es una proposición de alto riesgo, con una probabilidad no despreciable de consecuencias desastrosas: ¿qué habría pasado en 1982 si el Banco Central hubiera dejado quebrar al Banco de Chile, al Banco Santiago y a todos los bancos insolventes? Para una interesante discusión y una excelente revisión de estos tópicos, ver De la Cuadra y Valdés (1992).
144. Las principales medidas fueron: 1) Los bancos comerciales podían vender su cartera mala y riesgosa al Banco Central hasta un monto equivalente a dos veces el capital del banco, pero con un compromiso de recompra. En esta operación, los bancos comerciales recibían bonos del Banco Central con cero riesgo y una tasa de interés real de 7% anual, mientras que la cartera mala vendida tendría un cargo anual del 5% real. 2) El subsidio a la tasa de interés pagada por el Banco Central por operaciones *swap*. Un banco comercial podía establecer un depósito en moneda extranjera en el Banco Central recibiendo la tasa LIBOR más 4% (este *spread* declinó en el tiempo) y, simultáneamente, un préstamo en pesos cuya tasa de interés sería la de captación. En esta operación *swap*, el Banco Central garantizaba la venta de moneda extranjera y además absorbía los riesgos y las pérdidas asociados a una eventual devaluación.
145. Así se genera el futuro problema de "la deuda subordinada" de la banca privada que vende su "cartera mala" al Banco Central.

146. Riveros, 1984.

147. Ver Meller (1992).

148. En realidad, es sorprendente el brusco descenso de la tasa de desempleo (del 25% en 1984 al 10% en 1989) en 5 años. El autor de este libro pronosticaba en 1984 que la tasa de desempleo alcanzaría el nivel del 10% sólo en el año 2000, y siempre que la economía creciera al 6% anual. Para este cálculo se utilizaba una elasticidad producto-empleo de 0,5 y una expansión anual de la fuerza de trabajo del 2%; luego, si la economía crecía al 6%, el empleo crecería al 3% y la tasa de desempleo se reduciría anualmente en un punto porcentual. En 1984, rebajar el desempleo del 25% al 10% requería 15 años. Lo que no se consideró en este cálculo fue que, a pesar de lo inelástica de la demanda de trabajo (la elasticidad salario-empleo de corto plazo era cercana a –0,3), la gran contracción salarial (-20%) y su mantención por un largo período incentivó una expansión del empleo en el corto y mediano plazo.

149. Previamente representaban un 0,5% del gasto público (1981) (Larraín, 1991).

150. Estas cifras se refieren al sector fiscal; las cifras del cuadro 3.30 se refieren al sector público.

151. Rodríguez, 1985; Sanfuentes, 1989; año 1982.

152. La solución del problema de la deuda externa chilena abarca una serie de tópicos: las negociaciones y renegociaciones con la banca acreedora, el otorgamiento del aval del Estado a la deuda externa privada, la evolución de la deuda externa según tipo de deudor y tipo de acreedor, los mecanismos de reducción y conversión de deuda externa (Capítulos XVIII y XIX), los pros y los contras de estos mecanismos. Cabe señalar que el rescate de deuda externa a través de diversas vías involucró montos superiores a US$ 2.800 millones vía Capítulo XVIII, US$ 3.400 millones vía Capítulo XIX; esto generó cifras elevadas de distribución de rentas a distintos agentes. Sobre estos tópicos ver Ffrench-Davis (1989), Larraín y Velasco (1989); ver también Valdés (1989) y Meller (1986).

153. Equivalente a 6% del PGB de aquel período; Hachette y Lüders, 1988.

154. Larraín, 1991.

155. Bajo este sistema, el gobierno vendió acciones de las empresas del área "rara" a precios inferiores a su valor de mercado, y proporcionando un crédito por el 95% de la compra con una tasa de interés real igual a cero. Además, los compradores del "capitalismo popular" podían deducir de sus impuestos personales (en el año siguiente) hasta un 20% del valor total de la transacción. Aquellos compradores cuya tasa tributaria marginal fuera igual o superior al 30% recibían un beneficio tributario que era mayor que el pago al contado que habían efectuado en la adquisición de las acciones. Dados estos beneficios, había un límite al monto de acciones que cada persona podía adquirir.

156. Pinto, 1987.

157. Para mayores detalles de todo este proceso, ver Marcel (1989) y Hachette y Lüders (1992).

158. Marcel, 1989.

159. Ver en Hachette y Lüders (1992) los precios mensuales de las acciones de ENDESA para el período 1985-89; no hay ningún valor superior a $ 22,6, y la mediana alcanza a $ 16,2.

160. Ver Muñoz (1993).

161. Podría no ser válida la comparación sobre el nivel de empleo del año de la privatización y el siguiente; puede haber empresas estatales en las que, para ser atractiva su privatización, haya habido despidos previos.
162. Para una revisión y discusión profunda del nuevo sistema previsional ver Diamond y Valdés (1993).
163. Para un análisis más profundo de la reforma tributaria de 1984 ver Arellano y Marfán (1987).
164. Romaguera, 1991.
165. Para una mayor discusión sobre la autonomía del Banco Central, ver *Colección Estudios CIEPLAN* 22 (1987) y *Cuadernos de Economía* Nº 77 (1989).
166. Jarvis, 1991.
167. Incluso hoy (1995), muy pocos hablan de dictadura; la mayoría prefiere usar la terminología "gobierno anterior" o "régimen militar"; análogamente, en vez de golpe militar se habla de "pronunciamiento" o " intervención" militar.
168. A estos temas, utilizando los planteamientos de Hayek, está dedicado el ejemplar Nº 1 de la revista *Estudios Públicos*; lo mismo sucede con el ejemplar Nº 50 dedicado a Hayek.
169. Ver Hayek, 1980; Godoy, 1993; Fontaine, 1980.
170. Citado en Godoy, 1993, p. 30.
171. Hayek, 1980. Todas las citas de este autor contenidas en este capítulo pertenecen a la misma obra.
172. Fontaine, 1980, pp. 124-129.
173. Friedman & Friedman, 1980, p. 35. Fontaine va un poco más lejos cuando sugiere que, para asegurar el libre funcionamiento del mercado, se requiere el ejercicio de una "autoridad fuerte y vigorosa", que "crea el ordenamiento objetivo y lo deja como herencia que trasciende las voluntades aisladas y las circunstancias pasajeras", así como "ya ocurrió en Chile durante los primeros decenios de la República" (Fontaine, 1980, pp. 144-145). Hay una inconsistencia lógica en este planteamiento: la gran virtud del mercado es que es un sistema *impersonal*, pero para que funcione se sugiere que haya una autoridad *personal* que sea fuerte y vigorosa.
174. Rawls, 1978, pp. 256-264.
175. Gordón, 1980.
176. Ver Rawls (1978), pp. 260-261.

CAPITULO 4

UNA SINTESIS TENTATIVA

CRECIMIENTO ECONOMICO

En el Capítulo 1, la pregunta de fondo –¿por qué Chile es un país subdesarrollado?– determinaba el análisis de la evolución de la economía chilena durante el siglo XX desde la perspectiva de las estrategias de desarrollo: estrategia monoexportadora con inversión extranjera, estrategia de industrialización basada en la sustitución de importaciones, estrategia de mercados libres con apertura externa e inversión privada. Aquí la interrogante central es: ¿cuáles son los factores explicativos del crecimiento económico chileno? Obviamente existe una interrelación entre ambas dos cuestiones, como se verá a continuación.

Anatomía del crecimiento económico

Considerando el período total 1880-1990, es posible apreciar el siguiente desempeño de la economía chilena (cuadro 4.1; gráficos 4.1, 4.2 y 4.3):

a) El crecimiento económico anual (PGB)[1] alcanza en promedio a 2,29% durante la fase monoexportadora con inversión extranjera (1880-1930); a 3,86% durante la estrategia de ISI (1940-1973) y a 3,70% en el período de mercados libres con apertura externa e inversión privada (1973-1990).

b) El crecimiento anual de las exportaciones[2] es en promedio de 2,65% (1880-1930), 1,87% (1940-1973) y 6,49% (1973-1990), respectivamente.

CUADRO 4.1. CRECIMIENTO ECONÓMICO Y CRECIMIENTO DE
EXPORTACIONES (%)
PROMEDIO ANUAL POR PERÍODOS

	Crecimiento del PGB		Crecimiento de Exportaciones		
	Promedio anual*	Desviac. estándar	Promedio anual*	Desviac. estándar	Crecimiento Poblacional
1880-1930	2,29 (8,30)	8,2	2,65 (19,2)	17,8	1,4
1940-1970	3,87 (53,7)	4,9	2,59 (2,67)	9,4	2,1
1970-1990	3,24 (4,43)	6,4	8,20 (9,60)	11,6	1,6
1940-1973	3,86 (59,4)	4,9	1,87 (2,42)	9,6	2,0
1973-1990	3,70 (5,11)	6,8	6,49 (10,4)	10,8	1,6

Fuentes: Banco Central, Sáez (1989), ODEPLAN y Ballesteros y Davis (1965) e INE.
* El método de cálculo promedio de la tasa de crecimiento anual es utilizar una regresión semilogarítmica del tipo ln z = a0 + a1 t, en la cual se usan todos los años de los períodos señalados: t es una variable de tendencia temporal y z es el nivel del PGB y exportaciones en cada caso. Los valores entre paréntesis corresponden al estadígrafo t del valor estimado en la regresión.

Las cifras muestran una evolución promedio de largo plazo con tasas de crecimiento inferiores al 4%. La reiterada crítica ortodoxa al mediocre desempeño de la economía chilena durante la estrategia ISI no parece estar avalada por la evidencia empírica. En efecto, el paso de la estrategia monoexportadora con inversión extranjera a la estrategia ISI conlleva un aumento significativo del crecimiento económico anual (1,57 puntos porcentuales), lo que implica una ganancia neta superior al 20% del PGB en el transcurso de una década[3]. Además, la comparación entre el desempeño de la estrategia ISI y la de mercados libres con apertura externa e inversión privada no proporciona durante el período analizado resultados notoriamente diferentes en lo que se refiere al crecimiento económico de largo plazo.

En otras palabras, la estrategia ISI exhibe un crecimiento económico claramente superior a aquel observado en el período anterior. Sin embargo, este resultado no es inconsistente con la

GRAFICO N° 4.1.   EVOLUCION DEL PGB, 1880-1990
(MILES DE MILLONES DE US$ DE 1990)

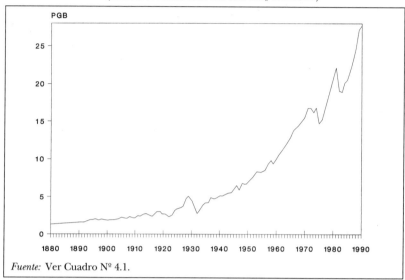

Fuente: Ver Cuadro N° 4.1.

GRAFICO N° 4.2.   CRECIMIENTO DEL PGB, 1880-1990
(TASA DE VARIACION PROMEDIO ANUAL)

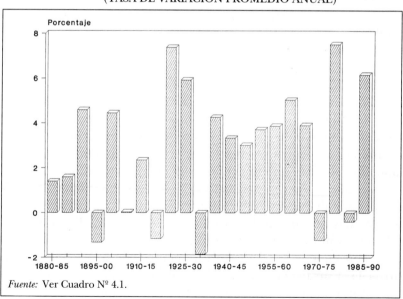

Fuente: Ver Cuadro N° 4.1.

297

GRAFICO N° 4.3.   CRECIMIENTO DE EXPORTACIONES, 1880-1990
(TASA DE VARIACION PROMEDIO ANUAL)

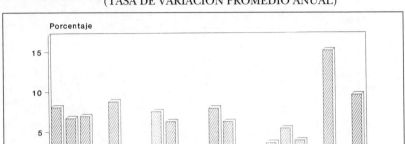

Fuente: Ver Cuadro N° 4.1.

aseveración de que tal estrategia habría llegado a su punto de agotamiento a fines de la década del 60.

En lo que se refiere a la expansión de las exportaciones, es posible inferir claramente que durante la estrategia ISI se produjo una notoria disminución relativa en el ritmo exportador.

Una perspectiva global de 110 años, con esta división en tres fases, permite formular la siguiente apreciación general: cuando la economía chilena ha estado relativamente más abierta al exterior, ha tenido años con mayores tasas de crecimiento económico, experimentando al mismo tiempo una mayor inestabilidad económica (mayores fluctuaciones en el crecimiento); por otro lado, cuando la economía chilena ha tenido altos niveles de protección que la han semiaislado del exterior, ha gozado de una mayor estabilidad económica pero con tasas anuales parejamente acotadas por arriba. La desviación estándar, medida de variabilidad, es notoriamente mayor en los períodos en los cuales la economía chilena ha estado relativamente abierta al exterior (cuadro 4.1). Este hecho está asociado al desempeño del sector exportador: en la economía abierta, las exportaciones son el motor

GRAFICO N° 4.4. CRECIMIENTO ECONOMICO Y CRECIMIENTO POBLACIONAL, 1880-1990 (PROMEDIO ANUAL DECADA)

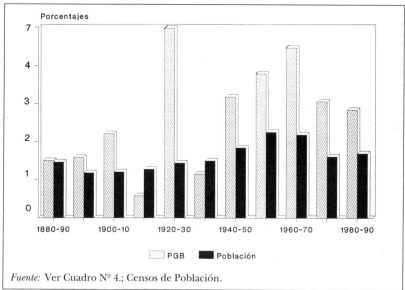

Fuente: Ver Cuadro N° 4.; Censos de Población.

del crecimiento, y su desempeño está condicionado en gran parte por la volatilidad de la economía mundial. En una economía semicerrada, las exportaciones tienen un papel subordinado y secundario; ello favorece una evolución económica más estable pero sacrificando una trayectoria de crecimiento más elevada.

La relación entre crecimiento económico y crecimiento demográfico, por su parte, afecta críticamente el incremento del ingreso *per cápita.* Hasta 1940, la población chilena exhibe una tasa de crecimiento relativamente baja, 1,4%; ésta sube al 2,1% durante el período 1940-70, para luego declinar al 1,6% entre 1970 y 1990 (cuadro 4.1, gráfico 4.4). Durante la vigencia de la estrategia ISI Chile enfrenta una mayor dificultad económica, al tener que satisfacer las necesidades de una población que exhibe mayores tasas demográficas[4]. La tasa de crecimiento demográfico tiende a disminuir paulatinamente a medida que un país alcanza mayores niveles de ingreso *per cápita.* Sin embargo, una cuestión pendiente es la repentina disminución de esta tasa durante el período central de este estudio: 1970-90. La incertidumbre, las emigraciones y el exilio son factores que probablemente deban ser incluidos en la investigación futura de este fenómeno.

Factores explicativos del crecimiento económico

¿Por qué crece una economía?, ¿cómo se explican las bajas tasas relativas de crecimiento en el período 1880-1930 y las tasas relativamente más altas posteriores? El paso desde una estrategia de desarrollo a otra estaría vinculado a alcanzar trayectorias de crecimiento más elevadas; en esta perspectiva, ¿qué factores inducen los cambios?

El proceso de ahorro-inversión y la incorporación de la tecnología moderna constituyen los determinantes principales del crecimiento económico. Lamentablemente, no se dispone en el caso chileno de la evidencia empírica necesaria para elaborar un análisis más preciso de la evolución de estos fenómenos; por ello este análisis deberá ser de naturaleza conceptual y especulativa.

En general, bajos niveles de ahorro inducen bajas tasas de crecimiento económico. Pero, ¿a qué se deben las bajas tasas de ahorro? Hay distintas explicaciones, no excluyentes entre sí[5]: a) Una economía subdesarrollada, con un bajo nivel de ingreso, tendrá una capacidad de ahorro reducida; *ceteris paribus*, este ahorro disminuye aún más si crece la población. b) Individuos de distintas sociedades tienen distintas actitudes psicológicas frente al ahorro. En efecto, mientras que los asiáticos tienen una gran preocupación por el futuro[6], con los latinoamericanos sucede lo contrario: valoran relativamente mucho más el presente que los asiáticos. c) La propensión marginal a ahorrar es mayor entre los empresarios que entre los trabajadores; luego, en un contexto en el que los trabajadores posean un elevado poder de negociación se tenderá a una redistribución del ingreso hacia mayores niveles relativos de remuneraciones, generándose un menor nivel total de ahorro. d) La existencia o no de ciertas instituciones específicas, como el sistema previsional y grandes corporaciones, puede afectar significativamente el nivel de ahorro.

Pero, para que una economía crezca, no basta con que haya ahorro; también es condición necesaria la inversión. El ahorro generado en una economía puede no ser reinvertido en el país;

es tradicionalmente el caso de las utilidades remitidas al exterior por las empresas extranjeras[7], y el caso de los depósitos en cuentas bancarias externas por parte de agentes nacionales, los que pueden corresponder a un proceso de diversificación de portafolio o bien a una "fuga de capitales". Queda por explicar qué es lo que induce a los agentes nacionales (y extranjeros) a enviar sus ahorros al exterior.

El nivel de inversión depende de distintos factores, siendo conveniente la presencia de todos ellos. Hay una larga controversia en este punto; los economistas clásicos sostienen que es el nivel de ahorro el que determina el nivel de inversión, mientras que los economistas keynesianos afirman exactamente lo contrario. En este último caso, el empresario es el "héroe" del crecimiento económico (Schumpeter): la existencia de empresarios que asumen riesgos e invierten transformando ahorros financieros en formas específicas de capital físico sería el factor fundamental para el crecimiento. Por otro lado, la existencia de proyectos rentables es condición *sine qua non* para que haya inversión, así como la posibilidad de acceso de los empresarios a un mercado de capitales, interno o externo, que facilite la concreción de esos proyectos. Por último, un contexto económico y político estable, con reglas definidas, es un elemento positivo para la inversión.

La incorporación de la tecnología moderna permite aumentar la productividad de una determinada actividad incrementando su nivel de utilidades; así se generan mayores niveles de ahorro y mayores estímulos para la inversión futura. Nuevamente es el empresario el agente clave en la incorporación de la tecnología moderna. Empresarios de distintas sociedades, y en distintos momentos históricos, tienen distinta predisposición ante la inversión y la incorporación de tecnología moderna: mientras que los empresarios industriales japoneses de las décadas del 50 al 80 del siglo XX eran muy optimistas con respecto al futuro, lo que los inducía a incrementar significativamente su inversión en el presente y a incorporar tecnología moderna, los latifundistas chilenos del siglo XIX y de la primera mitad del siglo XX estaban por sobre todo interesados en la mantención del *statu quo*, por lo que eran completamente contrarios a asumir riesgos que pudieran significar cambios.

301

Tomando como referencia los tres elementos conceptuales descritos (ahorro, inversión y tecnología moderna), presentamos una visión esquemática, casi caricaturesca, del crecimiento económico chileno durante los siglos XIX y XX.

Hasta 1880, Chile era una economía pobre, fundamentalmente agrícola y de autoconsumo, con un nivel de ahorro casi nulo; su aislamiento implicaba un acceso restringido a los mercados de capitales, por lo que no había fuentes de financiamiento para eventuales proyectos de inversión. El resultado era una economía prácticamente estancada, en la que las disparidades de progreso económico entre una década y otra eran realmente marginales. La falta de ahorro y la existencia de una clase latifundista sin espíritu empresarial contribuían a un crecimiento económico muy lento.

El boom salitrero del período 1880-1930 transformó a Chile en una economía primordialmente monoexportadora, en la que la inversión extranjera tenía un papel fundamental. La actividad monoexportadora se constituyó en la principal fuente de generación de ahorro de la economía chilena. La proyección internacional de Chile como principal exportador mundial de salitre atrajo nuevas inversiones extranjeras hacia la explotación de cobre (GMC). Aunque una fracción importante de las utilidades era remitida al exterior, quedaba un remanente que permitía financiar inversión privada local (e inversión pública); además, los factores productivos nacionales vinculados al sector monoexportador y los sectores domésticos que proporcionaban insumos a dicho sector experimentaron alzas en su nivel de ingresos, lo que generó aumentos de demanda para una variada gama de bienes nacionales e importados, estimulando la producción y la inversión. En síntesis, el boom salitrero condujo a Chile hacia una trayectoria de crecimiento relativamente superior a la del pasado; aumentó el nivel de ahorro total y se estimuló la inversión nacional, también se atrajo nueva inversión extranjera hacia el cobre. La incorporación de tecnología moderna correspondió principalmente a las empresas extranjeras vinculadas a la actividad (minera) monoexportadora; dada la especificidad de este rubro, no hubo demasiada difusión del uso de la tecnología moderna hacia el resto de la economía. El nivel relativamente reducido de capacidad empresarial nacional se mantuvo prácticamente inalterable durante este período.

Durante la aplicación de la estrategia ISI, las elevadas barreras proteccionistas son el instrumento por el cual los consumidores transfieren recursos y ahorro al sector industrial; por otra parte, la imposición del control de precios fundamentalmente de bienes de consumo alimenticio constituye el mecanismo de transferencia de ahorro y utilidades del sector agrícola al sector industrial. Este control de precios permite además frenar las presiones salariales, lo que potencia la rentabilidad y el nivel de utilidades del sector empresarial industrial. Los incentivos de precios relativos (altas tarifas a los bienes importados y control de precios de bienes alimenticios) estimulan también la expansión del sector industrial; de esta forma se crea una nueva clase empresarial industrial nacional que demuestra ser más exitosa que la latifundista y que los inversionistas extranjeros, ya que contribuye a que la economía chilena se desplace hacia una trayectoria de crecimiento económico claramente superior a la existente en el pasado. Además, la industria incorpora tecnología moderna que tiene cierta diseminación hacia el resto de la economía. Las grandes empresas estatales creadas por la CORFO también contribuyen a crear capacidad gerencial, técnica y profesional.

El empresario industrial de la ISI concentra las funciones de ahorro e inversión, pero la ausencia de competencia externa restringe su nivel de eficiencia; es más, la rentabilidad de un proyecto de inversión industrial depende principalmente de decisiones administrativas (mantención de determinados niveles de aranceles, acceso a crédito preferencial y a la asignación de divisas, etc.), lo que releva a estos empresarios de preocuparse por mejorar la gestión propiamente productiva. Los empresarios que surgen en esta fase requieren del apoyo estatal y de barreras proteccionistas para evitar la competencia externa. La consolidación del poder sindical y la mayor conflictividad laboral generan aumentos de las remuneraciones superiores a los incrementos de productividad; esto afecta el nivel de utilidades, y por tanto a la rentabilidad y el nivel de inversiones del sector industrial. Pasadas dos décadas, el entorno económico en el cual estaba operando la estrategia ISI contenía elementos que entorpecían el crecimiento futuro.

Las reformas económicas posteriores a 1973 modifican radicalmente el proceso previo de ahorro-inversión. El empresariado nacional se ve expuesto a dos fenómenos nuevos: la implantación de un sistema de mercados libres y la apertura externa eliminan la tutela estatal, y los empresarios tienen que aprender a subsistir en un esquema de gran competencia; por otra parte, la privatización implica la transferencia de una magnitud considerable de patrimonio y recursos del sector público al sector privado; y permite el surgimiento de nuevos grupos empresariales con una mayor calificación técnico-profesional y más dispuestos a asumir riesgos con un patrimonio obtenido en un período relativamente breve[8]. El nuevo sistema de precios relativos estimula las exportaciones; en consecuencia, la apertura externa y la expansión de las exportaciones requieren de empresarios emprendedores que incorporen la tecnología moderna para enfrentar la competitividad internacional y conquistar los mercados externos. Inversionistas y empresarios extranjeros contribuyen de manera importante en este proceso.

Por el lado del ahorro, hay una serie de reformas y fenómenos que contribuyen a su incremento en el período post 1973. En primer lugar, cabe señalar la liberalización y la profundización del mercado doméstico de capitales, que se complementa con el progresivo acceso al mercado de capitales internacional; esto expande notablemente las posibles fuentes de financiamiento para la inversión. En segundo lugar, la represión sindical y el elevado nivel de desempleo que predomina durante la mayor parte del período 1973-90 generan una contracción salarial, la que redistribuye ingresos e incrementa utilidades en favor del sector empresarial; dada la mayor propensión marginal al ahorro de este sector en relación a los trabajadores, asciende el nivel de ahorro nacional. En tercer lugar, dos profundas transformaciones institucionales inciden positivamente en el aumento del ahorro (e inversión) nacional hacia fines de la década del 80 y después. Una de ellas es la creación del sistema previsional de AFP, en conjunto con el restablecimiento del equilibrio fiscal; ello genera un importante flujo financiero que comienza a estar disponible para financiar inversiones del sector privado. Nótese que este tipo de ahorro es forzoso; no es la tasa de interés la que induce a los agentes económicos a cotizar en las AFP. El otro cambio institucional importante es el surgimiento de grandes corporaciones privadas, producto de las privatizaciones de las grandes empresas estatales productoras y proveedoras de servicios de utilidad pública; estas corporaciones acumulan montos importantes de utilidades retenidas, las que constituyen una fuente importante de ahorro y financiamiento de futuras inversiones de estas empresas.

En síntesis, las reformas económicas propias de la estrategia de mercados libres con apertura externa e inversión privada han favorecido el surgimiento de empresarios nacionales eficientes, y creado una nueva institucionalidad que proporciona fuentes de ahorro y financiamiento para nuevos proyectos de inversión; todo esto debiera eventualmente conducir a la economía chilena a una trayectoria de crecimiento más elevada que aquella que prevalecía durante la estrategia ISI.

Este recorrido esquemático a través de 110 años de la economía chilena permite observar que los sucesivos cambios de estrategia de desarrollo la han conducido cada vez hacia una trayectoria de crecimiento superior. Cabe preguntarse entonces, ¿por qué no se aplicaron inmediatamente las estrategias superiores? o, mejor aún, ¿por qué no se desarrolló hace 110 años la que sería la mejor estrategia de todo un siglo? Haggard (1990) hace una severa crítica a lo que denomina el enfoque "voluntarista" de los economistas. En él, las alternativas son exógenas; una buena política económica consiste simplemente en escoger la alternativa correcta (*to choose the right policies*). Luego, la existencia de políticas incorrectas reflejaría ideas erróneas, falta de voluntad o ignorancia de la masa que elige a políticos incompetentes. Pero, ¿por qué entonces individuos que actúan tan racionalmente en sus decisiones económicas actúan tan estúpidamente en la selección de sus gobernantes?[9] La evolución histórica señala que cada estrategia sucesiva va resolviendo alguna de las insuficiencias o inexistencias precedentes: insuficiencia de ahorro, nivel reducido de empresarios, introducción y diseminación de la tecnología moderna, etc.

El paso de una estrategia a otra va acompañado de reformas económicas, institucionales y legales. Estos cambios generan grupos de interés que posteriormente no querrán modificar la nueva situación; la consolidación de nuevas coaliciones va a restringir la posibilidad de alteraciones e incluso el manejo de la política económica. Una vez que se afianza una estrategia determinada,

305

la solución a todo tipo de problemas sólo se percibe desde la óptica de la estrategia en cuestión.

¿Cómo se produce entonces el reemplazo de una estrategia por otra? Haggard sostiene que ello requiere de una gran crisis, generalmente inducida por un shock externo. América Latina ha experimentado dos grandes shocks externos durante el siglo XX: la Gran Depresión de la década del 30, a raíz de la cual la estrategia ISI sustituye el modelo monoexportador de recursos naturales, y el shock de la deuda externa de la década del 80, en el que la apertura externa sustituye a la estrategia ISI. En la evolución del desarrollo chileno, se aprecia que el shock externo es válido como explicación en sólo dos instancias: el establecimiento de la estrategia monoexportadora del siglo pasado (a raíz de la victoria chilena en la guerra del Pacífico) y su posterior reemplazo por la estrategia ISI; sin embargo, es la crisis política y económica *interna* de comienzos de la década del 70 la que induce y anticipa la sustitución de la ISI por la estrategia neoliberal.

LA HERENCIA DE LA UNIDAD POPULAR

Tras el trágico final del gobierno de la U.P. y la "leyenda negra" generada por la situación caótica de aquel período, cabe preguntarse si queda algo por rescatar de dicha experiencia en el plano económico.

La nacionalización de la Gran Minería del Cobre

Como se mencionó en el Capítulo 2, el cobre, y particularmente la GMC, era para la U.P. la "viga maestra" del desarrollo económico; esta premisa logra un consenso en todo el espectro político, puesto que hubo unanimidad en el Congreso respecto a la nacionalización de la GMC. No obstante, había cierta preocupación e incertidumbre en cuanto a la capacidad gerencial, profesional y técnica local para administrar empresas de tal magnitud.

Con respecto a las exportaciones chilenas con posterioridad a 1973, se ha enfatizado su notable expansión y la diversificación

CUADRO 4.2.   IMPORTANCIA DEL COBRE EN LAS EXPORTACIONES
CHILENAS, 1960-90

Año	Participación Cobre en exportaciones totales* (%)	Exportaciones Cobre* (Tons.) GMC	Exportaciones Cobre* (Tons.) Total	Exportaciones Cobre (millones US$)	Exportación Total (millones US$)
1960	67,1	469	532	314	470
1965	61,9	438	539	396	684
1970	77,2	514	663	883	1.112
1975	65,1	682	823	1.246	1.590
1980	47,2	865	1.028	2.007	4.705
1985	45,5	1.023	1.288	1.697	3.804
1990	47,8	1.150	1.556	3.908	8.310

Fuente: Banco Central y COCHILCO.
* Las cifras corresponden al promedio de dos años (para reducir la incidencia de las fluctuaciones anuales); el año indicado y el año anterior; pero el primer valor corresponde al promedio de los años 1960 y 1961.

CUADRO 4.3.   TASAS DE CRECIMIENTO DE LAS EXPORTACIONES, 1960-90
(PROMEDIO ANUAL, %)

Año	GMC	Exportaciones Cobre	Exportaciones No Cobre	Exportación Total	PGB
1960-70	1,2*	2,7	5,9	3,6	4,2
1970-75	4,5	3,3	9,9	5,6	-2,2
1975-80	6,3	5,8	24,3	15,1	7,5
1980-85	4,2	5,3	-1,2	1,8	-0,4
1985-90	0,7	2,8	15,4	9,6	6,1

Fuente: Banco Central y COCHILCO.
* El desglose para 1960-65 y 1965-70 proporciona las siguientes tasas anuales de crecimiento: -2,1% (1960-65) y 4,6% (1965-70).
Nota: La tasa de crecimiento de las exportaciones totales ha sido calculada de las Cuentas Nacionales (precios relativos constantes de 1977). La tasa de crecimiento de las exportaciones de cobre ha sido calculada utilizando las cifras de toneladas físicas. La tasa de crecimiento de las exportaciones no-cupríferas ha sido calculada de manera residual utilizando el promedio (primer y último año de cada período) de las participaciones de cobre y no-cobre en las exportaciones totales.

de los componentes de la canasta exportadora; este último aspecto utiliza como indicador la disminución relativa experimentada por las exportaciones cupreras dentro del total (ver cuadro 4.2). Sin embargo, al examinar el incremento del monto exportado entre los años 1970 y 1990, se observa que el 42% corresponde al aumento de las exportaciones de cobre, siendo la GMC, que es

100% estatal a partir de 1971, la generadora de más del 75% en promedio de dichas exportaciones.

Después de los procesos de chilenización y nacionalización de la GMC se aprecia un significativo aumento en la producción; antes de 1965, el nivel de producción de la GMC estaba estancado o era declinante, observándose por ejemplo una tasa de crecimiento anual promedio de −2,1% en el quinquenio 1960-65. Estas tasas son superiores al 4,2% en el período 1965-85 (ver cuadro 4.3).

En resumen, después que la GMC pasó a propiedad del Estado chileno la producción de cobre aumentó significativamente, superando el *4% anual* durante 20 años (1965-85); ese crecimiento, en los 20 años anteriores (1945-65), cuando el 100% de la propiedad era extranjera, fue inferior al *2% anual*. Obviamente, este incremento de la producción no es generado automáticamente por el cambio de la propiedad de la GMC; durante la negociación del proceso de "chilenización" de la GMC hubo un gran incremento en el nivel de inversión. No obstante lo anterior, podría decirse que cerca del *30%* de la expansión exportadora chilena del período 1970-90 proviene del desempeño de la GMC estatizada[10]. De hecho, un modelo econométrico simple revela un cambio estructural decisivo en la producción de cobre de la GMC antes y después del proceso de nacionalización[11].

Resulta extraño comprobar que mientras la dictadura militar lleva a cabo profundas reformas económicas orientadas a reducir la presencia del Estado en la economía simultáneamente haya una expansión significativa en la producción de una empresa estatal. Adicionalmente a la explicación anterior, otro factor simple y pragmático apunta a la importancia del aporte de la GMC a la recaudación fiscal y a la generación de divisas: el aporte fiscal de la GMC fluctuaba en torno del 2% (PGB) anual hasta 1965, y se incrementa anualmente en promedio al 3,1% (PGB) en el período 1975-90; incluso en algunos años (1988-90) tal aporte fluctúa en torno del 6%[12].

Hay otro argumento, aparentemente más relevante, para explicar esta paradoja. En 1976 fue dictada una ley especial, la Ley Reservada del Cobre, que asignó un 10% del valor de las exportaciones (en dólares) de la GMC directamente a las fuerzas armadas, en concepto de recursos especiales para la compra de armamento. Para evitar el efecto de las fluctuaciones del precio internacional del cobre, se estableció un piso en el nivel de recursos que le correspondería a las FF.AA.: en el caso de que el 10% del valor de las exportaciones de la GMC estuviera por debajo de dicho piso, la Tesorería cubriría la diferencia; no se estableció ningún techo o cota superior al monto que resultaría de ese 10%. En 1987, además, el nivel del piso (expresado en US$) fue indexado al IPM de Estados Unidos. Como se ve, las FF.AA. estaban especialmente interesadas en la expansión de la producción de la GMC.

Desde el punto de vista de la racionalidad microeconómica, o macroeconómica, no es en absoluto obvio que Chile deba gastar más recursos en armamento cuando aumenta el precio del cobre; ¿acaso nuestros "enemigos" tendrán un mayor incentivo para atacarnos cuando eso suceda? ¿Qué opinaría un empresario privado si la tributación de su empresa estuviera vinculada al nivel de ventas, independientemente del resultado de utilidades o pérdidas? ¿Por qué ningún economista oficialista cuestionó la racionalidad de la Ley Reservada del Cobre?

En síntesis, los beneficios resultantes de la nacionalización de la GMC realizada por el gobierno de la U.P. fueron percibidos durante el gobierno militar.

Conflicto y consenso

El alto grado de conflictividad, los elevados desequilibrios macroeconómicos y el acelerado ritmo de reformas sistémicas que caracterizaron la gestión de la U.P. han quedado registradas como circunstancias que es preciso evitar a cualquier precio. En su lugar, el consenso, el equilibrio macroeconómico y el gradualismo se han constituido en la trilogía valórica de la sociedad chilena de fines del siglo XX.

La solución de las discrepancias sociales a través de la agudización del conflicto ha probado ser un método que puede evolucionar hacia un juego de suma negativa: todos pierden, nadie gana. De ahí la necesidad y conveniencia de sustituir la confrontación por el diálogo, en busca del consenso. De hecho, se ha generado un consenso sobre la importancia de que exista un consenso.

Respecto del equilibrio macroeconómico, existe conciencia de que un nivel de gastos superior al nivel de ingresos no es sustentable en forma permanente, y el déficit resultante hay que financiarlo con deuda presente que hay que repagar en el futuro; déficit fiscales recurrentes y/o elevados e incrementos salariales superiores a los aumentos de productividad generan presiones inflacionarias; la reducción de la inflación requiere programas de ajuste con severos costos sociales. En consecuencia, el control y la eventual eliminación de la inflación adquiere una muy alta prioridad.

Reformas aceleradas pueden ser contraproducentes, hay que tratar de no crear mayores males que los que se quiere erradicar; reformas estructurales de gran envergadura requieren de un gran apoyo. El gradualismo se constituye por tanto en la estrategia más adecuada para lograr con éxito los cambios requeridos.

La aceptación de esta trilogía valórica por parte de la sociedad chilena constituiría la base social necesaria para que el libre mercado transforme a Chile en un país desarrollado. ¿Quién podría discrepar con que haya consenso, no haya inflación y se eviten los cambios violentos y abruptos? Más allá de la generalidad de este planteamiento, ha surgido poca discusión en torno a ciertas definiciones y cuestiones centrales: un consenso, ¿respecto de qué?[13], ¿qué tipo de sociedad es la que postula el consenso actual?, ¿dónde está la línea divisoria entre un gradualismo lento y la mantención del *statu quo*? Toda la problemática económica actual, ¿realmente se condensa en discutir la evolución del primer decimal del IPC semanal?

Consenso, equilibrio y gradualismo son fáciles de obtener cuando se abordan problemas no conflictivos. La U.P. expuso un tema sumamente conflictivo y relevante: ¿cómo resolver el problema de la pobreza? En términos muy simplificados, en el esquema analítico de la U.P. los ricos eran los responsables de la existencia de los pobres, y la solución del problema requería expropiar a los ricos para transferir recursos a los pobres. Tanto el análisis como la solución escogida eran erróneos y fracasaron totalmente. No obstante, la interrogante planteada sigue siendo pertinente. El Estado de Bienestar ha sido la respuesta institucional en los países avanzados del siglo XX.

El Estado de Bienestar

Existe un dilema central en un régimen democrático en el cual opera el *laissez-faire* del mercado. Por una parte, hay un reconocimiento explícito de la igualdad ante la ley de todos los ciudadanos; además, cada persona posee un voto que tiene la misma ponderación independientemente de la condición social. Por otra parte, cuando existe una gran desigualdad económica inicial el sistema de mercados libres tiende a acentuarla; el mercado es eficiente para la asignación de recursos, pero no para enfrentar la cuestión distributiva y social. Crecer primero y redistribuir después y/o esperar a que el "rebalse" resuelva el problema de la pobreza parecen soluciones muy lentas; a los pobres, que votan en el presente, no les resulta muy atractivo un planteamiento que les ofrece una solución dentro de 40 ó 50 años.

Un corto trayecto entre los barrios de La Pintana y La Dehesa en Santiago parece un viaje interplanetario en cuanto a los diferenciales económicos. La existencia de modernos medios de comunicación y transporte permiten visualizar rápidamente estos diferenciales; esto torna irrelevantes los antiguos argumentos sobre la existencia de desigualdad como un efecto "natural" y "necesario" de la eficiente operación del mercado, o de que la desigualdad sería un fenómeno "natural" incuestionable porque siempre ha existido[14].

Cuando los pobres son mayoría, presionan a través del proceso político para que el Estado interfiera en el mercado y resuelva la cuestión social. Como señala Okun (1975), la unión de democracia y mercado es complicada, pero ambos se requieren mutuamente; para resolver este conflicto habría que agregar cierta racionalidad en la cuestión equitativa y cierto humanismo en la búsqueda de la eficiencia. La creación del Estado de Bienestar, por medio de la tributación, ha sido la respuesta de los países desarrollados a esa aspiración de una sociedad más humana y más civilizada.

En el siglo XIX se estableció el principio de igualdad ante la ley; Anatole France decía irónicamente que "pobres y ricos tienen el mismo derecho a dormir a la intemperie". En el siglo XX surge el principio de igualdad de oportunidades, que impele al Estado a tratar explícitamente de manera desigual a las personas para poder incorporar a los excluidos a la sociedad. Esta es la base del Estado de Bienestar: nadie deberá quedar excluido del progreso económico por factores exógenos a la persona en cuestión. El Estado de Bienestar se preocupa de los sectores más desprotegidos y vela por la equidad y la justicia social[15], función que eventualmente lo transforma en mediador de los conflictos entre empresarios y trabajadores. En otras palabras, el Estado de Bienestar es un conjunto de instituciones orientadas a la solución armónica de los conflictos sociales[16], por lo que se dice que ha sido el elemento esencial para la expansión del capitalismo en los países desarrollados.

La constitución del Estado de Bienestar en los países desarrollados ha implicado la creación de una variada gama de instrumentos e instituciones[17]. Por el lado del gasto público, están las transferencias a personas, que corresponden a previsión social, pago a desempleados, beneficios a enfermos y niños; beneficios a través de bienes y servicios financiados totalmente por el Estado, como salud y educación, y subsidios a ciertos bienes básicos como vivienda, alimentos y transporte. Todos estos componentes generan presiones significativas sobre el gasto público. Por el lado de los ingresos fiscales, se establecen los principios de capacidad de pago y de progresividad, aplicándose impuestos a la propiedad, herencias, donaciones, utilidades de empresas, ganancia de capital e impuesto progresivo a la renta personal. En síntesis, la política fiscal se asocia a las necesidades sociales.

Los países latinoamericanos imitan sólo una parte de esta institucionalidad del Estado de Bienestar de los países desarrollados, aquella relacionada con los gastos, exceptuando el subsidio de desempleo[18]. En cambio, no hay una expansión similar en la capacidad para aumentar los ingresos tributarios; cuando ello se logra, como en el caso chileno, los impuestos indirectos constituyen el componente fundamental de la recaudación total, mientras que los impuestos directos tienen una participación relativamente baja (y declinante, ver cuadro 4.4). Como es sabido, una carga tributaria en la cual los impuestos indirectos constituyen el componente principal, tiene un sesgo notoriamente regresivo.

El ejemplo siguiente[19] evidencia el supuesto teórico sobre el que descansa la existencia y acción del Estado de Bienestar. Un

CUADRO 4.4.   Composición de la recaudación tributaria. Chile, 1970-90 (porcentajes del PGB)

	1970	1974	1980	1985	1990
Impuestos directos*	4,6	5,7	5,4	3,2	2,8
Impuestos indirectos	10,8	13,0	13,4	17,1	13,0
Contribución de Previsión Social	7,0	3,1	5,6	2,4	5,6

Fuente: Larraín (1991); Dirección de Presupuestos, Estadísticas de las Finanzas Públicas 1989-92.
* Excluye la tributación de las empresas cupreras estatales.

millonario tira por descuido a la basura un billete de $ 10.000; un pobre lo recoge. En esta transferencia involuntaria, ¿hay o no hay un aumento del bienestar social? El sentido común diría que sí, por cuanto la satisfacción generada en el pobre es mayor que la pérdida de bienestar del rico. Dado que el voluntariado y la filantropía no abundan, se requiere la institucionalidad de un Estado de Bienestar para provocar un aumento de bienestar similar a través del sistema de tributación y de transferencias; obviamente, esta política fiscal tiene como restricción evitar el impacto negativo sobre el funcionamiento eficiente de la economía.

El supuesto teórico implícito en esta argumentación sugiere que son posibles políticas redistributivas basadas en comparaciones interpersonales de utilidad. El nivel de satisfacción personal que un individuo obtiene del consumo de un bien disminuye a medida que consume un mayor número de unidades de dicho bien (principio de la utilidad marginal decreciente); luego, finalmente a nivel agregado para cada individuo se observará una disminución de la utilidad marginal de su nivel de ingreso. Si se aplican comparaciones interpersonales de utilidad se observará que la satisfacción marginal proporcionada por $ 1 adicional es superior para un pobre que para un rico. En consecuencia, el bienestar social se incrementa cuando se produce una transferencia de ingresos de ricos a pobres. Sin embargo, estas transferencias no deberían llevarse hasta el extremo de la igualdad total; ciertos niveles de desigualdad son necesarios para mantener los incentivos de ahorro e inversión, sin los cuales la situación eco-

313

nómica global eventualmente empeoraría, induciendo así pérdidas de bienestar. Esta era la postura de economistas clásicos como Edgeworth y Pigou.

Este enfoque fue sustituido por la economía de bienestar paretiana, en la cual el supuesto básico es el de la imposibilidad de efectuar comparaciones interpersonales, evitando de esta forma abordar la cuestión distributiva; este modelo permite la derivación de proposiciones sobre una asignación eficiente de recursos relacionada a una distribución del ingreso dada, pero no permite abordar el problema de la selección entre distintos óptimos sociales. Según Pareto, sólo habría aumentos de bienestar cuando no hay perdedores y al menos hay un ganador[20].

El uso actual de funciones de utilidad interdependiente cuestiona el principio básico de la economía de bienestar paretiana y reintroduce la cuestión distributiva en el centro del análisis económico[21].

Desde el siglo XVIII, e incluyendo a Adam Smith, supuestamente el apóstol del *homo economicus* individualista y egoísta, se ha planteado que la función de bienestar personal de cada individuo comprende elementos de solidaridad y preocupación por los demás, y también la envidia. Ello cuestiona automáticamente la proposición paretiana básica de que una situación es Pareto Optimo respecto de otra cuando el bienestar de al menos una persona aumenta sin que haya una disminución de bienestar de ninguna. Si el bienestar de una persona también depende de lo que le pasa a las otras, aquellos agentes que no ganan ni pierden nada material al pasar de una situación A a una situación B –en la cual hay alguien que obtiene una ganancia material– experimentan una variación en su nivel de bienestar cuyo signo puede ser negativo o positivo. Esta interdependencia en la función de bienestar individual se vincula actualmente a la existencia de una conciencia social, según la cual a toda la sociedad le preocupa la situación aflictiva de los pobres. Transferencias vía tributación de ricos a pobres aumentan entonces el bienestar de ambos grupos y en consecuencia el nivel de bienestar social[22].

En síntesis, la existencia de funciones de utilidad interdependiente, en que prevalece una alta conciencia social, el uso de transferencias para enfrentar el problema de la pobreza corresponde a un uso eficiente de recursos. Esta sería la base conceptual del moderno Estado de Bienestar. El entorno político y el gobierno pueden desempeñar un importante papel en el grado de conciencia social prevaleciente; en este sentido es interesante el contraste entre el gobierno de la U.P., el régimen militar y el gobierno de Patricio Aylwin en relación al nivel del gasto social y las reformas tributarias vinculadas a estos gastos[23].

En los países desarrollados se habla de la crisis de la institucionalidad del Estado de Bienestar, criticándose particularmente la magnitud del gasto social, que en esos países fluctúa en torno del 28% del PGB[24]. En el caso latinoamericano el Estado de Bienestar tiene dimensiones inferiores; sin embargo, también hay críticas vinculadas al exceso de burocratismo, a la inoperancia y la baja calidad de los servicios. Este último aspecto se ha acentuado notoriamente al observarse los distintos niveles existentes entre bienes sociales (salud y educación, por ejemplo) proporcionados por el sector público y por el sector privado.

La ideología conservadora ha vinculado el Estado de Bienestar al cuestionamiento global de la función del sector público, recomendando su reducción y eventual desmantelamiento, porque su presencia reduce la eficiencia económica, desincentiva el trabajo, el ahorro y la inversión, y le quita recursos al sector privado para despilfarrarlos en el sector público. La solución consistiría en la privatización de las funciones del Estado de Bienestar; el mercado resolvería más eficientemente el problema del bienestar de todos los individuos. Hospitales y colegios competirían entre sí cobrando el precio del mercado y proporcionándole al consumidor la opción más conveniente. Desde el punto de vista del consumidor, habría un incremento de las opciones existentes; la posibilidad de elegir entre ellas favorece a los consumidores, que poseen distintas restricciones presupuestarias y diferentes preferencias respecto a niveles de consumo de salud y de educación. Implícita en el planteamiento anterior está la idea de revertir el papel del sector público y del Estado de Bienestar a aquel que tenía en el siglo XIX.

Pero la privatización del Estado de Bienestar replantea los problemas de equidad social y factibilidad política. Los marginados y excluidos por el mercado deben resolver su situación de bienestar en el sector informal; en el mejor de los casos, esto conduce a la creación de un sistema de bienestar dual: salud, educación y pensiones diferenciadas para ricos y pobres. El traslado del sector público al sector privado de los cotizantes de mayores ingresos (como en el caso de la salud) y/o de los trabajadores activos (como en el caso de la previsión) provoca una significativa reducción de los recursos públicos; eventualmente ello repercute en los beneficios proporcionados por el Estado de Bienestar y contribuye a profundizar la distancia entre el sistema de bienestar privado y el público[25].

El mercado de la salud, ¿es realmente análogo al mercado de los televisores o de los zapatos? ¿Es tan fundamental la posibilidad de disponer de un amplio rango de alternativas en el caso de la salud? Una persona que resulta herida en un accidente automovilístico o que sufre un ataque al corazón, ¿visita distintos hospitales para decidir en cuál se queda?; si esto le sucede en una zona alejada de Santiago, ¿no preferiría que el único hospital local estuviera bien equipado?

Si un consumidor adquiere un televisor cuyo monitor falla al cabo de una semana, puede reclamar y sustituirlo por otro; pero, en el caso de la salud, si en un hospital de baja calidad se opera a un paciente y éste muere por no disponer de algún elemento médico o por negligencia del personal, se está ante una situación irreversible[26].

Aunque el Estado de Bienestar surge para elaborar una red social mínima, en el mundo moderno ha comenzado a cumplir una función en la que el mercado puede ser ineficiente y peligroso o bien no generar el bien deseado; ello por la existencia de indivisibilidades, razones técnicas o información imperfecta y asimétrica. En otras palabras, aunque existen múltiples ineficiencias en la operatoria del Estado de Bienestar, su costo puede ser inferior a aquel generado por la libre acción del mercado en la solución del problema del bienestar, particularmente de la población de bajos ingresos.

Existe una opción intermedia, sin embargo, en la que el Estado de Bienestar sustituye su función de productor de ciertos bienes públicos requeridos para el bienestar social por la función de regulador; esto es lo que ha sucedido parcialmente en el caso de la educación, con la presencia de colegios y universidades privadas. Con ello, el Estado de Bienestar economiza recursos y asegura requisitos mínimos de calidad en los bienes recibidos por los consumidores. Con todo, ese ahorro de recursos del Estado de Bienestar no corresponde exactamente al costo de los bienes generados por el sector privado; la función reguladora obviamente implica una burocracia específica y otros costos relacionados[27].

Otra alternativa intermedia es la instauración de un seguro obligatorio general que cubra todos aquellos bienes proporcionados por el Estado de Bienestar. Un ejemplo de este tipo es el sistema de ahorro forzoso de los trabajadores vinculado a los programas de pensiones (AFP) y de salud; en el caso de las pensiones, si se establece el principio de que no debiera haber una caída del estándar de vida al momento de jubilar, ello determina el porcentaje de la remuneración destinada a ese propósito. La ventaja de un sistema de seguro obligatorio nacional para cubrir todo tipo de evento que pueda enfrentar cualquier persona es que evita los *free riders* ("polizontes"): todos pagan y nadie se beneficia gratuitamente, y obliga a asegurarse a la gente poco previsora. Si se adoptara este seguro obligatorio nacional podría eliminarse el Estado de Bienestar, y compañías específicas de seguros privadas podrían administrar los distintos componentes del bienestar social, operando de manera similar al caso de los seguros automotrices con daño a terceros.

La principal dificultad de este esquema radica en que las personas más vulnerables y de alto riesgo son las que están económicamente más incapacitadas para financiar dicho seguro. El esquema del seguro nacional obligatorio es el más adecuado para una sociedad en la que existe una distribución equitativa del ingreso; en las sociedades en las que prevalecen grandes desigualdades, es necesaria la presencia del Estado de Bienestar.

Desde el punto de vista del bienestar social nacional son muy complejas las opciones para alcanzar el óptimo deseable. Como lo plantea Klein, aquellos que sugieren la reducción del tamaño del sector público o del Estado de Bienestar, ¿qué es lo que están optimizando? ¿Maximizan las alternativas posibles de bienestar o minimizan la toma de decisiones por una burocracia centralizada?, ¿maximizan la eficiencia del uso de recursos en la generación de bienestar o minimizan el monto de recursos sacrificados en el sector productor de bienes materiales de la economía?, ¿maximizan el aporte familiar al bienestar minimizando así el aporte público?, ¿maximizan la equidad o maximizan el monto global de bienestar?[28] Cuando se sugiere la privatización de las funciones del Estado de Bienestar, ¿qué problema se está resolviendo, el excesivo tamaño del Estado de Bienestar, el nivel excesivo de tributación, la ineficiencia operatoria del Estado de Bienestar, el alto costo en el cual incurren los beneficiados? En el caso de un país latinoamericano como Chile, sería válida la objeción en torno a la operatoria ineficiente del sistema previsional público; aunque está pendiente la prueba empírica respecto a las futuras pensiones proporcionadas por las AFP, la función reguladora del Estado permite anticipar resultados más eficientes que aquellos observados en el pasado.

El Estado de Bienestar es la institución de la sociedad moderna encargada de que los individuos de bajos ingresos no queden por debajo del nivel de subsistencia; la definición de este nivel mínimo es su responsabilidad. El mecanismo del mercado no debe utilizarse para esta tarea: así como existe consenso de que no es lícita la compra y venta del voto político, el nivel mínimo de subsistencia de un ser humano no puede estar expuesto a la libre interacción de la oferta y la demanda.

De manera explícita, Okun (1975) plantea que el nivel del salario mínimo no debiera estar sujeto a las fuerzas del mercado. Cambios en la oferta o demanda de trabajo no debieran reducir el estándar de vida del trabajador marginal; si el resultado de este principio es la generación de desempleo, entonces la sociedad, a través del subsidio de desempleo, debe cubrir dicha situación. En una sociedad en la cual prevalece un mínimo de conciencia social las necesidades básicas de la gente debieran estar excluidas de cualquier proceso de negociación[29].

Pero se han de tener presentes las restricciones de recursos existentes en la economía. Al operar en un régimen democrático de un país latinoamericano, el Estado de Bienestar se enfrentaría a un dilema: la disociación entre los beneficiarios y quienes contribuyen a su financiamiento[30]; las mayorías (de bajos ingresos), a través del voto, presionarían por un mayor Estado de Bienestar, financiado por las minorías (de altos ingresos). En una sociedad democrática con una alta concentración de la riqueza y del ingreso, el tamaño del Estado de Bienestar puede constituirse en un delicado foco de tensión política.

LA HERENCIA DE LA DICTADURA MILITAR

Las reformas y los cambios económicos estructurales e institucionales realizados durante la dictadura militar han modificado totalmente la estrategia de desarrollo nacional. En este sentido, Chile ha sido un país pionero en América Latina, porque ya en la década del 70 se habían realizado las reformas que sólo a fines de los 80 y principios de los 90 comenzarían a ser aplicadas en la mayoría de los países de la región. El "modelo económico chileno" se ha transformado en un "modelo a imitar". La interrogante fundamental formulada en los países latinoamericanos durante la "década perdida" de los 80 ha sido: "¿es posible, y cómo, efectuar las reformas económicas que implantó Chile... pero sin Pinochet?"

Comparando un conjunto de indicadores para los años 1973 y 1989 (cuadro 4.5), el general Pinochet podría decir que "recibimos un país en ruinas... y entregamos un país moderno (jaguar latinoamericano)".

En este sentido, puede hablarse de dos "milagros económicos" durante el régimen militar, 1976-81 y 1985-89, en los que el crecimiento anual promedio del PGB fue sostenidamente superior al 6% (gráfico 4.5). Por ello se ha argumentado que "la evolución exitosa de la economía chilena en la década del 90 es consecuencia de la herencia económica positiva del régimen militar".

Sin embargo, durante ese mismo gobierno se observan las dos mayores recesiones que han afectado a la economía chilena con posterioridad a la década del 30. En los años 1975 y 1982, el PGB experimenta una contracción anual de −12,9% y −14,1% respectivamente; fueron necesarios entre 4 a 5 años para recuperar el nivel previo a la recesión (ver gráfico 4.6).

Por último, al comparar los valores promedio de distintos indicadores económicos y sociales para los cuatro gobiernos chilenos del período 1958-1989, el desempeño del régimen militar resulta relativamente mediocre. En efecto, el único mejor resultado económico exhibido por el gobierno de Pinochet en relación a los otros tres corresponde al crecimiento exportador.

319

CUADRO 4.5. COMPARACIÓN DE LOS AÑOS FINALES DEL GOBIERNO
DE LA U.P. Y DEL GOBIERNO MILITAR (PORCENTAJES)

	1973	1989
Crecimiento Económico (PGB)	-4,3	10,2
Inflación	605,9	21,4
Crecimiento Exportaciones	2,8	15,9
Tasa de Inversión (% PGB)	14,7	23,9
Crecimiento Salarios Reales	-25,3	1,9
Crecimiento Consumo per cápita	-7,1	8,7

Fuente: Ver Meller (1990).

CUADRO 4.6. INDICADORES ECONÓMICOS Y SOCIALES DE CUATRO
GOBIERNOS CHILENOS, 1958-1989 (PROMEDIO ANUAL
PERÍODO PRESIDENCIAL; %)

	Gobierno Alessandri (1958-64)	Gobierno Frei (1964-70)	Gobierno Allende (1970-73)	Gobierno Pinochet (1973-89)
Crecimiento Económico (PGB)	3,7	3,9	1,1	3,5
Crecimiento Exportaciones	6,2	2,3	-4,2	10,6
Tasa de Inversión (% PGB)	20,7	19,3	15,9	18,7
Inflación (dic. a dic.)	25,8	26,2	218,1	57,3*
Desempleo	7,5	5,5	3,9	17,3
Crecimiento Salarios Reales	1,8	9,0	-8,5	2,3
Crecimiento Consumo por Hab.	0,9	2,0	2,9	-0,2
Familias Nuevas que no obtuvieron vivienda	20,1	8,9	1,8	43,8

Fuente: Ver Meller (1990).
* Este valor se reduce a 27,2% si se considera el período 1976-89.

Reformas económicas básicas de la década del 70

Como hemos visto, las principales reformas económicas de la
década del 70 fueron la libertad de precios y el establecimiento
del libre juego del mercado, la apertura externa, la reprivatización y la desregulación. Este conjunto de medidas era revolucionario en la historia chilena, pues implicaba la eliminación de los
controles; también era novedoso para el entorno latinoamericano. La caótica situación económica de 1973 posibilita esta pro-

GRAFICO Nº 4.5.   LOS DOS "MILAGROS ECONOMICOS"

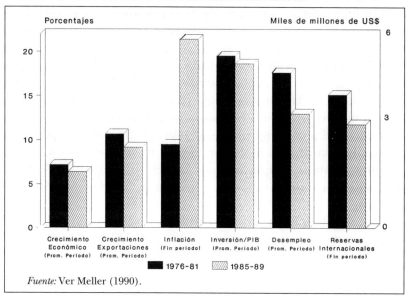

Fuente: Ver Meller (1990).

GRAFICO Nº 4.6.   LAS DOS RECESIONES ECONOMICAS
(EVOLUCION PGB; INDICES 1974, 1981 = 100)

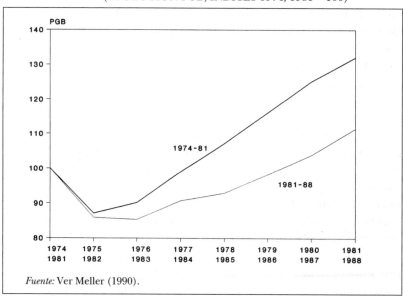

Fuente: Ver Meller (1990).

321

funda transformación estructural, en la que la racionalización y la simplificación, el aumento de la transparencia y el establecimiento de reglas generales y claras crean un entorno económico más eficiente.

La instauración de estas reformas estructurales básicas tiene consecuencias macroeconómicas no despreciables. En 1973, cuando la tasa de inflación anual supera el 600%, es fácil establecer como objetivo prioritario el control de la inflación. Sin embargo, transcurren 8 años antes de que se logre dicho objetivo; paralelamente, la tasa de desempleo se eleva y mantiene sobre el 15%. En otras palabras, la aplicación de las reformas estructurales dificulta el control de la inflación y genera un incremento del desempleo.

En realidad, la experiencia chilena de la década del 70 no corresponde al consenso prevaleciente en la literatura económica de fines de los 80. Esta sugiere la siguiente secuencia en los procesos de estabilización macroeconómica y reformas estructurales. Primero, es necesario lograr la estabilización macroeconómica, esto es, controlar el *nivel general de precios*; luego corresponderían las reformas estructurales orientadas a establecer los *precios relativos* "correctos" (alineados con los precios internacionales). Concluidas las dos etapas anteriores, el entorno existente estimularía el ahorro, la inversión y el crecimiento. En el caso chileno, las reformas estructurales microeconómicas se introducen mientras persiste el desequilibrio macroeconómico, generando un costo en el control de dicho desequilibrio.

Por otra parte, el "milagro económico" de 1976-81, ¿fue el resultado inmediato de las reformas? Las tasas de ahorro nacional e inversión de ese período alcanzan valores de 18% y 18,6% (PGB) respectivamente (promedio anual); estos niveles de ahorro e inversión difícilmente podrían generar tasas de crecimiento superiores al 6% como las observadas en ese período. En cambio, el crecimiento promedio del *consumo per cápita* de ese período es de 6,2% anual, financiado en gran parte por crédito externo. En otras palabras, es el boom del consumo y no el estímulo del ahorro y la inversión inducido por las reformas estructurales lo que genera el "milagro económico" de 1976-81; por ello podría decirse que el crecimiento de ese período está basado en el endeudamiento externo. Finalmente, y sean cuales sean las causas, las reformas económicas de la década del 70 desembocaron en el colapso de 1982.

Lecciones del colapso de 1982

En relación a este tópico, la discusión ha girado en torno a las causas: el tipo de cambio nominal fijo, la causalidad existente entre la cuenta corriente y la cuenta de capitales, la liberalización del mercado de capitales domésticos; desde el punto de vista metodológico, ello equivale a analizar qué es lo que sucede antes de 1982. El enfoque metodológico de este libro es algo distinto: se examina qué es lo que pasa durante el colapso (1982) y después (1983-84), y además se analizan los factores contribuyentes a la recuperación económica posterior.

Podemos distinguir tres lecciones aquí. Primero, las reformas económicas de la década del 70 requerían un nuevo tipo de agente económico. Segundo, fracasa el enfoque monetario de la balanza de pagos. Y tercero, falla también el *laissez-faire*.

El modelo económico post 1973 requería un cambio de mentalidad y nuevos agentes económicos con calificaciones especiales tanto en el sector privado como en el sector público. ¿Cómo los agentes privados van a establecer y determinar el nivel relativo de sus precios respectivos tras una larga tradición de precios controlados y fijados por el sector público?, ¿cómo puede saber un empresario privado cómo competir con bienes importados en un acelerado proceso de apertura?, ¿cómo se opera en un contexto de mercado de capitales libre?, ¿cómo se regula este mercado financiero libre? Había gran escasez de capital humano preparado para un entorno en el que crecían rápidamente el riesgo, la incertidumbre y la inestabilidad. El surgimiento de nuevos agentes económicos eficientes que operan en un esquema competitivo abierto toma tiempo.

La quiebra generalizada de empresas del sector productivo y financiero en 1982-83 constituye un aprendizaje altamente costoso del concepto de competencia y supervivencia en la economía chilena: sobreviven los más fuertes, que son un ejemplo para el resto. Esta sería una evidencia empírica en contra de la argumentación a favor de reformas estructurales rápidas. La lección sugiere las ventajas del gradualismo con regulación; esto es lo que se observa en la segunda apertura comercial de la década del 80, y en el manejo cuidadoso del mercado financiero desde entonces hasta comienzos del 90.

El fracaso del enfoque monetario de la balanza de pagos ha sido descrito en el Capítulo 3. El manejo de un desequilibrio macroeconómico a través de un mecanismo automático (tasa de interés libre) funciona lentamente y a un costo elevado; el remedio resulta peor que la enfermedad. La solución adoptada es el *fine tuning* ("sintonía fina") macroeconómico keynesiano, una tasa de interés sugerida y controlada por el Banco Central, que se mantiene por más de una década. Por otra parte, también fracasa el intento de ganar credibilidad en medio de una crisis cambiaria a través del aumento del libre acceso a las divisas y de la liberación de la cuenta de capitales de corto plazo, lo que es sustituido por la imposición del control cambiario y el control de la cuenta de capitales.

El fracaso del monetarismo es distinto a la falla del *laissez-faire*. Esta es una doctrina revolucionaria en el siglo XVIII, que fomenta el individualismo para proteger a las personas de la monarquía absoluta: "monarcas y gobiernos, dejen tranquilo (en lo económico) al sector privado". El enfoque monetario de la balanza de pagos con tipo de cambio nominal fijo proporciona un entorno y una regla clara para que el gobierno no intervenga en la economía a nivel macroeconómico: un mecanismo automático lo resuelve todo. Ya hemos visto por qué y en qué casos es necesaria la intervención del gobierno a nivel macroeconómico. Veamos a continuación lo que sucede a nivel microeconómico.

En el *laissez-faire*, la solución para cualquier desequilibrio, macroeconómico o microeconómico, está en el cambio en los precios relativos; en el caso de un déficit externo, se requiere una deflación. En una economía abierta, una deflación requiere una contracción económica para reducir el precio de los bienes no transables.

La profunda contracción económica de 1982 provocó la cuasi-quiebra de todas las empresas productivas y financieras; fue *necesaria* la intervención del Banco Central para evitar el colapso total de la economía chilena. ¿Qué hubiera sucedido si se hubiera aplicado *estrictamente* el *laissez-faire* —el que quiebra, quiebra, incluyendo bancos (el principio de banca libre), grandes empresas y grupos económicos–, sin ningún tipo de intervención del Banco Central?

Un segundo principio básico del *laissez-faire*, el que como contrapartida a la no intervención del gobierno las ganancias o pérdidas del sector privado son privadas, también fue violado: se socializaron las pérdidas.

La intervención del Banco Central frena el proceso de "demolición económica" del *laissez-faire*, pero genera el APR (Area de Propiedad Rara, un sustituto cercano del APS del gobierno de la U.P.). Además, el tipo de intervención del Banco Central no sólo socializa las pérdidas del sector privado, sino que además viola el principio de neutralidad del mercado al proporcionar subsidios discrecionales a distintos tipos de deudores privados.

Una extraña explicación del colapso casi total del sector privado en 1982 es aquella que culpa al gobierno porque, en 1977, al "rescatar" al Banco Osorno, proporcionó una señal clara de que los bancos no podían quebrar y ello indujo a un comportamiento del tipo "riesgo moral" (*moral hazard*); pero durante 1976 y 1977 quebraron varias financieras y los dueños del Banco Osorno pagaron las consecuencias[31]. La moraleja que deberían haber sacado los agentes económicos de dicha época es que puede que los bancos no quiebren, pero los banqueros pueden pasarlo muy mal. Una lección más pertinente de esta experiencia es que entonces debió haberse aplicado el gradualismo, la supervisión y el sistema de regulación que más tarde se impondrían.

Como se ha señalado, en el proceso de ajuste y recuperación económica posterior a 1982 se pusieron en práctica una variada gama de políticas heterodoxas, entre ellas un drástico aumento del proteccionismo: los aranceles a las importaciones aumentaron del 10% al 35%, manteniéndose a un nivel igual o superior al 20% durante seis años[32]. Además, se impusieron reglas microeconómicas no neutras, como bandas de precios y sobretasas arancelarias; hubo sí una virtud en estas medidas: su visibilidad y su acotamiento temporal (se exigía su renovación semestral o anual).

En síntesis, el control de la tasa de interés sustituye a la tasa de interés libre, el control cambiario y el control de la cuenta de capitales sustituyen a la liberalización preexistente, la supervisión y regulación del sistema bancario y financiero sustituyen el libre accionar de un mercado de capitales relajado, es necesaria la intervención del Banco Central para rescatar al sector privado, hay un drástico aumento del nivel de protección, se establecen bandas de precios y sobretasas, hay una socialización de las pérdidas privadas y se viola el principio de neutralidad del mercado. Por último, es el gobierno el que tiene que renegociar y avalar la deuda externa del sector privado.

¿No es esto evidencia suficiente de que hubo alguna falla en el *laissez-faire*? Existe cierta confusión al suponer que el *laissez-faire* es idéntico al sistema de mercados (con precios) libres; luego, como no hubo control de precios en 1982, se tiende a creer que fue el *laissez-faire* lo que permitió la recuperación económica posterior. Pero, como se puede apreciar, para salvar la economía chilena y el modelo económico fueron necesarias políticas macroeconómicas intervencionistas keynesianas (devaluación y control de la tasa de interés), políticas microeconómicas intervencionistas del Banco Central, políticas heterodoxas y regulación.

Recuperación y reformas estructurales de la década del 80

¿Qué hubiera pasado con el modelo económico si se hubiera producido un cambio de gobierno en 1982-83? En ese entonces la tasa de desempleo alcanzaba al 30%, y la imagen del modelo era bastante negativa. Las medidas económicas de 1984 proporcionan una respuesta posible a dicha interrogante. En ese año se define como primera prioridad la reducción del desequilibrio interno, esto es, reactivar la economía y disminuir el desempleo.

Esa es la época en que América Latina enfrenta el dilema generado por el shock de la deuda externa: crecer o pagar. La opción "crecer para poder pagar" genera un conflicto en el corto plazo con los acreedores externos; la opción "pagar para poder crecer" genera un conflicto interno. Una democracia es relativamente más fuerte ante las presiones externas, por lo que tiende a preferir la reactivación interna. Una dictadura, en cambio, es más débil ante las presiones externas; las instituciones financieras internacionales (FMI y Banco Mundial) no apoyan al equipo económico chileno de 1984 y presionan para su sustitución.

A partir de 1985, Chile adopta una postura no confrontacional ante los acreedores externos. Es más, el apoyo condicionado de las instituciones multilaterales internacionales modifica las prioridades nacionales. Servir la deuda externa se transforma en la primera prioridad local, estimándose que en una economía mundial interdependiente el costo del no pago es superior al del servicio de la deuda externa. Desde un punto de vista pragmático, parece muy conveniente esta postura: los créditos proporcionados por tales organizaciones, y su ayuda en la reprogramación de la deuda externa, permitieron relajar la restricción externa; por otra parte, las reformas económicas básicas sugeridas por ellos ya habían tenido lugar en Chile durante la década del 70.

Cabe preguntarse a qué se debió el gran apoyo de los organismos multilaterales internacionales a Chile tras el shock de la deuda externa; ningún otro país latinoamericano recibió de ellos préstamos por un monto equivalente al 3% (PGB) durante 5 años consecutivos. Hay una respuesta simple: ¿qué credibilidad y receptividad hubieran tenido las reformas económicas sugeridas por estos organismos a los países latinoamericanos si la economía chilena no se recuperaba? Necesitaban urgentemente un caso exitoso, y decidieron "invertir" en Chile.

No obstante, tras 1982 se presenta una situación compleja para la economía chilena: ¿cómo sacarla del estancamiento y de la depresión?, ¿cómo estimular la inversión y el crecimiento? Por aquel entonces hay un debate totalmente estéril entre los economistas, centrado en examinar si la economía había "tocado fondo" o no, puesto que se creía que una vez que se toca fondo sólo hay una alternativa futura, volver a crecer. Pero hay otra opción posible: el que la economía se quede pegada en el fondo.

La estabilidad macroeconómica, las reformas estructurales y la existencia de un sistema de precios "correctos" constituyen condiciones necesarias pero no suficientes para el crecimiento. La inversión privada y el crecimiento no surgen por generación espontánea. Luego, ¿cómo estimular los *animal spirits* de los empresarios privados?

Estos, como conjunto, tienen un comportamiento similar al de un rebaño de ovejas, así que lo que interesa es incentivar a los líderes. Para ello se utiliza una serie de estímulos: la reprivatización del "área rara" proporciona subsidios a los grupos económicos existentes, así como la privatización de las grandes empresas estatales favorece a nuevos grupos tecnócratas; el mecanismo de "retrocompra" de la deuda externa (*debt-equity swap*) subsidia a los inversionistas extranjeros; el esquema de solución de la deuda interna incluye prórrogas y subsidios para los bancos. Toda esta gama de soluciones involucra una gran transferencia de patrimonio y de recursos del sector público al sector privado, el que asume un papel central en el proceso productivo. Surgen empresarios eficientes, competitivos y con una mentalidad más audaz, que plantean que "su mercado es el mundo"; se genera un círculo virtuoso entre inversionistas nacionales y extranjeros que induce a una expansión de las exportaciones y del crecimiento.

Evaluación sintética de las reformas económicas

La racionalización y simplificación de las reglas del juego no debieran ser monopolio de una ideología específica; siempre que sea posible y éstas sean identificables, debe propiciarse el establecimiento de reglas simples y generales. En la experiencia chilena ello se observa en la sustitución de un régimen de comercio exterior complejo, con múltiples disposiciones específicas, por un sistema arancelario simple y parejo; adicionalmente, una variada gama de tipos de cambio oficiales es reemplazada por un tipo de cambio único.

Se ha demostrado que es importante la prioridad asignada a la mantención del equilibrio macroeconómico, y particularmente al control de la inflación; a ello aporta mucho un presupuesto fiscal balanceado y una estructura tributaria eficiente para recaudar (el IVA es un valioso instrumento en este sentido). Nuevamente, la racionalización y simplificación de la estructura tributaria, así como una regla global simple para la expansión del gasto público en tiempos normales (por ejemplo, que la expansión del gasto público total esté acotada por el crecimiento del PGB) contribuyen a la preservación del equilibrio macroeconómico.

El reemplazo de un sistema generalizado de control de precios por un sistema de precios determinados por las fuerzas del mercado redujo notablemente las distorsiones prevalecientes en la economía chilena; además, el sector público se vio liberado de una función que permanentemente generaba tensiones con el sector privado. Pero la total liberalización y desregulación económica puede crear serios problemas en algunos mercados importantes. En efecto, en el mercado financiero la liberalización abrupta de la tasa de interés generó niveles exageradamente altos de la tasa de interés real (30% durante varios años), lo que, ligado a la desregulación total del sistema bancario-financiero, fue un factor determinante del colapso de 1982. La flexibilización y la atomización del mercado laboral tuvieron como efecto un serio deterioro del salario real; el sistema de mercado libre en los sectores de la salud y de la educación dejan en una situación sumamente desmedrada a los grupos de ingresos medios y bajos.

La apertura de la economía y el incentivo a las exportaciones a través de cambios en los precios relativos han dinamizado la economía chilena, haciendo surgir exportadores chilenos dinámicos, audaces y muy eficientes y competitivos.

En síntesis, un sistema de mercados libres y una economía abierta al exterior genera un contexto altamente competitivo. La competencia, por una parte, incrementa necesariamente el nivel de eficiencia; los ineficientes van a desaparecer eventualmente del mercado. Por otra parte, un contexto altamente competitivo incrementa significativamente el nivel de bienestar de los consumidores.

El traspaso de la función de agente productivo del sector público al sector privado ha sido exitoso. Sin embargo, ha habido falta de transparencia en el proceso de privatización; además, se requiere una mayor elaboración del marco regulatorio para la operación de monopolios naturales privados y para el funcionamiento de las AFP. Cabe recordar también que el sector privado ya demostró una vez que era capaz de crecer aceleradamente para después quebrar. Ello sugiere la necesidad de una legislación de quiebras en la que se evite la socialización de las pérdidas.

Las reglas establecidas funcionan bien mientras la economía evoluciona normalmente; el problema surge en los momentos de crisis. La experiencia chilena de 1982-83 ilustra cómo el dogmatismo puede agravar la profundidad de una crisis, transformando las reglas económicas o instrumentos en los objetivos prioritarios, y conduciendo al absurdo de que preservar la regla sea más importante que salvar la economía: los esfuerzos de la autoridad económica en 1982 por mantener un tipo de cambio nominal estable no hicieron más que provocar una caída del PGB del 14% y un aumento del desempleo al 30%.

Por último, ha habido una distribución notablemente asimétrica de los costos del ajuste, con importantes transferencias patrimoniales hacia los grupos de mayores ingresos.

Ideas económicas que prevalecen

La presentación de estas ideas que prevalecen se ha organizado en torno a cuatro niveles distintos: macroeconómico, apertura al exterior, mercado versus Estado y pobreza y distribución del ingreso.

Nivel macroeconómico

Hay dos ideas de origen monetarista; una es la importancia de la responsabilidad fiscal, que implica que el gobierno debe mantener un severo control sobre el presupuesto: déficit superiores al 1% o 2% del PGB señalan la existencia de un problema. La otra es la conciencia respecto a la importancia de los equilibrios macroeconómicos, con una alta prioridad al control de la inflación: hasta que la inflación interna no disminuya al valor de la inflación internacional, no hay que descuidar su control.

También hay una idea keynesiana, la necesidad de políticas de "sintonía fina" (*fine tuning*). El colapso de 1982 es la evidencia del fracaso de una economía con mecanismo automático y reglas permanentes válidas en cualquier circunstancia. El gobierno debe tener un papel macroeconómico contracíclico, y el Banco Central debe actuar como prestamista de última instancia, pero para rescatar a los bancos... no a los banqueros.

Apertura al exterior

Una economía abierta presenta notables ventajas sobre una economía cerrada; hay un aumento de la competitividad y de la eficiencia, se extiende el bienestar de los consumidores, hay un mecanismo de control del poder monopólico interno. A cambio, crece la inestabilidad. Las fluctuaciones de la economía mundial pueden afectar la evolución de la economía local.

La experiencia de los años 80 sugiere cautela en la completa liberalización de la cuenta de capitales. Los flujos externos entran cuando no se requieren y se van cuando más se necesitan. Los movimientos de capitales actúan cíclicamente, ampliando la naturaleza positiva o negativa del ciclo.

El exceso de gasto privado puede generar una crisis de balanza de pagos, como sucedió en 1982. Un déficit de cuenta corriente superior al 5% (PGB) constituye una señal de advertencia, aunque exista simultáneamente una acumulación de reservas internacionales.

Mercado versus Estado

Ha habido una simplificación excesiva en cuanto a las funciones de cada uno. Antes de 1973, el Estado debía hacerlo todo. Después, el mercado y el sector privado se transformaron en la respuesta para todo.

Actualmente hay cierto acuerdo respecto a las funciones que *no* posee el Estado: la de fijación de precios, que es tarea del mercado, y la de agente productor, que cumple ahora el sector privado. Ha quedado un tema pendiente: la propiedad pública de la GMC.

Persiste una interrogante en este ámbito: ¿debe el mercado funcionar sin restricciones? Si bien para la mayoría de los bienes puede hacerlo, la falta de limitaciones crea serios problemas en campos específicos: a) La libertad de recorridos en el transporte urbano, por ejemplo, ha generado congestión, contaminación y uso ineficiente de recursos. b) La libertad para construir en altura y la inexistencia de un plano regulador y un Plan de Desarrollo Urbano han implicado un crecimiento caótico e irracional de Santiago, produciendo un grave deterioro en la calidad de vida de sus habitantes. c) La explotación de recursos naturales de libre acceso, como la pesca o los lagos, no puede estar ajena a regulaciones del mercado. d) Los actuales monopolios naturales privados de servicios de utilidad pública precisan de regulación estatal y fijación de precios, para proteger al consumidor y velar por inversiones futuras. e) Los exportadores chilenos están percibiendo que la competencia en los mercados de los países desarrollados no es tan transparente como lo sugieren la teoría y la retórica. Las grandes empresas norteamericanas aseguran tener dificultades para competir con las japonesas y las europeas, respaldadas estas últimas por sus respectivos Estados. En el competitivo mundo actual, la complementación entre el sector público y privado proporciona indudables ventajas, superando la tradicional dicotomía Estado o Mercado.

Pobreza y distribución del ingreso

Existe un problema serio de pobreza en América Latina en general, que hoy es la región del mundo con la distribución del ingreso más regresiva. Para resolver esta situación son necesarios un crecimiento económico elevado, muchos empleos productivos y políticas sociales eficientes y bien administradas.

Lo anterior no es suficiente, sin embargo. La persistencia de una situación distributiva inequitativa es la fuente de una futura inestabilidad social y política. Sólo una acción conjunta y complementaria del sector público y el sector privado, en la que predomine una conciencia solidaria, podrá tener éxito ante tan difícil tarea. Erradicar la pobreza y reducir los niveles de desigualdad debieran ser metas económicas prioritarias. La retórica tradicional debe dar paso a políticas y acciones concretas.

El general Pinochet y el Modelo Económico

Existe la percepción de que el general Pinochet constituyó un factor primordial en la implantación del Modelo Económico neoliberal. A este respecto, los dos más connotados ex ministros de Hacienda del período 1973-89 destacan y elogian hasta hoy el papel crucial que habría desempeñado el general Pinochet en ese sentido. Sin embargo, la realidad es probablemente la inversa: el general Pinochet necesita más al Modelo Económico de lo que éste lo necesita a él.

En efecto, el fracaso del modelo de desarrollo anterior ("desarrollo hacia adentro") y la crisis de 1973 habían generado un grave desequilibrio macroeconómico y severas distorsiones a nivel microeconómico; la intervención excesiva del Estado en la actividad productiva y en la esfera económica, y la amplia gama de controles vigentes, constituían factores claramente identificables como responsables de la situación existente. Desde el punto de vista económico, "más de lo mismo" no era una alternativa viable; debían aplicarse políticas económicas nuevas. En este sentido, los organismos multilaterales internacionales hubieran ayudado a imponer las reformas estructurales en la década del 70 como lo hicieron posteriormente en la década del 80, al proporcionar créditos a Chile para hacer lo que se había hecho previamente. La supervisión de los organismos financieros internacionales en ese entonces podría haber inducido a que los créditos externos se utilizaran para la aplicación de las reformas en vez de destinarse preferentemente a la expansión del consumo.

Un segundo argumento que ilustra la irrelevancia de la dictadura en el establecimiento del Modelo Económico es lo sucedido en otros países latinoamericanos en la década del 80. En efecto, en países como Bolivia, México y Argentina reformas estructurales similares a las del Modelo Económico chileno fueron impuestas por gobiernos democráticos tras la grave crisis producida por el shock de la deuda externa de 1982. Resulta interesante observar que en estos tres países las reformas fueron puestas en práctica en un período relativamente inferior al que se requirió en Chile, y en democracia.

Es decir, una crisis económica profunda y prolongada constituye realmente la antesala para la realización de cambios radicales en la estrategia de desarrollo vigente. Luego, para la aplicación del Modelo Económico en Chile se podría haber evitado el costo político de la dictadura y el costo social de la violación de los derechos humanos. Durante la dictadura militar se manifestó reiteradamente que "para hacer una tortilla es necesario quebrar huevos". En otras palabras, el general Pinochet necesita del Modelo Económico para justificar los dos "costos" mencionados.

Pero en realidad ningún economista serio, desde Adam Smith (el patriarca del *laissez-faire*) a Milton Friedman (el patriarca del monetarismo), ha planteado nunca que para la instauración de un sistema de mercados libres sea condición necesaria la violación de los derechos humanos y políticos.

¿Somos todos neoliberales ahora?

El consenso actual entre los economistas de todo el espectro político respecto del modelo económico vigente entre 1973 y 1989 conduce a una pregunta relevante: ¿somos todos neoliberales ahora?

El neoliberalismo económico chileno y latinoamericano mezcla elementos del conservantismo y del liberalismo de los países desarrollados[33]. Las proposiciones centrales son la preservación de los equilibrios macroeconómicos y la vigencia de mercados libres y competitivos. Veámoslo con más detalle.

a) Función del mercado: el mercado es el mecanismo más eficiente. Aunque no es perfecto, sus ineficiencias generan problemas menores que aquellas producidas por la intervención del Estado.

b) Función del Estado: el Estado debiera marginarse por completo de la economía; interviene constantemente en la vida de la gente, creyendo saber qué es lo que le conviene, pero la realidad es la opuesta. El Estado y el gobierno tienen un tamaño demasiado grande; para el aumento del bienestar social es conveniente una reducción sustancial de ese tamaño. El papel esencial del gobierno debe ser la mantención del orden. Este es vital para el buen funcionamiento de la sociedad; cuando existe desorden o caos, un individuo pierde la capacidad de influir sobre su propio destino. Los peores desórdenes son aquellos dirigidos contra la propiedad y contra la persona. Un buen gobierno es aquel que proporciona un entorno ordenado para el buen funcionamiento del mercado. Además, este buen gobierno debiera proporcionar sólo aquellos bienes que el mercado no entrega en una cantidad adecuada; en síntesis, tendría que ser una colección de servicios y no un organismo con una lógica propia.

c) El individualismo: el comportamiento optimizador de los individuos racionales es un principio básico del enfoque económico neoclásico; gracias a la mano invisible de la competencia en el mercado, este comportamiento individual egoísta conduce a una situación global perfectamente eficiente. Por lo tanto, el fomento del individualismo no es realmente un pecado; es más, una postura individualista asegura el mayor respeto por cada persona. Pero también implica que cada uno es responsable de sí mismo y debe resolver sus problemas por sí solo. No existe algo así como una estructura social que combina preferencias individuales y genera algo distinto al individuo; la sociedad es simplemente una colección de agentes individuales.

d) La distribución del ingreso: la responsabilidad del Estado es asegurar un estándar de vida mínimo para los más pobres. Para que un individuo obtenga más que el mínimo, debe poner algo de su parte; el mercado funciona para los que se superan, para los que están dispuestos a aumentar su productividad y a trabajar más horas, y retribuye de acuerdo a lo que uno aporta en esos términos. Como el intercambio entre las partes es voluntario, cada agente gana algo en cada transacción en la que está involucrado: la redistribución a través del mercado sólo genera ganadores. Aquellos individuos que no logran superar el mínimo merecen ser objeto de la caridad social. Para la solución del problema de la pobreza es fundamental maximizar el crecimiento, porque es más fácil redistribuir cuando la economía crece que cuando está estancada. La existencia de una distribución del ingreso inequitativa es necesaria porque estimula a quienes tienen menos a realizar mayores esfuerzos para mejorar su situación, y no es una cuestión injusta, por cuanto no existe un patrón distributivo que pueda considerarse justo. Lo que realmente importa es la evolución histórica de la distribución del ingreso. Si el patrimonio que poseen los individuos ha sido adquirido legalmente, entonces no puede ser cuestionado; tampoco puede haber sanción moral o social respecto a la distribución del ingreso resultante.

Por último, el análisis marginalista proporciona un criterio pragmático al neoliberalismo respecto a la cuestión de cómo mejorar la situación presente. No existe una visión utópica de sociedad, la situación existente es el mejor punto de partida: hay que mejorar las cosas en el margen, concentrando los esfuerzos donde la productividad marginal del esfuerzo sea mayor. El gradualismo y/o marginalismo constituyen el mejor procedimiento para modificar la situación existente, porque permite minimizar errores. Una serie de beneficios graduales eventualmente conducirá a la sociedad a una situación mejor. En cuanto a los conflictos sociales a escala nacional, que crean situaciones complejas y paralizantes, el enfoque marginalista sugiere separar un gran problema en distintas partes; resulta más factible resolver separadamente cada una de ellas, pues es relativamente más fácil introducir cambios pequeños.

Hay varios elementos del neoliberalismo que generan consenso, particularmente aquellos referidos a la eficiencia del mercado como un mecanismo asignador de recursos. Además, ha eliminado toda ingenuidad en la consideración de la bondad y eficacia del Estado y de las empresas públicas. Obviamente es muy ineficiente una política social en la que, del total de recursos asignados, menos de la tercera parte beneficia al grupo objetivo, debido al costo de operación y a las filtraciones. Pero, sin lugar a dudas, hay otra distorsión mucho más importante que la anterior: aunque se demuestre gran eficiencia en el uso de los recursos destinados a las fuerzas armadas, constituye una severa distorsión que en un país subdesarrollado como Chile el gasto en defensa supere al gasto en educación o al gasto en salud, o a la suma de ambos. Respecto a las empresas públicas, supuestamente éstas pertenecen a todos los chilenos, pero en la práctica los dueños parecen ser quienes trabajan en ellas y los partidos del gobierno de turno.

Por otra parte, se han formulado diversas críticas y objeciones a ciertos aspectos del neoliberalismo económico. Este eleva al mercado al pedestal supremo, transformándolo en la variable *independiente*; los valores, la cultura, la sociedad entera se convierten en las variables dependientes. Esto es realmente la "antiutopía moderna", en la que la sociedad pasa a ser la fuente de las "fallas del mercado". Como lo ha expresado Pusey (1991), cuando el mercado adquiere autonomía y se transforma en intocable, se llega a un sistema en el que la economía está por encima de la sociedad, y las principales responsabilidades sociales consisten en aumentar la productividad y en facilitar el ajuste (estabilizador y estructural) para aumentar la eficiencia. El mercado posee toda la información relevante; ello implica que cuando está tranquilo y hay confianza el largo plazo alcanza a un trimestre, pero cuando el mercado está nervioso e incierto el largo plazo se reduce a una semana. El supuesto básico referido al comportamiento individualista optimizador que genera el óptimo social ha sido permanentemente cuestionado. Por un lado, resulta sorprendente que el análisis económico moderno caracterice la motivación humana de una manera tan restringida; de hecho, el comportamiento efectivo de los individuos continúa estando fuertemente influenciado por consideraciones éticas. El análisis económico intenta explicar el comportamiento de personas de carne y hueso, y no de robots eficientes; dado que las personas viven en una sociedad que posee determinados valores, éstos deben ser incorporados en el análisis para potenciar la capacidad explicativa y propositiva de la economía[34]. Además, Keynes (1926) ha señalado que no es efectivo "que el interés privado y social coinciden siempre", ni tampoco "que la optimización individual opere siempre en beneficio del interés público" (...) "la experiencia muestra que cuando los individuos actúan coordinadamente cometen menos errores que cuando actúan aisladamente" (p. 288).

Actualmente existe consenso en el análisis económico moderno en cuanto a que varias deficiencias del mercado requieren de la intervención del Estado[35]: la falta de competencia en un mercado, por ejemplo, que puede deberse a diversos factores, como barreras a la entrada a la industria, rendimientos decrecientes a escala o existencia de un monopolio natural; la necesidad de bienes públicos, que no pueden ser producidos por el mercado específicamente para cada individuo; la presencia de externalidades; la existencia de mercados incompletos; la falta de información perfecta y la existencia de información asimétrica; el fracaso del *laissez-faire* ante desequilibrios macroeconómicos; finalmente, está el problema de la equidad y la cuestión distributiva.

En países que presentan grandes desigualdades de ingreso, la ética distributiva del mercado es la mayor fuente de discrepancia respecto del neoliberalismo económico. Según esta ética, el ingreso de un individuo debiera basarse en su contribución (marginal) al producto total. ¿Es esto lo que verdaderamente sucede en un sistema de mercados libres del mundo real? Okun formula

337

las siguientes objeciones: si un inventor recibiera efectivamente lo que corresponde a su productividad marginal, debiera llevarse prácticamente todo, casi no habría *trickle-down* ("rebalse"); por otra parte, las relaciones familiares y los contactos son generalmente decisivos en el tipo de empleo que un individuo adquiere en el mundo real: buena parte del logro que un agente obtiene del mercado "depende de a quién uno conoce en vez de qué es lo que sabe". En otras palabras, la distribución desigual del ingreso genera desigualdad de oportunidades en la puerta de acceso al mercado. En tercer lugar, un individuo pobre, cuya productividad es relativamente baja, ¿debiera morirse de hambre? En un sistema de mercados, los pobres no tienen muchas posibilidades de elección; la necesidad de comer hoy restringe las posibilidades de elegir racionalmente entre distintas opciones, un pobre actúa como si no hubiera futuro pues su principal problema es la supervivencia en el presente. Los niños de las familias pobres se ven forzados a trabajar tempranamente para aportar al ingreso familiar, reduciendo su inversión en capital humano y perpetuando así el círculo vicioso de la pobreza. En los países desarrollados existe desde largo tiempo la prohibición del trabajo infantil. ¿Es ésta realmente una medida eficiente? "Cuando la ley prohíbe transacciones de última instancia, cierra válvulas de escape a las personas que están en una situación desesperada. Cerrar esta válvula implica que la sociedad tiene que encontrar una alternativa mejor para prevenir o aliviar dicha desesperación"[36].

Para hacer efectiva la igualdad de oportunidades, y para que los pobres puedan visualizar un futuro distinto, se requiere la intervención del Estado en el mercado, lo que implicará un costo en términos de eficiencia. Okun sugiere "promover la equidad hasta el punto en que el beneficio adicional del incremento de ésta se iguala con el costo de la mayor ineficiencia"[37]. Simplemente porque los hombres son hombres, las instituciones sociales deben enfatizar y reforzar aquello que los une, el respeto mutuo. Por ello adquiere una alta prioridad la reducción de las desigualdades; así se reconoce el valor social de cada individuo, incluyendo aquellos de menores ingresos. El gasto social, las transferencias, los impuestos progresivos son mecanismos que, eficientemente aplicados, cumplen con el objetivo de aumentar la equidad.

Por último, cabe consignar que cuando los países establecen en su Constitución los derechos civiles y políticos de las personas, no incluyen consideraciones referentes a la eficiencia económica en la consagración de estos derechos. Okun afirma que cada individuo adquiere y ejerce estos derechos sin pagar nada. con lo cual no hay incentivos para economizar alguno de ellos; como hay una distribución universal de estos derechos, no funciona el principio de las ventajas comparativas, esto es, no tiene sentido especializarse en un derecho específico; finalmente, no hay un mercado, o más bien están prohibidos los mercados para la transacción de derechos civiles y políticos –como el voto–; si existiera este tipo de mercados podría demostrarse que habría un incremento de bienestar de vendedores y compradores[38].

En síntesis, los derechos civiles y políticos consagrados en la Constitución violan el cálculo optimizador de la eficiencia económica. ¿Por qué entonces la sociedad establece estos derechos "ineficientes"? Porque "constituyen el pegamento que mantiene unida a la sociedad"[39].

DERECHOS HUMANOS Y MEMORIA HISTORICA

La vida humana es sagrada; el asesinato de una persona es un delito contra toda la Humanidad. La Comisión Nacional de Verdad y Reconciliación comprobó la muerte de 2.279 personas víctimas de violaciones de los derechos humanos durante la dictadura militar; 318 tenían menos de 20 años[40].

Durante el gobierno de la Unidad Popular también hubo víctimas fatales por hechos violentos. Entonces, ¿por qué sólo destacar las muertes violentas acaecidas durante la dictadura militar? El ex Presidente Jimmy Carter proporciona la respuesta: "De todos los derechos humanos, el más elemental consiste en no estar expuesto a la violencia arbitraria, violencia generada por gobiernos, por terroristas, por criminales, por mesías autoproclamados que utilizan estandartes políticos o religiosos. Pero los gobiernos, debido a que poseen un poder muy superior al de los individuos, tienen una responsabilidad especial. El primer deber del gobierno es la protección de sus ciudadanos. Cuando es el gobierno el que se transforma en el perpetrador de la violencia, pierde su legitimidad (...) Los asesinatos políticos, la tortura, las detenciones arbitrarias y prolongadas sin cargo o juicio son las violaciones de derechos humanos más crueles y horribles"[41]. Todos los crímenes deben ser condenados, pero hay que "enfatizar el carácter especial de los crímenes cometidos por el Estado, que hace uso de su monopolio de la fuerza legítima para violar la ley, en vez de respetarla y hacerla cumplir"[42].

Las violaciones de los derechos humanos ocurridas durante la dictadura militar no son sólo un problema de dicho período, sino que constituyen una cuestión fundamental para la generación presente y para varias generaciones futuras. En este sentido, se han planteado diversos objetivos al término del régimen militar: verdad, justicia, reparación de daños, reconciliación nacional, prevenir la recurrencia de violaciones futuras[43]. Este simple enunciado permite intuir distintos problemas. Tratar de hacer justicia pone en riesgo la estabilidad de la democracia; asignar la misma prioridad a la verdad y a la justicia puede conducir a que no se logre ninguna de ellas. ¿Puede haber reconciliación nacional y perdón si no hay justicia?; y si no la hay, ¿qué nos asegura que no se producirán en el futuro nuevas violaciones a los derechos humanos?

La importancia del conocimiento público de la verdad está asociada al objetivo de unidad nacional, que precisa de "un sentido de identidad común y, por tanto, de una historia y de una memoria compartidas": la verdad afecta a la sociedad como un todo. "Esconder la verdad permite a los responsables institucionalizar sus propias versiones exculpatorias de lo que sucedió y eludir su responsabilidad histórica (...) Lo más importante es que la verdad sea establecida de modo oficial, para que forme parte de los registros históricos de la nación, como una versión de los eventos que goce de autoridad y que esté más allá de las consideraciones partidistas"[44]. Esta es la función del Informe Rettig. Pero... ¿cuántos chilenos han leído el Informe Rettig?

Las leyes de amnistía constituyen en la práctica instrumentos legales creados por regímenes represivos para "blanquear" el pasado, para que la sociedad olvide por ley lo que pasó, haciendo borrón y cuenta nueva. Pero "las leyes de amnistía no deben, de ninguna manera, impedir que se descubra y difunda la verdad con respecto a las violaciones de Derechos Humanos ocurridas en el pasado"[45]. En el caso argentino, la aplicación de la justicia a pesar de la existencia de leyes de amnistía reforzó el conocimiento de la verdad y ayudó al ordenamiento histórico. "La lógica jurídica, expuesta públicamente, tuvo la capacidad de ordenar el pasado (...) constituyéndose en un efectivo mecanismo para el juicio histórico y político del régimen dictatorial. El producto del juicio no fue sólo la sentencia a los Comandantes de las tres primeras juntas; como consecuencia del mismo quedó comprobado el carácter sistemático de la represión desatada por el gobierno militar"[46]. Esto ilustra cómo la aplicación de justicia es funcional al conocimiento de la verdad y de la historia.

¿Debe un gobierno tratar de hacer justicia, "aún a riesgo de ser derrocado por aquellos cuya responsabilidad está siendo investigada, con consecuencias graves para los mismos objetivos que se busca alcanzar"? En Chile, el pragmatismo político ha prevalecido por sobre la búsqueda de justicia; se ha considerado que "una política de enjuiciamiento y castigo sin restricciones no favorecía la pacificación nacional ni era posible de implementar sin que la inquietud militar se convirtiera en abierta rebelión"[47]. Pero, "dar impunidad a los torturadores, ¿no es acaso trivializar la tortura?"[48]. Además, para que prevalezcan la democracia y la libertad, ¿no debería la política estar subordinada a los valores y a la moral?

¿Qué hacer con las víctimas y sus familiares? Después de la Primera Guerra Mundial, varios países erigieron una tumba al Soldado Desconocido para fortalecer la cohesión de la nación con un símbolo que apelara a una memoria común. Podría hacerse algo similar con un monumento a las víctimas de la represión en Chile. Sería conveniente además crear la cátedra de Derechos Humanos en la enseñanza básica, media, técnica, universitaria y en las academias militares. Unido a lo anterior, habría que crear un museo de la Memoria Reciente; utilizando toda la tecnología moderna, este Museo debiera constituirse en un hito de Santiago, visitado por todos, chilenos y extranjeros, para aprender, reflexionar y pensar respecto a la experiencia del período 1970-90. Chile ha tenido la capacidad para transformarse en el segundo exportador mundial de salmón en un período relativamente breve. Habría que hacer algo equivalente a nivel cultural, donde este Museo de la Memoria Reciente fuera un modelo para la región.

En la formación profesional de los economistas se crea un sesgo contra el pasado, contra la memoria y contra la historia. Un concepto básico en el análisis microeconómico es el de que "los costos fijos, fijos son", esto es, que los costos fijos de un período anterior son irrecuperables, son "costos hundidos". Para las decisiones actuales lo que interesa son los costos variables presentes y futuros; luego miremos hacia adelante puesto que mirar atrás es irrelevante desde el punto de vista de la toma de decisiones. Las ideas de progreso técnico y modernización refuerzan esta postura.

Exactamente lo opuesto ocurre en la formación de historiadores y psicoanalistas; particularmente para estos últimos el pasado determina el comportamiento del presente: la memoria actual y relacionada a este presente constituye el mecanismo para reconstituir el pasado. En consecuencia, somos también lo que recordamos.

La memoria histórica desempeña un papel social fundamental: nos explica quiénes somos como país, relacionando el presente con el pasado y conformando así nuestra manera de ser. El pasado le da al presente sentido y significado; la incomprensión del presente está asociada a la ignorancia del pasado[49]. Se ha sugerido que la memoria histórica pareciera estar sujeta a la ley de oferta y demanda. "Hay que generar memoria (histórica); ésta es producida en períodos específicos. Pero, para que perdure más allá del presente inmediato, (...) tiene que haber una demanda"[50].

Los veinte años transcurridos entre 1970 y 1990 han sido traumáticos para todos y a todo nivel. Tratar de olvidar o ignorar dicho momento histórico es una invitación a que los hechos se repitan. La revisión y la discusión exhaustivas de este período nos ayudarán en cambio a superar los traumas, y contribuirán a acelerar la madurez nacional.

NOTAS

1. Ver nota del cuadro 4.1 para el cálculo de estas tasas de crecimiento.
2. Idem.
3. Una economía que crece al 2,29% experimenta en una década un incremento total de 25,4%; cuando crece al 3,86% anual el incremento total en la década es de 46%.
4. El ingreso *per cápita* crece 1,9% durante la estrategia ISI (1940-73) y 2,1% durante el período 1973-90. Si durante la estrategia ISI hubiera habido la misma tasa de crecimiento demográfico que durante el período 1973-90, el ingreso *per cápita* habría crecido al 2,3%. Por otra parte, si durante el período 1973-90 se hubiera mantenido el crecimiento demográfico de la estrategia ISI, el ingreso *per cápita* habría crecido sólo al 1,7%.
5. Para una excelente revisión y una profunda discusión de los distintos enfoques, ver Marglin (1984).
6. Esto es lo que en términos técnicos se denomina una baja preferencia intertemporal; se requieren tasas de interés relativamente reducidas para inducir a los consumidores asiáticos a que incrementen su nivel de ahorro. Al contrario, los latinoamericanos tienen una alta preferencia intertemporal: requieren tasas de interés relativamente elevadas para estimular su nivel de ahorro en el presente.
7. Por otra parte, es obvio que si no hubiera inversión extranjera probablemente no habría ninguna generación de utilidades en la actividad en cuestión. Generalmente, sólo una parte del total de esas utilidades es remitida al exterior.
8. Ver estudio de Montero (1990) sobre el surgimiento de un nuevo empresariado chileno.
9. Ver Bates (1981) y Haggard (1990).
10. Esta cifra ha sido obtenida utilizando la participación relativa de la GMC (en toneladas de cobre exportado) en el total del incremento de monto exportado de cobre (US$) entre los años 1970 y 1990; luego, esta cifra de exportaciones de la GMC se relaciona con el aumento de las exportaciones totales del mismo período.
11. Una regresión semilogarítmica de la producción (física) de cobre (toneladas) de la GMC, con variables ficticias (*dummy*) para un quiebre estructural para los períodos 1940-70 y 1971-90, estimada por Cochrane-Orcutt, proporciona los siguientes resultados:

$$\ln Q = \quad 5,95 \quad - \quad 0,47d \quad + \quad 0,008t \quad + \quad 0,0232dt \qquad R^2 = 0,78$$
$$\qquad\quad (73,8) \quad\ (1,27) \quad\ \ (2,02) \qquad (2,40) \qquad F = 57,5$$

en que Q es la producción de cobre (toneladas) anual, d es una variable *dummy* para el período 1971-90 y t es una variable de tendencia. El coeficiente de la variable de tendencia en el período 1940-70 es 0,008, esto es, la producción de la GMC crecía al 0,8% anual. Hay un cambio estructural en la tendencia de los dos períodos en el que la variable *dummy* para el período 1971-90 tiene el valor 0,0232. Luego, la producción física de la GMC crece 3,1%/año en el período 1971-90. Los valores entre paréntesis corresponden al estadígrafo t.
12. Ver Romaguera, 1991.
13. Para una excelente y profunda discusión conceptual sobre el consenso, ver Lechner (1986).

14. Cainzos, 1991.
15. Barr, 1987; A. Rodríguez, 1991; Wilson y Wilson, 1982.
16. Cainzos, 1991.
17. Wilson y Wilson, 1982; Shonfield, 1984; Barr, 1987.
18. Para una revisión detallada de las políticas sociales chilenas, ver Arellano (1986) y Raczynski (1992).
19. Blinder, 1987.
20. Desde este enfoque paretiano, no es obvio cuál es el principio de bienestar utilizado en los programas de ajuste macroeconómicos que generan desempleo y caída de salarios reales; lo mismo es válido para los programas de ajuste estructural.
21. Ver Wilson y Wilson, 1982.
22. Este argumento es totalmente válido cuando las transferencias son voluntarias, y se debilita cuando son obligatorias.
23. Por ejemplo, en sólo 3 meses, el gobierno de Patricio Aylwin logró la aprobación de un incremento de impuestos equivalente al 2,5% del PGB, para financiar un aumento del gasto social; la reforma tributaria contó con el respaldo de todo el espectro político. La situación fue totalmente opuesta durante el régimen militar, en el que se redujeron tanto el gasto social como la recaudación tributaria; durante el gobierno de la U.P. hubo primero una expansión drástica del gasto social y sólo después surgió la preocupación por el desequilibrio resultante.
24. Wilson y Wilson, 1992.
25. Ver Raczynski, 1992.
26. Klein, 1988.
27. Johnson, 1988.
28. La maximización de la equidad en el bienestar implica la aplicación del principio de igual acceso para todos aquellos que tienen la misma necesidad. La presencia del sector privado en la producción de ciertos bienes sociales, aun cuando viola el principio anterior, libera recursos del Estado de Bienestar y en consecuencia permite maximizar el nivel total de bienestar social (Klein, 1988).
29. Shonfield, 1984.
30. Wolf, 1989.
31. Ver De la Cuadra y Valdés, 1992.
32. ¿Cuál habría sido la reacción de los economistas ortodoxos si durante un gobierno post 1989 se hubieran incrementado las tarifas desde un 10% a un 20%? Se habría dicho que eso era un cambio profundo en las reglas del juego, que destruía la esencia del modelo económico y que provocaba un daño irreversible al crecimiento futuro de la economía chilena.
33. Ver en Ward (1979 a,b) las diferencias entre las visiones económicas globales del conservantismo y del liberalismo. Los párrafos siguientes utilizan elementos de sus obras.
34. Sen, 1986.
35. Ver Stiglitz, 1990, y cualquier texto de microeconomía moderna.
36. Okun, 1975, p. 20.
37. Okun, 1975, p. 90.
38. J. Tobin, citado en Okun, 1975.
39. Okun, 1975, pp. 10, 14.
40. Informe Rettig, 1991. Hay 641 casos adicionales en los que la Comisión no pudo formarse convicción.

41. J. Carter, 1978, p. 326.
42. Zalaquett, 1991, p. 156.
43. Sobre estos temas, ver el excelente artículo de Zalaquett en el que se basa principalmente esta sección.
44. Zalaquett, 1991, p. 153.
45. Zalaquett, 1991, p. 163.
46. Acuña y Smulovitz, 1991, p. 16.
47. Zalaquett, 1991, pp. 150 y 175.
48. Jacques, 1992, p. 32.
49. Le Goff, 1992.
50. Fentress y Wickham, 1992, pp. 201-202.

ANEXO
ESTADISTICO

ANEXO
ESTADÍSTICO

CUADRO A.1. CRECIMIENTO ANUAL DE LAS EXPORTACIONES,
1850-1920. (PORCENTAJES)

	Behrman * (1)	Cortés et al. (2)		Behrman * (1)	Cortés et al. (2)
1850	13,8		1886		0,0
1851		-2,2	1887		16,2
1852		15,1	1888		22,7
1853		-11,1	1889		-9,7
1854		16,8	1890	4,5	3,7
1855	8,1	31,1	1891		-4,0
1856		-5,9	1892		-2,3
1857		9,7	1893		12,6
1858		-8,5	1894		-0,3
1859		7,1	1895	-5,3	1,2
1860	4,6	25,2	1896		2,0
1861		-19,0	1897		-12,9
1862		10,2	1898		22,9
1863		-10,2	1899		-3,0
1864		35,4	1900	16,2	2,8
1865	10,0	-2,6	1901		2,5
1866		19,4	1902		8,1
1867		-3,3	1903		5,5
1868		-9,0	1904		11,0
1869		-1,5	1905	10,8	22,6
1870	-7,7	20,9	1906		3,1
1871		0,0	1907		1,8
1872		27,3	1908		13,9
1873		-8,3	1909		-4,0
1874		-5,2	1910	2,8	7,3
1875	4,5	-3,5	1911		0,5
1876		-2,5	1912		14,1
1877		-18,1	1913		3,7
1878		-0,1	1914		-24,8
1879		11,5	1915	0,0	9,5
1880	2,0	13,5	1916		59,4
1881		17,2	1917		38,7
1882		35,8	1918		7,2
1883		5,8	1919		-60,5
1884		-18,7	1920	13,8	158,4
1885	-4,4	-10,3			

Fuentes: Behrman (1976) y Cortés et al. (1981).
* Tasa de variación promedio anual en los últimos cinco años.

349

CUADRO A.2. INFORMACIÓN ECONÓMICA BÁSICA DEL SALITRE,
CHILE 1880-1925

	Precio del Salitre (lib/TL.) (1)	Volumen de Exportaciones de Salitre (MM de US$) (2)	Exportac. físicas de Salitre (MM de QM) (3)	Recaudación Tributaria del Salitre (MM de US$) (4)	Recaudación Tributaria Total (MM de US$) (5)	Empleo (miles de personas) (6)
1880	12,4	9,8	2,3	0,8	17,7	2,8
1881	11,0	15,4	3,6	3,7	24,2	4,9
1882	9,8	21,2	4,9	5,9	29,4	7,1
1883	8,4	25,3	5,8	7,2	31,4	7,0
1884	7,6	24,2	5,5	7,0	24,7	5,5
1885	7,1	14,2	4,3	5,2	18,5	4,6
1886	7,7	14,8	4,5	4,2	17,8	4,5
1887	7,0	23,4	7,1	6,5	22,6	7,2
1888	6,3	25,9	7,8	9,5	26,6	9,2
1889	6,9	26,4	9,2	11,5	29,2	11,4
1890	6,1	29,0	10,3	12,6	26,2	13,0
1891	6,1	25,3	8,9	5,3	21,0	11,7
1892	5,8	22,8	8,0	9,3	23,4	13,5
1893	6,8	29,8	9,5	11,6	23,2	14,8
1894	6,5	34,3	10,9	13,7	23,4	18,1
1895	6,8	37,0	12,4	16,1	28,6	22,5
1896	6,2	33,3	11,0	11,4	28,7	19,3
1897	6,5	29,7	11,8	13,2	28,0	16,7
1898	4,5	31,5	12,9	16,1	27,8	16,0
1899	3,5	34,4	14,0	17,1	33,9	18,9
1900	5,3	39,1	14,5	18,1	37,0	19,7
1901	5,8	39,5	12,6	16,1	33,8	20,3
1902	5,9	45,3	13,8	16,5	33,1	24,5
1903	6,3	50,5	14,6	17,9	40,4	24,4
1904	6,5	58,8	15,0	18,6	39,4	-
1905	7,1	65,9	17,0	20,7	43,2	30,6
1906	7,2	75,8	17,3	21,6	48,6	-
1907	8,4	74,4	16,5	20,3	51,7	39,7
1908	7,8	81,2	20,5	25,2	46,1	40,8
1909	7,3	76,9	21,3	26,3	49,8	37,8
1910	6,3	84,0	23,3	29,3	57,0	43,5
1911	6,4	94,7	24,5	30,3	60,6	43,9
1912	6,6	103,4	24,9	30,7	64,1	47,8
1913	7,2	113,6	27,4	32,9	67,4	53,2
1914	6,6	78,4	17,5	23,1	43,8	44,0
1915	5,8	82,9	20,2	24,7	41,0	45,5
1916	6,2	120,9	29,8	36,4	60,5	53,5
1917	7,2	168,6	27,7	37,5	74,3	56,4
1918	9,0	182,4	29,8	39,9	89,0	57,0
1919	10,4	38,8	9,4	10,0	41,0	44,5
1920		144,8	27,7	22,8	55,7	46,2
1921		79,0	11,3	11,8	35,1	33,9
1922		56,8	13,0	13,0	41,4	25,5
1923		106,2	22,8	26,0	64,1	41,0
1924		106,6	24,2	27,2	68,3	60,8
1925		124,3				60,8

Fuentes: 1925-50: Mamalakis y Reynolds (1965).
· 1951-70: Ffrench-Davis (1974).
Tipos de cambio: Cariola y Sunkel (1982).

CUADRO A.3. INFORMACIÓN ECONÓMICA BÁSICA DE LA MINERÍA
DEL COBRE, CHILE 1925-70

	Precio del Cobre (lib./Tl.) (1)	Volumen de Exportaciones Cobre (MM de US$) (2)	Export. físicas de Cobre (MM de QM) (3)	Recaudación Tributaria Gran M.Cobre (MM de US$) (4)	Recaudación Tributaria Total (MM de US$) (5)
1925	13,4	113,6	169,6	1,9	
1926	13,2	108,9	182,3	2,5	
1927	12,3	116,0	215,9	4,0	
1928	13,9	137,4	266,7	5,3	78,5
1929	17,5	163,6	287,6	8,6	87,0
1930	12,9	107,1	190,1	7,3	80,6
1931	7,0	76,4	196,9	3,5	71,3
1932	5,6	27,6	129,3	0,7	33,0
1933	6,2	32,7	153,8	0,3	33,5
1934	7,4	43,5	205,5	1,4	37,1
1935	7,3	43,8	273,1	2,0	49,7
1936	8,9	45,3	213,6	2,7	51,2
1937	12,5	105,0	362,0	3,2	41,5
1938	9,7	69,1	346,6	11,1	48,3
1939	10,3	71,0	313,0	9,1	54,4
1940	11,2	82,1	344,3	9,5	67,6
1941	10,0	97,3	460,0	12,2	82,3
1942	11,0	112,6	483,1	18,8	69,6
1943	11,1	116,3	475,4	24,8	82,6
1944	11,4	198,5	486,3	22,3	92,2
1945	11,5	212,6	422,8	25,7	127,2
1946	13,2	198,5	376,5	21,1	158,4
1947	20,1	292,8	359,3	50,0	189,9
1948	21,9	344,6	445,9	56,4	232,7
1949	20,1	276,5	350,2	38,1	229,8
1950	21,0	308,3	364,7	33,0	292,4
1951	26,9	383,8	354,7	59,7	288,9
1952	34,2	469,3	406,4	127,0	306,8
1953	34,7	368,9	359,4	81,3	265,7
1954	29,9	383,4	355,2	89,3	290,9
1955	38,8	489,4	432,9	190,5	395,2
1956	40,3	497,9	489,6	151,0	437,7
1957	27,2	396,8	479,5	83,8	484,4
1958	24,4	354,0	465,4	61,0	476,6
1959	29,7	457,8	544,7	99,1	524,3
1960	30,4	464,2	531,9	98,3	599,4
1961	28,7	465,4	546,0	83,1	664,8
1962	29,7	500,7	585,7	93,2	716,9
1963	29,3	504,0	599,9	95,2	638,9
1964	31,5	594,0	622,1	111,6	578,2
1965	37,5	684,2	583,8	132,2	801,2
1966	47,8	866,3	624,7	227,4	1.043,1
1967	48,9	874,3	660,2	213,2	1.140,1
1968	51,7	911,1	658,3	202,7	1.206,5
1969	65,4	1.173,3	687,9	353,0	1.322,1
1970	60,3	1.111,9	687,9	278,6	1.489,8

Fuentes: 1925-50: Mamalakis y Reynolds (1965).
1951-70: Ffrench-Davis (1974).
Tipos de cambio: Cariola y Sunkel (1982).

CUADRO A.4. DESCOMPOSICIÓN DE LA ESTRUCTURA TRIBUTARIA, 1880-1930

	Impuesto a Renta (MM de US$) (1)	Impuesto a Importaciones (MM de US$) (2)	Impuesto a Exportaciones (MM de US$) (3)	Tributación Total (MM de US$) (4)
		Impuestos al Sector Externo		
1880	1,9	5,5	1,1	17,7
1881	2,1			23,0
1882	2,7			29,3
1883	2,9			31,4
1884	2,3			24,6
1885	1,7	7,5	4,6	18,5
1886	1,7			17,9
1887	1,8			22,6
1888	1,4			26,6
1889	1,3			29,2
1890	1,0	7,3	11	25,6
1891	0,6			21,0
1892	0,7			23,4
1893	0,2			23,2
1894	0,2			23,3
1895	0,2	7,5	14,9	28,6
1896	0,2			28,6
1897	0,2			27,9
1898	0,1			27,8
1899	0,2			33,9
1900	0,2	10,2	18	37,0
1901	0,2			33,7
1902	0,7			33,2
1903	0,6			39,0
1904	0,8			40,0
1905	1,0	21,1	11,6	43,2
1906	1,2			56,4
1907	1,4			51,6
1908	1,0			46,1
1909	0,9			55,2
1910	2,3	17,6	29,2	63,1
1911	2,8			60,6
1912	2,9			64,8
1913	3,7			67,3
1914	3,1			53,6
1915	7,0	7,8	24,8	63,5
1916	5,6			85,1
1917	8,4			112,6
1918	11,5			153,7
1919	8,6			78,7
1920	8,6	11,3	27,7	96,4
1921	5,9			51,0
1922	6,5			64,3
1923	7,5			90,0
1924	12,2			90,9
1925	19,9	22,7	31,4	112,7
1926	26,5			122,0
1927	31,7			138,2
1928	36,3			156,5
1929	45,9			182,2
1930	46,9	44,1	21	157,6

Fuentes: 1880-1920: Mamalakis (1971). 1921-1930: Cariola y Sunkel (1982).

CUADRO A.5. PARTICIPACIÓN CHILENA E IMPORTANCIA RELATIVA
DE LA GRAN MINERÍA DEL COBRE EN LA ECONOMÍA
CHILENA, 1925-70

	Componentes de Participación Chilena			Particip. de la Gran Minería del Cobre en		
	Costos de Insumos Internos				Exportación Total	
	Costos Laborales	Costo Total (% c/r a la participación chilena)	Impuestos	Tributación Total (%)	Participac. Relativa de Exportac. (%)	Monto (MM de US$)
	(1)	(2)	(3)	(4)	(5)	(6)
1925		80,0	20,0		20,5	113,6
1926		71,4	28,6		25,0	108,9
1927		65,7	34,3		25,2	116,0
1928		55,7	44,3	4,0	28,0	137,4
1929		69,9	30,1	5,0	38,1	163,6
1930		83,1	16,9	4,0	31,0	107,1
1931		93,4	6,6	2,0	32,8	76,4
1932		87,7	12,3	1,0	22,7	27,6
1933		80,0	20,0	0,0	20,5	32,7
1934		81,0	19,0	2,0	19,4	43,5
1935		64,8	35,2	2,0	23,3	43,8
1936		67,6	32,4	2,0	22,0	45,3
1937		49,4	50,6	3,0	37,0	105,0
1938		65,0	35,0	10,0	31,0	69,1
1939		65,1	34,9	7,0	33,0	71,0
1940		52,5	47,5	7,0	37,0	82,1
1941		48,0	52,0	8,0	36,0	97,3
1942		45,6	54,4	15,0	36,0	112,6
1943		53,9	46,1	17,0	34,0	116,3
1944		56,4	43,6	14,0	54,8	198,5
1945		59,3	40,7	13,0	49,6	212,6
1946		63,0	37,0	11,0	43,3	198,5
1947		53,7	46,3	23,0	53,1	292,8
1948		51,1	48,9	20,0	58,0	344,6
1949		62,1	37,9	14,0	48,4	276,5
1950		52,8	47,2	11,0	50,5	308,3
1951		51,0	49,0	19,0	45,1	383,8
1952	4,3	19,3	80,7	41,4	53,0	469,3
1953	4,2	27,4	72,6	30,6	47,3	368,9
1954	4,5	26,6	73,4	30,7	55,3	383,4
1955	3,0	19,0	81,0	48,2	64,5	489,4
1956	3,9	29,5	70,5	34,5	64,3	497,9
1957	6,8	48,7	51,3	17,3	59,6	396,8
1958	10,5	53,7	46,3	12,8	52,2	354,0
1959	7,7	49,7	50,3	18,9	58,4	457,8
1960	7,1	53,9	46,1	16,4	62,5	464,2
1961	7,6	57,7	42,3	12,5	57,5	465,4
1962	6,6	57,2	42,8	13,0	56,6	500,7
1963	6,6	51,7	48,3	14,9	56,5	504,0
1964	4,5	47,0	53,0	19,3	47,9	594,0
1965	4,4	49,4	50,6	16,5	44,9	684,2
1966	4,1	40,1	59,9	21,8	55,2	866,3

	Componentes de Participación Chilena			Particip. de la Gran Minería del Cobre en		
	Costos de Insumos Internos			Exportación Total		
	Costos Laborales	Costo Total (% c/r a la participación chilena)	Impuestos	Tributación Total (%)	Participac. Relativa de Exportac. (%)	Monto (MM de US$)
	(1)	(2)	(3)	(4)	(5)	(6)
1967	4,8	44,1	55,9	18,7	59,6	874,3
1968	6,1	49,0	51,0	16,8	58,9	911,1
1969	4,9	39,5	60,5	26,7	61,3	1.173,3
1970	0,0	46,9	53,1	18,7	59,5	1.111,9

Fuentes: 1925-1951: Mamalakis y Reynolds (1965).
1952-1970: Ffrench-Davis.
(5) y (6): 1925-35: Palma (1979).
1936-43: Mamalakis y Reynolds (1965).
1944-60: Universidad de Chile.
1961-70: Indicadores Económicos, Banco Central.

CUADRO A.6. EVOLUCIÓN EFECTIVA Y ESTIMADA DE TÉRMINOS
DE INTERCAMBIO Y PRECIO DEL SALITRE. CHILE
1885-1915

	Términos de Intercambio	Tendencia (AR1)	Precio del Salitre (lib/Tl.)	Tendencia (AR1)
1885	112,0	101,6	7,1	6,1
1886	117,4	101,8	7,7	6,1
1887	123,4	102,0	7,0	6,1
1888	120,0	102,2	6,3	6,1
1889	115,7	102,4	6,9	6,1
1890	113,3	102,6	6,1	6,1
1891	112,7	102,8	6,1	6,1
1892	111,6	103,0	5,8	6,1
1893	121,2	103,2	6,8	6,2
1894	127,1	103,4	6,5	6,2
1895	120,1	103,6	6,8	6,2
1896	103,9	103,8	6,2	6,2
1897	88,7	104,0	6,5	6,2
1898	80,5	104,2	4,5	6,2
1899	78,1	104,4	3,5	6,2
1900	78,3	104,6	5,3	6,3
1901	89,0	104,8	5,8	6,3
1902	87,2	105,0	5,9	6,3
1903	88,6	105,3	6,3	6,3
1904	92,4	105,5	6,5	6,3
1905	110,5	105,7	7,1	6,3
1906	133,3	105,9	7,2	6,3
1907	127,9	106,1	8,4	6,4
1908	117,1	106,3	7,8	6,4
1909	99,8	106,5	7,3	6,4
1910	93,0	106,7	6,3	6,4
1911	100,8	106,9	6,4	6,4
1912	114,2	107,1	6,6	6,4
1913	111,5	107,3	7,2	6,4
1914	107,8	107,6	6,6	6,5
1915	114,0	107,8	5,8	6,5

Fuentes: Palma (1979); Mamalakis (1971); Cariola y Sunkel (1982).

CUADRO A.7. EVOLUCIÓN EFECTIVA Y ESTIMADA DE TÉRMINOS
DE INTERCAMBIO Y PRECIO DEL COBRE. CHILE 1940-1970

	Términos de Intercambio	Tendencia (AR1)	Precio del Cobre (lib/Tl.)	Tendencia (AR1)
1940	52,0	46,2	11,2	11,6
1941	52,0	47,0	10,0	12,2
1942	56,0	47,8	11,0	12,9
1943	48,0	48,6	11,1	13,6
1944	50,0	49,4	11,4	14,4
1945	45,0	50,2	11,5	15,2
1946	50,0	51,1	13,2	16,0
1947	46,0	51,9	20,1	16,9
1948	57,0	52,8	21,9	17,8
1949	59,0	53,7	20,1	18,8
1950	54,0	54,6	21,0	19,8
1951	60,0	55,5	26,9	20,9
1952	62,0	56,4	34,2	22,1
1953	68,0	57,4	34,7	23,3
1954	58,0	58,3	29,9	24,6
1955	65,0	59,3	38,8	26,0
1956	71,0	60,3	40,3	27,4
1957	58,0	61,3	27,2	28,9
1958	51,0	62,4	24,4	30,5
1959	52,9	63,4	29,7	32,2
1960	60,1	64,5	30,4	34,0
1961	60,2	65,5	28,7	35,9
1962	58,4	66,6	29,7	37,9
1963	54,9	67,8	29,3	40,0
1964	56,7	68,9	31,5	42,2
1965	64,5	70,1	37,5	44,5
1966	78,4	71,2	47,8	47,0
1967	74,1	72,4	48,9	49,6
1968	79,4	73,6	51,7	52,3
1969	93,9	74,9	65,4	55,2
1970	82,5	76,1	60,3	58,3

Fuente: Palma (1979); Mamalakis (1971); Cariola y Sunkel (1982).

CUADRO A.8.   INDICES DE PRODUCCIÓN DE LA INDUSTRIA Y LA
ECONOMÍA (PGB), 1908-70

	Indices (1929=100)		Crecimiento anual (%)	
	Industria	PGB	Industria	PGB
1908	49,5	43,1		
1909	52,5	43,8	6,1	1,6
1910	55,7	47,4	6,1	8,2
1911	56,9	47,0	2,2	-0,8
1912	61,1	52,2	7,4	11,1
1913	60,7	52,8	-0,7	1,1
1914	60,7	49,2	0,0	-6,8
1915	60,7	45,7	0,0	-7,1
1916	60,7	54,2	0,0	18,6
1917	61,7	58,6	1,6	8,1
1918	65,1	58,7	5,5	0,2
1919	65,7	46,4	0,9	-21,0
1920	63,9	53,0	-2,7	14,2
1921	74,5	45,6	16,6	-14,0
1922	73,7	48,8	-1,1	7,0
1923	88,4	60,7	19,9	24,4
1924	98,1	66,2	11,0	9,1
1925	88,4	67,0	-9,9	1,2

Fuente: Ballesteros y Davis (1965).

CUADRO B.1. TIPO DE CAMBIO. PERÍODO: 1969-74

Mes		Tipo de Cambio (escudos/dólar)		Brecha Tipo de Cambio	
		Oficial (1)	Paralelo (2)	(2)/(1) (3)	% (4)
1969	E	7,73	10,7	1,38	38,5
	F	7,97	10,8	1,35	35,5
	M	8,16	10,9	1,34	33,6
	A	8,39	13,0	1,55	55,0
	M	8,70	14,0	1,61	60,9
	J	8,95	14,3	1,60	59,8
	J	9,22	14,3	1,55	55,0
	A	9,43	14,2	1,51	50,5
	S	9,62	14,2	1,48	47,6
	O	9,77	14,3	1,46	46,4
	N	9,82	14,6	1,49	48,6
	D	9,92	14,9	1,50	50,2
1970	E	10,12	15,8	1,56	56,2
	F	10,39	15,6	1,50	50,2
	M	10,77	16,4	1,52	52,2
	A	11,12	19,3	1,74	73,6
	M	11,43	21,5	1,88	88,1
	J	11,73	22,6	1,93	92,6
	J	12,01	23,0	1,92	91,5
	A	12,21	22,8	1,87	86,7
	S	12,21	35,0	2,87	186,7
	O	12,21	36,0	2,95	194,8
	N	12,21	26,0	2,13	112,9
	D	12,21	28,0	2,29	129,3
1971	E	12,21	34,5	2,83	182,6
	F	12,21	35,5	2,91	190,7
	M	12,21	45,0	3,69	268,6
	A	12,21	44,3	3,63	262,8
	M	12,21	48,5	3,97	297,2
	J	12,21	54,7	4,48	348,0
	J	12,21	62,0	5,08	407,8
	A	12,21	68,0	5,57	456,9
	S	12,21	70,5	5,77	477,4
	O	12,21	66,0	5,41	440,5
	N	12,21	72,1	5,90	490,5
	D	14,03	74,7	5,32	432,4
1972	E	15,18	82,5	5,43	443,5
	F	15,18	85,5	5,63	463,2
	M	15,18	90,0	5,93	492,9
	A	15,18	108,0	7,11	611,5
	M	15,18	147,0	9,68	868,4
	J	15,18	180,0	11,86	1.085,8
	J	15,18	210,0	13,83	1.283,4
	A	26,12	320,0	12,25	1.124,9
	S	26,12	299,0	11,45	1.044,6
	O	26,12	295,0	11,29	1.029,2

Mes		Tipo de Cambio (escudos/dólar)		Brecha Tipo de Cambio	
		Oficial (1)	Paralelo (2)	(2)/(1) (3)	% (4)
	N	26,12	290,0	11,10	1.010,1
	D	26,12	340,0	13,02	1.201,5
1973	E	27,62	410,0	14,84	1.384,4
	F	27,62	425,0	15,39	1.438,7
	M	27,62	700,0	25,34	2.434,4
	A	27,62	800,0	28,96	2.796,5
	M	27,62	1.350,0	48,88	4.787,8
	J	36,98	1.400,0	37,86	3.685,8
	J	36,98	1.800,0	48,67	4.767,5
	A	43,53	2.050,0	47,09	4.609,4
	S	47,16	1.250,0	26,51	2.550,6
	O	280,00	950,0	3,39	239,3
	N	290,00	800,0	2,76	175,9
	D	343,23	700,0	2,04	103,9
1974	E	371,29	780,0	2,10	110,1
	F	416,25	800,0	1,92	92,2
	M	483,00	835,0	1,73	72,9
	A	545,00	840,0	1,54	54,1
	M	611,00	815,0	1,33	33,4
	J	725,00	925,0	1,28	27,6
	J	790,00	1.135,0	1,44	43,7
	A	889,00	1.285,0	1,45	44,5
	S	1.021,00	1.550,0	1,52	51,8
	O	1.173,00	1.545,0	1,32	31,7
	N	1.340,00	1.670,0	1,25	24,6
	D	1.619,00	2.010,0	1,24	24,2

Fuente: Boletín Mensual, Banco Central.

Nota: Para los meses de diciembre 1971 a septiembre 1973, el tipo de cambio se obtiene ponderando el tipo de cambio para cada uno de los siguientes grupos de productos: A: Productos alimenticios y combustibles; C: Maquinarias y repuestos; D: Bienes suntuarios; y B: Resto de productos.

Las ponderaciones se obtienen de acuerdo al monto importado para cada grupo de productos, con el siguiente resultado:

	A	B	C	D
13/12/71 a 6/8/72	43,8%	33,8%	18,5%	3,9%
7/8/72 a 31/12/72	30,6%	43,0%	23,1%	3,3%
1/1/73 a 28/5/73	36,9%	40,8%	19,5%	2,8%
29/5/73 a 2/8/73	36,9%	40,8%	19,5%	2,8%
3/8/73 a 31/8/73	43,3%	26,1%	29,3%	1,4%
1/9/73 a 30/9/73	43,3%	26,1%	29,3%	1,4%

Cabe señalar que para los meses de agosto y septiembre de 1973, se utiliza la ponderación de julio del mismo año.

REFERENCIAS BIBLIOGRAFICAS

ACUÑA, C. y C. SMULOVITZ (1991), "¿Ni olvido ni perdón? Derechos humanos y tensiones cívico-militares en la transición argentina", *Documento CEDES* Nº 69, Buenos Aires, julio.

AGARWALA, A. N. y S. P. SINGH, eds. (1963), *The Economics of Underdevelopment*, Oxford University Press, Nueva York.

AHUMADA, J. (1958), *En Vez de la Miseria*, Editorial del Pacífico, Santiago; reeditada por Ediciones BAT, Santiago, 1991.
—— (1966), "La crisis integral de Chile", en H. Godoy, ed., *op. cit.*, (514-521).

ALALUF, D. (1972), "La coyuntura económica y las transformaciones estructurales en 1971", en Instituto de Economía, *op. cit.* (1-22).

ALALUF, D., M. T. MONTECINOS, P. TOMIC y R. TRUMPER (1972), "El sector agrario en el Gobierno de la Unidad Popular", en Instituto de Economía, *op. cit.* (479-536).

ALBA, V. (1961), "The Latin American style and the new social forces", en A. Hirschman, ed., *op. cit.* (43-52).

ALCHIAN, A. y H. DEMSETZ (1973), "The property right paradigm", *Journal of Economic History*, V. XXXIII, Nº 1, marzo (16-27).

ALDUNATE, A., A. FLISFICH y T. MOULIAN (1985), *Estudios sobre sistemas de partidos en Chile*, FLACSO, Santiago.

ARANDA, S. y A. MARTINEZ (1970), "Estructura económica: algunas características fundamentales", en A. Pinto *et al.*, *op. cit.*, (55-172).

ARCOS, S. (1852), "Carta a Francisco Bilbao", en H. Godoy, ed., *op. cit.* (200-214).

ARELLANO, J. P. (1983), "De la liberalización a la intervención: el mercado de capitales en Chile", *Colección Estudios CIEPLAN* 11, Santiago, diciembre (5-50).

—— (1984), "La difícil salida al problema del endeudamiento interno", *Colección Estudios CIEPLAN* 13, Santiago, junio (5-26).

—— (1986), *Políticas Sociales y Desarrollo. Chile 1924-84*, Ediciones CIEPLAN, Santiago.

—— (1988), "Crisis y recuperación económica en Chile en los años 80", *Colección Estudios CIEPLAN* 24, Santiago, junio (63-89).

ARELLANO, J. P. y R. CORTAZAR (1982), "Del milagro a la crisis: algunas reflexiones sobre el momento económico", *Colección Estudios CIEPLAN* 8, Santiago, julio (43-60).

ARELLANO, J. P., R. CORTAZAR y A. SOLIMANO (1987), "Stabilization and Adjustment Policies and Programmes, Chile", *Country Study* N° 10, WIDER, Helsinki.

ARELLANO, J. P. y M. MARFAN (1986), "Ahorro-inversión y relaciones financieras en la actual crisis económica chilena", *Colección Estudios CIEPLAN* 20, Santiago, diciembre (61-93).

—— (1987), "25 años de política fiscal en Chile", *Colección Estudios CIEPLAN* 21, Santiago, junio (129-162).

ARRAU, P. (1986), "Series trimestrales del Producto Geográfico Bruto revisado, 1974-85", *Notas Técnicas* N° 89, CIEPLAN, Santiago, diciembre.

ARRAU, P., J. QUIROZ y R. CHUMACERO (1992), "Ahorro fiscal y tipo de cambio real", *Documento de Investigación*, ILADES-Georgetown, Santiago, abril.

ARRIAGADA, G. (1986), "De la República de 1925 a la Constitución de 1980: el sistema político chileno", en CIEPLAN, *op. cit.* (143-172).

ATRIA, R. y M. TAGLE, eds. (1991), *Estado y política en Chile*, CPU, Santiago.

AYLWIN, M., C. BASCUÑAN, S. CORREA, C. GAZMURI, S. SERRANO y M. TAGLE (1986), *Chile en el Siglo XX*, Editorial Emisión, Santiago.

BAER, W. (1972), "Import substitution and industrialization in Latin America: Experiences and interpretations", *Latin American Research Review*, Vol. 7, N° 1, Primavera (95-122).

BALASSA, B. (1985), "Policy experiments in Chile, 1973-83", *Discussion Paper*, Banco Mundial, Washington, D.C., noviembre.

—— (1989), "A conceptual framework for adjustment policies", *Working Papers WPS 139*, Banco Mundial, Washington, D.C., enero.

BALLESTEROS, M. y T. DAVIS (1965), "El crecimiento de la producción y el empleo en sectores básicos de la economía chilena, 1908-57", *Cuadernos de Economía*, Vol. 7 (5-29).

BANCO CENTRAL (1986), *Indicadores Económicos y Sociales 1860-1985*, Santiago.
—— (1988), *Boletín Mensual*, Santiago, varios números.

BANCO MUNDIAL (1979), *Chile: An Economy in Transition*, Report Nº 2390, Washington, D.C.
—— (1986), "Poverty in Latin America. The impact depression", *Summary Report*, Washington, D.C.
—— (1988), *World Development Report 1988*, Washington, D.C.

BARANDIARAN, E. (1983), "La crisis financiera chilena", reproducido en F. Morandé y K. Schmidt-Hebbel, eds., *op. cit.*
—— (1988), "The adjustment process in Latin America's highly indebted countries", mimeo, Gabinete del Vice Presidente para Latinoamérica y el Caribe, Banco Mundial, Washington, D.C., marzo.

BARR, N. (1987), *The Economics of the Welfare State*, Stanford University Press, California.

BARZEL, Y. (1989), *Economic Analysis of Property Rights*, Cambridge University Press, Cambridge.

BATES, R. (1981), *Markets and States in Tropical Africa: The Political Bases of Agricultural Policies*, University of California Press, Berkeley.

BECKER, L. (1977), *Property Rights. Philosophic Foundations*, Routledge & Kegan, Londres.

BEHRMAN, J. (1976), *Foreign Trade Regimes and Economic Development: Chile*, NBER, Columbia University Press, Nueva York.

BIANCHI, A. (1973), "Notes on the theory of Latin American development", *Social and Economic Studies*, University of West Indias, Jamaica, Vol. 22, Nº 1, marzo.
—— (1975), "La política económica de corto plazo de la Unidad Popular, 1970-1973", mimeo, Universidad de Princeton, mayo.

BIANCHI, A. y J. RAMOS (1972), "Creación de empleo y absorción del desempleo en Chile. La experiencia de 1971", OIT, Ginebra.

BIANCHI, A., E. LAHERA y O. MUÑOZ (1989), "The role of the state in the economic development of Latin America, Argentina and Chile", *Joint Research Programme*, Series Nº 77, Institute of Developing Economies, Tokio.

BLINDER, A. (1987), *Hard Heads, Soft Hearts*, Addison-Wesley, Massachusetts.

BLOMSTRÖM, M. y B. HETTNE (1990), *La teoría del desarrollo en transición*, Fondo de Cultura Económica, México, DF.

BLOMSTRÖM, M. y P. MELLER (1990), "Algunas lecciones del desarrollo comparado de Escandinavia y América Latina", en M. Bloms-tröm y P. Meller, eds., *Trayectorias Divergentes. Comparación de un Siglo de Desarrollo Económico Latinoamericano y Escandinavo*, CIEPLAN-Hachette, Santiago (13-28).

BORON, A. (1971), "La evolución del régimen electoral y sus efectos en la representación de los intereses populares: el caso de Chile", *Estudios ECLAP* N° 24, Santiago, abril.

BOSWORTH, B., R. DORNBUSCH y R. LABAN, eds. (1994), *The Chilean Economy. Policy Lessons and Challenges*, Brookings Institution, Washington, D.C.

BOURGUIGNON, F., M. BRANSON y J. DE MELO (1989), *Macroeconomic Adjustment and Income Distribution: A Macro-micro Simulation Model*, Technical Papers N° 1, Development Centre, OCDE, París, marzo.

BROCK, P., ed. (1992), *If Texas Were Chile. A Primer on Banking Reform*, Institute for Contemporary Studies, San Francisco.

BUITER, W. (1988), "Some thoughts on the role of fiscal policy in stabilization and structural adjustment in developing countries", *Working Papers* N° 2603, NBER, Cambridge, mayo.

BUTELMANN, A. y P. MELLER (1991), "Apertura comercial chilena: Lecciones de política", mimeo, CIEPLAN, Santiago, septiembre.

CABEZAS, M. (1988), "Revisión metodológica y estadística del gasto social en Chile: 1970-86", *Notas Técnicas* N° 114, CIEPLAN, Santiago, mayo.

CAINZOS, J. (1991), "Los componentes público y privado del Estado de Bienestar: una perspectiva constitucional", en G. Rodríguez, comp., *op. cit.* (47-49).

CARDOSO, F. H. (1979), "On the characterization of authoritarian regimen in Latin America", en D. Collier, ed., *The New Authoritarianism in Latin America*, Princeton University Press, Princeton.

CARIOLA, C. y O. SUNKEL (1982), *La historia económica de Chile, 1830-1930*, Instituto de Cooperación Iberoamericana, Madrid.

CARTER, J. (1978), "Speech on the Thirtieth Anniversary of the Universal Declaration of Human Rights", en W. Laqueur y B. B. Rubin, eds., *The Human Rights Reader*, Meridian Book, Nueva York, 1979 (325-329).

CEPAL (1987a), *Balance preliminar de la economía latinoamericana*, Santiago.
—— (1987b), *Anuario Estadístico de América Latina y el Caribe, 1987*, Santiago.

CHACRA, V. y G. JORQUERA (1991), "Bandas de precios de productos agrícolas básicos: la experiencia de Chile durante el período 1983-91", *Serie de Estudios Económicos* Nº 36, Banco Central, Santiago, marzo.

CIEPLAN (1986), *Democracia en Chile. Doce conferencias*, CIEPLAN, Santiago.

COLANDER, D., ed. (1984), *Neoclassical Political Economy*, Ballinger, Cambridge.

COMISION NACIONAL DE VERDAD Y RECONCILIACION (1991), *Informe Rettig*, 2 vol., Ed. Ornitorrinco, Santiago.

CONCHA, J. E. (1918), "Características sociales de Chile", en H. Godoy, ed., *op. cit.*, (307-315).

CONGRESO NACIONAL (1972), *El Parlamento y el hecho mundial de la Gran Minería del Cobre chileno*, Andrés Bello, Santiago.

CORBO, V. (1982), "Inflación en una economía abierta", *Cuadernos de Economía*, Año 19, Nº 56, abril.
—— (1985a), "Reforms and macroeconomic adjustment in Chile during 1974-84", *World Development*, Vol. 13, Nº 8, agosto (893-916).
—— (1985b), "The use of the exchange rate for stabilization purposes: The case of Chile", *Discussion Paper*, Banco Mundial, Washington, D.C., agosto.

CORBO, V. y J. DE MELO (1987), "External shocks and policy reforms in the Southern Cone: A reassessment", *Discussion Paper*, Banco Mundial, Washington, D.C., febrero.

CORBO, V., J. DE MELO y J. TYBOUT (1986), "What went wrong with the recent reforms in the Southern Cone?", *Economic Development and Cultural Change*, Vol. 34, Nº 3, abril (607-640).

CORBO, V., M. GOLDSTEIN y M. KHAN, eds. (1987), *Growth-oriented Adjustment Programs*, IMF-Banco Mundial, Washington, D.C.

CORBO, V. y A. SOLIMANO (1991), "Chile's experience with stabilization, revisited", *Working Paper* WPS 579, Banco Mundial, Washington, D.C., enero.

CORBO, V. y S. FISCHER (1993), "Lessons from the Chilean stabilization and recovery", mimeo, Brookings Institution, Washington, D.C., julio.

CORDEN, M. W. (1988), "Macroeconomic adjustment in developing countries", *IMF Working Paper*, Washington, D.C., febrero.

CORTAZAR, R. (1980), "Distribución del ingreso, empleo y remuneraciones reales en Chile, 1970-78", *Colección Estudios CIEPLAN* 3, Santiago, junio (5-24).

—— (1985), "Distributive Results in Chile", en Walton, 1985, *op. cit.* (79-106).

—— (1986), "Employment real wages and external constraint: The case of Brazil and Chile", *Working Papers Nº 8*, WEP, ILO, Ginebra.

—— (1989), "Austerity under authoritarianism: The neoconservative revolution in Chile", en H. Handelman y W. Baer, *Paying the Costs of Austerity in Latin America*, Westview Press, Boulder, USA (43-63).

CORTAZAR, R. y J. MARSHALL (1980), "Indice de precios al consumidor en Chile: 1970-1978", *Colección Estudios CIEPLAN* 4, Santiago, noviembre (159-201).

CORTAZAR, R. y P. MELLER (1987), "Los dos Chiles. O la importancia de revisar las estadísticas oficiales", *Colección Estudios CIEPLAN* 21, Santiago, junio (5-22).

CORTES, H., A. BUTELMANN y P. VIDELA (1981), "Proteccionismo en Chile: Una visión retrospectiva", *Cuadernos de Economía Nº 54-55*, diciembre (141-194).

COX, A. (1986), "Economic reform, external shocks and the labor market: Chile 1973-83", presentado en el Banco Mundial en conferencia sobre Mercados del trabajo en países en desarrollo, Banco Mundial, Washington, D.C., junio.

CRONER, C. y O. LAZO (1972), "El área de propiedad social en la industria", en *La Economía Chilena en 1971*, Instituto de Economía, Universidad de Chile, Publicación Nº 141 (355-463).

CHAKVIN, S. (1982), *Storm Over Chile. The Junta Under Siege*, Lawrence Hill & Co., Westport.

CHONCHOL, J. (1970), "Poder y reforma agraria en la experiencia chilena", en A. Pinto *et al.*, *op. cit.* (255-321).

DE CASTRO, S., ed. (1973), *El ladrillo. Bases de la política económica del Gobierno Militar Chileno*, CEP, Santiago, publicado en 1992.

DE GREGORIO, J. (1986), "Principales aspectos de la política cambiaria en Chile: 1974-85", *Notas Técnicas Nº 81*, CIEPLAN, Santiago, mayo.

DE JANVRY, A. (1981), *The Agrarian Question and Reformism in Latin America*, Johns Hopkins, Baltimore.

DE LA CUADRA, S. y D. HACHETTE (1988), "The timing and sequencing of a trade liberalization policy: the case of Chile", *Documentos de Trabajo Nº 113*, Instituto de Economía, Universidad Católica, Santiago, agosto.

DE LA CUADRA, S. y S. VALDES (1992), "Myths and facts about financial liberalization in Chile: 1974-83", en P. Brock, ed., *op. cit.* (11-101).

DE VYLDER, S. (1974), *Chile 1970-73: The Political Economy of the rise and fall of the Unidad Popular*, Unga Filosofers Forlag, Estocolmo.

DEMERY, L. y T. ADDISON (1987), "Stabilization policy and income distribution in developing countries", *World Development*, Vol. 15, N° 12, diciembre (1483-1498).

DIAMOND, P. y S. VALDES (1993), "Social security reforms", mimeo, Brookings Institution, Washington, D.C., abril.

DIAZ-ALEJANDRO, C. (1982), "Latin America in the 1930s", *Discussion Paper* N° 404, Yale Economic Growth Center, New Haven, mayo.

DORNBUSCH, R. (1980), *Open Economy Macroeconomics*, Basic Books, Nueva York.

DORNBUSCH, R. y S. EDWARDS, eds. (1991), *Macroeconomic of Populism in Latin America*, NBER, University of Chicago Press, Chicago.

EDWARDS, E. (1986), "Monetarism in Chile, 1973-1983: Some economic puzzles", *Economic Development and Cultural Change*, Vol. 34, N° 3, abril (535-560).

EDWARDS, S. (1988), *Exchange Rate Misalignment in Developing Countries*, Occasional Paper N° 2, Banco Mundial, Washington, D.C.
— (1989), *Real Exchange Rates, Devaluation, and Adjustment*, MIT Press, Cambridge.

EDWARDS, S. y A. COX (1987), *Monetarism and Liberalization*, Ballinger, Cambridge, Mass.

ENCINA, F. A. (1986), *Nuestra inferioridad económica*, Editorial Universitaria, 6a. edición, (la primera edición es de 1911), Santiago.

ENGEL, E. y P. MELLER, eds. (1992), *Shocks externos y mecanismos de estabilización*, BID-CIEPLAN, Santiago.

EYZAGUIRRE, J. (1965), "Ser o no ser", en H. Godoy, ed., *op. cit.* (386-394).

FELIU, G. (1942), "Un esquema de la evolución social de Chile en el siglo XIX", en H. Godoy, ed., *op. cit.* (215-222).

FENTRESS, J. y A. C. WICKHAM (1992), *Social Memory*, Blackwell, Oxford.

FERNANDEZ, M. (1981), "El enclave salitrero y la economía chilena 1880-1914", *Nueva Historia*, Año 1, N° 3, Londres (1-42).

FFRENCH-DAVIS, R. (1973), *Políticas económicas en Chile, 1952-1970*, Editorial Nueva Universidad, Santiago.
— (1974), "La importancia del cobre en la economía chilena", en R. Ffrench-Davis y E. Tironi, eds., *op. cit.*

—— (1980), "Liberalización de importaciones: la experiencia chilena en 1973-79", *Colección Estudios CIEPLAN* 4, Santiago, noviembre (39-78).

—— (1982), "El experimento monetarista en Chile: una síntesis crítica", *Colección Estudios CIEPLAN 9*, Santiago, diciembre (5-40).

—— (1988), "Adjustment and conditionality in Chile, 1982-88", mimeo, presentado en la conferencia Cross Conditionality and Bank Creditors, CIEPLAN, Santiago, octubre.

—— (1989), "El conflicto entre la deuda y el crecimiento en Chile: tendencias y perspectivas", *Colección Estudios CIEPLAN* 26, Santiago, junio (61-90).

FFRENCH-DAVIS, R. y J. DE GREGORIO (1987), "Orígenes y efectos del endeudamiento externo en Chile: antes y después de la crisis", *El Trimestre Económico*, México, Nº 213, marzo.

FFRENCH-DAVIS, R. y R. FEINBERG (1986), eds., *Más allá de la crisis de la deuda: Bases para un nuevo enfoque*, CIEPLAN, Santiago.

FFRENCH-DAVIS, R. y D. RACZYNSKI (1988), "The impact of global recession and national policies on living standards: Chile, 1973-87", *Notas Técnicas Nº 97*, CIEPLAN, Santiago, febrero.

FFRENCH-DAVIS, R. y E. TIRONI (1974), *El cobre en el desarrollo nacional*, Ediciones Nueva Universidad, CIEPLAN, Santiago.

FILGUEIRA, C. (1981), "Acerca del consumo en los nuevos modelos latinoamericanos", *Revista de la CEPAL* Nº 15, Santiago, diciembre.

FITOUSSI, J. y J. LE CACHEUX (1988), "On theories of unemployment persistence: A quick look at recent developments", *Labour*, Vol. 2, Nº 2, Otoño, Roma (3-20).

FLISFICH, A. (1985), "Niveles de consenso y estabilidad democrática", en A. Aldunate, A. Flisfich, T. Moulián, *op. cit.* (173-210).

FONTAINE, A. (1988), *Los economistas y el Presidente Pinochet*, Zig-Zag, Santiago.

FONTAINE, J. A. (1980), "Más allá del Leviatán", *Estudios Públicos* Nº 1, diciembre (121-146).

—— (1987), "The Chilean economy in the eighties: Adjustment and recovery", documento para el simposio del Banco Central, Viña del Mar, diciembre.

—— (1991), "La administración de la política monetaria en Chile, 1985-89", *Cuadernos de Economía* Nº 83, Santiago, abril (109-130).

—— (1993), "Transición económica y política en Chile (1970-1990)", *Estudios Públicos* Nº 50, Otoño (229-280).

FORTIN, C. (1979), "Nationalization of copper in Chile and its international repercussions", en S. Sideri, ed., *op. cit.* (183-220).

FOXLEY, A. (1980), "Hacia una economía de libre mercado: Chile, 1974-79", *Colección Estudios CIEPLAN* 4, Santiago, noviembre (5-38).
—— (1982), *Latin American Experiments in Neoconservative Economics*, University of California Press, Berkeley.
—— (1985), *Para una democracia estable*, CIEPLAN, Santiago.

FREI, E. (1970), "Perspectivas y riesgos en la construcción de una nueva sociedad", en H. Godoy, ed., *op. cit.* (547-561).

FRIEDMAN, M. y R. FRIEDMAN (1980), *Libertad de Elegir. Hacia un Nuevo Liberalismo Económico*, Ediciones Grijalbo, Barcelona.

GARRETON, M. A. (1983), *El proceso político chileno*, FLACSO, Santiago.

GATICA, J., P. ROMAGUERA y L. ROMERO (1986), "Un índice de remuneraciones para el sector público chileno: 1974-86", mimeo, Santiago, diciembre.

GELLER, L. y J. ESTEVEZ (1972), "La nacionalización del cobre", en Instituto de Economía, *op. cit.* (557-578).

GERSCHENKRON, A. (1962), *Economic backwardness in historical perspective*, Praeger, Nueva York.

GODOY, H., ed. (1971), *Estructura Social de Chile*, Editorial Universitaria, Santiago.

GODOY, O. (1993), "Hayek: libertad y naturaleza", *Estudios Públicos* Nº 50, Otoño (23-44).

GOMEZ-LOBO, A. y S. LEHMANN (1991), "Sobretasas arancelarias en Chile: 1982-91", *Notas Técnicas* Nº 144, CIEPLAN, Santiago, noviembre.

GONGORA, M. (1981), *Ensayo histórico sobre la noción de Estado en Chile en los siglos XIX y XX*, Ediciones La Ciudad, Santiago.

GORDON, S. (1980), *Welfare, Justice, and Freedom*, Columbia University Press, Nueva York.

GROUND, R. y A. BIANCHI (1988), "The economic development of Latin America. Towards a contribution to a new synthesis of development theory", mimeo, CEPAL, Santiago.

GRUNWALD, J. y P. MUSGROVE (1970), *Natural resources in Latin America*, Johns Hopkins, Baltimore.

HACHETTE, D. y R. LÜDERS (1987), "El proceso de privatización de empresas en Chile, 1974-1982", *Boletín Económico* Nº 22, Instituto de Economía, Universidad Católica, Santiago.
—— (1992), *La privatización en Chile*, Centro Internacional para el Desarrollo, San Francisco.

HAGGARD, S. (1990), *Pathways from the Periphery. The Politics of Growth in the Newly Industrializing Countries*, Cornell University Press, Ithaca.

HAMUY, E. (1967), "El proceso de democratización fundamental", en H. Godoy, ed., *op. cit.* (489-501).

HARBERGER, A. (1982), "The Chilean economy in 1970s: Crisis, stabilization, liberalization, reform", *Carnegie-Rochester Conferences Series on Public Policy*, Vol. 17, Otoño (115-152).
— (1984), "La crisis cambiaria chilena de 1982", *Cuadernos de Economía*, Santiago, agosto (123-136).
— (1985), "Observations on the Chilean economy, 1973-1983", *Economic Development and Cultural Change*, Vol. 18, agosto.

HAYEK, F. (1980), "El ideal democrático y la contención del poder", *Estudios Públicos* N° 1, Santiago, diciembre (11-76).

HELD, G. y R. SZALACHMAN (1989), "Regulación y supervisión de la banca en la experiencia de liberalización financiera en Chile (1974-88)", *Documento* LC/R.758, CEPAL, Santiago, mayo.

HESKIA, I. (1979), "La distribución del ingreso en el Gran Santiago, 1957-1979", *Documento Serie Investigación* N° 54, Departamento de Economía, Universidad de Chile, Santiago.

HIRSCHMAN, A., ed. (1961), *Latin American Issues*, Twentieth Century Fund, Nueva York.
— (1968), "The political economy of import-substituting industrialization in Latin America", *Quarterly Journal of Economics* 82, febrero (2-32).

HURTADO, C. (1984), "La economía chilena entre 1830 y 1930: sus limitaciones y sus herencias", *Colección Estudios CIEPLAN* 12, Santiago, marzo (37-60).

IMF (1988), "The implications of fund supported adjustment programs for poverty", *Occasional Paper* N° 58, Washington, D.C., mayo.

INSTITUTO DE ECONOMIA (1963), *La economía de Chile en el período 1950-63*, Universidad de Chile, Santiago.
— (1972), *La economía de Chile en 1971*, Universidad de Chile, Publicación N° 141, Santiago.

JACQUES, A. (1992), "Impunité et fausses paix", *Le Monde Diplomatique*, París, septiembre (32).

JADRESIC, E. (1985), "Formación de precios agregados en Chile: 1974-83", *Colección Estudios CIEPLAN* 16, Santiago, junio (75-100).
— (1986), "Evolución del empleo y desempleo en Chile, 1970-85. Series anuales y trimestrales", *Colección Estudios CIEPLAN* 20, Santiago, diciembre (147-194).

JARVIS, L. (1991), "Cambios en los roles de los sectores público y privado en el desarrollo tecnológico: lecciones a partir del sector frutícola chileno", *Colección Estudios CIEPLAN* 36, Santiago, diciembre (5-40).

JOBET, J. (1951), *Ensayo Crítico del Desarrollo Económico-Social de Chile*, Editorial Universitaria, Santiago.

JOHNSON, C., ed. (1988), *Privatization and Ownership*, Printer Publishers, Londres.

JOHNSON, J. (1961), "Atrincheramiento político de los sectores medios en Chile", en H. Godoy, ed., *op. cit.* (359-371).

JOLLY, R. (1986), "El ajuste con rostro humano", *Desarrollo* N° 2-3, Madrid (57-61).

KAY, C. y P. SILVA, eds. (1992), *Development and Social Change in the Chilean Countryside*, CEDLA, Amsterdam.

KEYNES, J. (1926), "The end of laissez-faire"; reproducido en *The Collected Writings of John Maynard Keynes*. Vol. IX – *Essays in persuasion*, MacMillan, Cambridge, 1972 (272-294).

KILBY, P. (1988), "Breaking the entrepreneurial bottleneck in late-developing countries: is there a useful role for Government?", *Journal of Development Planning* N° 18 (221-250).

KLEIN, R. (1988), "Privatization and the welfare state", en C. Johnson, ed., *op. cit.* (30-46).

KRUEGER, A. (1974), "The political economy of the rent seeking society", *American Economic Review*, V. 64, junio (291-303).

LARRAIN, E. (1986), "Impacto de la crisis sobre el nivel y estructura del empleo público", PET, Academia de Humanismo Cristiano, Santiago, agosto.

LARRAIN, F. (1991), "Public sector behavior in a highly indebted country: The contrasting Chilean experience 1970-85", en F. Larraín y M. Selowsky (eds.), *The Public Sector and the Latin American Crisis*, International Center for Economic Growth, Institute for Contemporary Studies Press, San Francisco.

LARRAIN, F. y P. MELLER (1990), "La experiencia socialista-populista chilena: la Unidad Popular, 1970-1973", *Colección Estudios CIEPLAN* 30, Santiago, diciembre (151-196); también publicado en *Cuadernos de Economía*.

LARRAIN, F. y A. VELASCO (1989), "Can swaps solve the debt crisis? Lessons from the Chilean experience", *Princeton Studies in International Finance* 69, Princeton, noviembre.

LARRAÑAGA, O. y J. MARSHALL (1990), "Ajuste macroeconómico y finanzas públicas. Chile: 1982-88", *Serie Política Fiscal* Nº 6, CEPAL, Santiago.

LASTARRIA, J. V. (1850), "El manuscrito del diablo", en H. Godoy, ed., *op. cit.* (193-199).

LAYARD, P. y S. NICKELL (1986), "Unemployment in Britain", *Economica*, Vol. 53, Supp. (121-170).

LE FORT, G. (1986), "Trimestralización de series de Balanza de Pagos. Métodos de series relacionadas con información completa", *Estudios de Economía*, Vol. 13, Nº 11, Santiago, abril (167-189).

LE FORT, G. y GUILLET (1986), "Indices de precios de bienes no transables: Chile 1974-84", *Estudios de Economía*, Vol. 13, Nº 11, Santiago, abril (73-92).

LECHNER, N. (1984), *La conflictiva y nunca acabada construcción del orden deseado*, FLACSO, Santiago.
—— (1985), "El sistema de partidos en Chile", *Documento de Trabajo* Nº 249, FLACSO, Santiago, junio.

LE GOFF, J. (1992), *History and Memory*, Columbia University Press, Nueva York.

LEHMANN, D. (1992), "Political incorporation versus political instability", en Kay y Silva, eds., *op. cit.* (111-128).

LENIZ, S. y P. ROZAS (1974), "Compatibilización de las Cuentas Nacionales ODEPLAN-CORFO: 1940-1962, 1960-1967", *Documento de Trabajo* Nº 21, Instituto de Economía, Universidad Católica de Chile, Santiago.

LETELIER, V. (1896), "Los pobres", en H. Godoy, ed., *op. cit.* (272-282).

LIM, D. (1988), "Tax effort and expenditure policy in resource-rich countries", en M. Urrutia y S. Yukawa, eds., *Economic Development Policies in Resource-Rich Countries*, United Nations University, Tokio.

MALINVAUD, E. (1977), *The Theory of Unemployment Reconsidered*, Blackwell, Oxford.

MAMALAKIS, M. (1971), "The role of Government in the resource transfer and resource allocation processes: the Chilean nitrate case", en G. Ranis, ed., *Government and Economic Development*, Yale University Press, New Haven.
—— (1976), *The Growth and Structure of the Chilean Economy: From Independence to Allende*, Yale University Press, New Haven.

MARCEL, M. (1986), "Diez años del IVA en Chile", *Colección Estudios CIEPLAN* 19, Santiago, junio (83-134).

—— (1989), "Privatización y finanzas públicas: el caso de Chile, 1985-88", *Colección Estudios CIEPLAN* 26, Santiago, junio.

MARCEL, M. y P. MELLER (1986), "Empalme de las cuentas nacionales de Chile 1960-1985. Métodos alternativos y resultados", *Colección Estudios CIEPLAN* 20, Santiago, diciembre (121-146).

MARFAN, M. (1984a), "Políticas reactivadoras y recesión externa: Chile 1929-1938", *Colección Estudios CIEPLAN* 12, Santiago, marzo (89-120).

—— (1984b), "Una evaluación de la nueva reforma tributaria", *Colección Estudios CIEPLAN* 13, Santiago, junio (27-52).

—— (1985), "El conflicto entre la recaudación de impuestos y la inversión privada: elementos teóricos para una reforma tributaria", *Colección Estudios CIEPLAN* 18, Santiago, diciembre (63-94).

MARGLIN, S. (1984), *Growth, Distribution, and Prices*, Harvard University Press, Cambridge.

MARGLIN, S. y J. SCHOR, eds. (1990), *The Golden Age of Capitalism. Reinterpreting the Postwar Experience*, Clarendon Press, Oxford.

MARSHALL, J. R. (1984), "Economics of stagnation. Analysis of the Chilean experience 1914-1970", tesis de doctorado, no publicada, Harvard University, mayo.

MARTNER, G. (1988), *El Gobierno del Presidente Salvador Allende, 1970-1973*, Ediciones LAR, Concepción.

McBRIDE, J. (1938), "La influencia de la hacienda", en H. Godoy, ed., *op. cit. (372-385)*.

McNELIS, P. (1991), "Flujos de capital y política monetaria: ¿Se compensan en Chile y Venezuela?", en F. Morandé, ed., *Movimiento de capitales y crisis económica*, ILADES, Santiago.

MELLER, P. (1983), "Una reflexión crítica en torno al modelo económico chileno", *Colección Estudios CIEPLAN* 10, Santiago, junio (125-136).

—— (1984a), "Los Chicago boys y el modelo económico chileno 1973-1983", *Apuntes CIEPLAN* Nº 43, Santiago, enero.

—— (1984b), "Análisis del problema de la elevada tasa de desocupación chilena", *Colección Estudios CIEPLAN* 14, Santiago, septiembre (9-41).

—— (1986), "Un enfoque analítico-empírico de las causas del actual endeudamiento externo", *Colección Estudios CIEPLAN* 20, Santiago, diciembre (19-60).

—— (1990), "110 años de desarrollo económico chileno (1880-1990)", mimeo, CIEPLAN, Santiago.

—— (1990), "Una perspectiva de largo plazo del desarrollo económico chileno", en M. Blomström y P. Meller, eds., *Trayectorias Divergentes. Comparación de un Siglo de Desarrollo Económico Latinoamericano y Escandinavo*, CIEPLAN-Hachette, Santiago (53-82).

—— (1990), "Resultados económicos de cuatro gobiernos chilenos: 1958-1989", *Apuntes CIEPLAN* N° 89, Santiago, octubre.

—— (1990), "Chile", en J. Williamson, ed., *Latin American Adjustment. How Much Has Happened?*, Institute of International Economics, Washington, D.C. (54-85).

—— (1991), "Adjustment and social costs in Chile during the 80s", *World Development*, noviembre (1545-1562).

—— ed. (1991), *The Latin American Development Debate. Neostructuralism, Neomonetarism, and Adjustment Processes*, Westview Press, Boulder.

—— (1992), *Adjustment and Equity in Chile*, OCDE, París; también en francés.

—— (1993), "Economía política de la apertura comercial chilena", *Serie Reformas de Política Pública* N° 5, CEPAL, Santiago.

—— (1993), "A review of Chilean privatization experience", *Quarterly Review of Economics and Finance*, Vol. 33, Número Especial (91-112).

MELLER, P. y C. RAHILLY (1974), "Características de la mano de obra chilena, período 1940-1970", *Documento de Trabajo* N° 26, Instituto de Economía, Universidad Católica de Chile, julio.

MELLER, P., E. LIVACIC y P. ARRAU (1984), "Una revisión del milagro económico chileno (1976-1981)", *Colección Estudios CIEPLAN* 15, diciembre (5-111).

MELLER, P. y P. ARRAU (1985), "Revisión metodológica y cuantificación de las Cuentas Nacionales chilenas", *Colección Estudios CIEPLAN* 18, Santiago, diciembre (95-183).

MELLER, P. y A. SOLIMANO (1984), "El mercado de capitales chileno: Laissez-faire, inestabilidad financiera y burbujas especulativas", mimeo, CIEPLAN, Santiago.

MENDEZ, J. C., ed. (1979), *Chilean Economy Policy*, Banco Central, Santiago.

MODIGLIANI, F., F. PADOA-SCHIOPPA y N. ROSSI (1986), "Aggregate unemployment in Italy: 1960-83", *Economica*, Vol. 53, Supp. (245-274).

MONTECINOS, V. (1988), "Economics and power: Chilean economists in Government 1958-1985", disertación para doctorado, Universidad de Pittsburgh.

MONTERO, C. (1990), "La evolución del empresariado chileno: ¿Surge un nuevo actor?", *Colección Estudios CIEPLAN 30*, diciembre (91-122).

MORAN, C. (1988), "Chile in the 1980s: Crisis and recovery", mimeo, Banco Mundial, Washington, D.C., abril.

MORAN, T. (1974), *Multinational Corporations and the Politics of Dependence. Copper in Chile*, Princeton University Press, New Jersey.

MORANDE, F. y K. SCHMIDT-HEBBEL, eds. (1988), *Del auge a la crisis de 1982*, ILADES, Santiago.

MORRIS, J. (1967), "La cuestión social", en H. Godoy, ed., *op. cit.* (251-265).

MOULIAN, T. (1982), "Desarrollo político chileno entre 1938-1973", *Revista APSI*, julio-octubre.

—— (1986), "Estabilidad democrática en Chile: una mirada histórica", en CIEPLAN, *Democracia en Chile: Doce Conferencias*, Santiago (117-142).

MOULIAN, T. y P. VERGARA (1980), "Estado, ideología y políticas económicas en Chile: 1973-78", *Colección Estudios CIEPLAN* 3, Santiago, junio (65-120).

MUCHNIK, E. *et al.* (1992), "Efectos esperados de un acuerdo de libre comercio entre Chile y los Estados Unidos en los sectores agropecuario y agroindustrial chilenos", *Estudio* N° 2, PEPALC, Confederación de la Producción y del Comercio, Santiago.

MUÑOZ, O. (1968), *Crecimiento industrial de Chile, 1914-1965*, Instituto de Economía, Santiago.

—— (1986), *Chile y su industrialización. Pasado, crisis y opciones*, Ediciones CIEPLAN, Santiago.

—— (1988), "El Estado y los empresarios: experiencias comparadas y sus implicaciones para Chile", *Colección Estudios CIEPLAN* 25, Santiago, diciembre (5-54).

—— ed. (1993), *Después de las Privatizaciones. Hacia el Estado Regulador*, Ediciones CIEPLAN, Santiago.

MUÑOZ, O. y A. M. ARRIAGADA (1977), "Orígenes políticos y económicos del Estado empresarial en Chile", *Estudios CIEPLAN* N° 16, Santiago, septiembre.

NICKELL, S. (1985), "The Government's policy for jobs: An analysis", *Oxford Review of Economic Policy*, Vol. 1, N° 2, Verano (98-115).

O'DONNELL, G. (1972), *Modernización y autoritarismo*, Paidós, Buenos Aires.

OCDE, CENTRO PARA EL DESARROLLO (1987), *Adjustment and equitable growth: Document 1*, París, octubre.

OKUN, A. (1975), *Equality and Efficiency. The Big Trade off*, Brookings Institution, Washington, D.C.

ORREGO, A. (1884), "La cuestión social en Chile", en H. Godoy, ed., *op. cit.* (223-231).

PALMA, G. (1979), "Growth and structure of Chilean manufacturing", tesis de doctorado, no publicada, University of Oxford.
—— (1984), "Chile 1914-1935: De economía exportadora a sustitutiva de importaciones", *Colección Estudios CIEPLAN* 12, Santiago, marzo.

PEDERSON, L. (1966), *The Mining Industry of the Norte Chico, Chile*, North-Western University, Illinois.

PINTO, A. (1962), *Chile, un caso de desarrollo frustrado*, Editorial Universitaria, Santiago.
—— (1985), "Estado y gran empresa: De la pre-crisis hasta el Gobierno de Jorge Alessandri", *Colección Estudios CIEPLAN* 16, Santiago, junio (5-40).
—— (1987), "La ofensiva contra el Estado-económico", *Colección Estudios CIEPLAN* 21, Santiago, junio (117-128).

PINTO, A. *et al.* (1970), *Chile Hoy*, Siglo XXI, Editorial Universitaria, Santiago.

POLLACK, M. y A. UTHOFF (1986), "Pobreza y mercado de trabajo. Gran Santiago, 1969-84", PREALC, Santiago.

PREBISCH, R. (1950), "The economic development of Latin America and its principal problems", Naciones Unidas, Nueva York; reimpreso en *Economic Bulletin for Latin America*, Vol. VII, N° 1, 1962.

PUSEY, M. (1991), *Economic Rationalism in Canberra*, Cambridge University Press, Cambridge.

RACZYNSKI, D. (1986), "¿Disminuyó la extrema pobreza entre 1970 y 1982?", *Notas Técnicas* N° 90, CIEPLAN, Santiago, diciembre.
—— (1992), "Políticas sociales en Chile: origen, transformaciones y perspectivas", mimeo, CIEPLAN, Santiago.

RACZYNSKI, D. Y C. SERRANO (1985), *Vivir la pobreza. Testimonio de mujeres*, CIEPLAN, Santiago.

RAMIREZ, G. y F. ROSENDE (1992), "Responding to collapse: Chilean banking legislation after 1983", en P. Brock, ed., *op. cit.* (193-216).

RAMOS, J. (1984), "Estabilización y liberalización económica en el Cono Sur", *Estudio de la CEPAL* N° 38, Naciones Unidas, Santiago.

RAMOS, S. (1972), *Chile, ¿una economía en transición?*, CESO, Universidad de Chile, Santiago.

RAWLS, J. (1978), *Teoría de la justicia*, Fondo de Cultura Económica, México D.F.

RAY, D. (1988), "The role of entrepreneurship in economic development", *Journal of Development Planning* N° 18.

RECABARREN, L. (1910), "El balance del siglo: Ricos y pobres a través de un siglo de vida republicana", en H. Godoy, ed., *op. cit.* (299-306).

REYNOLDS, C. (1965), "Development problems of an export economy. The case of Chile and copper", en M. Mamalakis y C. Reynolds, *Essays on the Chilean Economy*, Irwin, Illinois.

REPETTO, A. (1992), "Determinantes de largo plazo del tipo de cambio real: aplicación al caso chileno (1960-90)", *Colección Estudios CIEPLAN* 36, Santiago, diciembre (67-98).

RIVEROS, L. (1984), "Distribución del ingreso, empleo y política social en Chile", *Documento de Trabajo* N° 25, Centro de Estudios Públicos, Santiago, mayo.

RODRIGUEZ, G., comp. (1991), *Estado, Privatización y Bienestar*, Fuhem, Madrid.

RODRIGUEZ, J. (1985), *La distribución del ingreso y el gasto social en Chile, 1983*, ILADES, Santiago.

ROMAGUERA, P. (1989), "Wage differentials and theories of wage determination: Evidence from the Chilean economy, 1937-1987", por aparecer, disertación para doctorado, Boston University.
— (1991), "Las fluctuaciones del precio del cobre y su impacto en la economía chilena", *Notas Técnicas* N° 143, CIEPLAN, Santiago, septiembre.

ROSENDE, F. (1987), "Ajuste con crecimiento: el caso chileno", *Serie de Estudios Económicos* N° 32, Banco Central, diciembre.

SACHS, J. (1990), "Social conflict and populist policies in Latin America", *Occasional Paper* N° 9, International Center for Economic Growth, San Francisco.

SAEZ, S. (1989), "La economía política de una crisis: Chile, 1929-1939", *Notas Técnicas* N° 130, CIEPLAN, Santiago, mayo.

SAEZ, R. (1992), "An overview of privatization in Chile: The episodes, the results, and the lessons", mimeo, CIEPLAN, Santiago.

SANFUENTES, A. (1988), "Hipótesis acerca de las causas del crecimiento del empleo", *Documento de Trabajo* N° I-1, ILADES, Santiago, junio.
— (1989), "Antecedentes sobre la distribución del ingreso y gastos gubernamentales para atenuar la extrema pobreza", *Documento de Trabajo* N° I-12, ILADES, Santiago, marzo.

SCULLY, T. R. (1992), *Los Partidos del Centro y la Evolución Política Chilena*, CIEPLAN-Notre Dame, Santiago.

SCHKOLNIK, M. (1987), "Algunas consideraciones metodológicas acerca de la medición de condiciones de vida, extrema pobreza y subempleo", mimeo, PET, Santiago, mayo.

—— (1989), "Realidad y perspectivas del sector informal en Chile", *Documento de Trabajo* Nº 64, PET, Santiago, mayo.

SCHMIDT-HEBBEL, K. (1988), "Consumo e inversión en Chile (1974-82): Una interpretación 'real' del boom", en F. Morandé y K. Schmidt-Hebbel, eds., *op. cit.* (147-190).

SCHMITZ, C. (1986), "The rise of big business in the world copper industry 1870-1930", *Economic History Review*, XXXIX (392-410).

SCHWARTZ, P. (1986), "The market and the metamarket", en S. Pejovich, ed., *Socialism: Institutional, Philosophical and Economic Issues*, Kluwer Academic Publishers.

SELOWSKY, M. (1989), "Preconditions necessary for the recovery of Latin America's growth", documento presentado en el Encuentro sobre Latinoamérica del Foro Económico Mundial, Ginebra, junio.

SEN, A. (1986), *On Ethics and Economics*, Blackwell, Oxford.

SHONFIELD, A. (1984), *In Defence of the Mixed Economy*, Oxford University Press, Oxford.

SIDERI, S., ed. (1979), *Chile 1970-73: Economic Development and its International Setting*, Martinus Nijhoff, La Haya.

SIGMUND, P. (1977), *The Overthrow of Allende and the Politics of Chile, 1964-1976*, University of Pittsburgh Press, Pittsburgh.

—— (1980), *Multinationals in Latin America. The Politics of Nationalization*, University of Wisconsin Press, Wisconsin.

SJAASTAD, L. (1981), "La protección y el volumen del comercio en Chile: La evidencia", *Cuadernos de Economía* Nº 54-55, Santiago, diciembre (263-292).

—— (1983), "The failure of economic liberalism in the Southern Cone", *World Economy* Nº 6, marzo (5-26).

SOLIMANO, A. (1987), "Desempleo estructural en Chile: Un análisis macroeconómico", *Documento de Trabajo* Nº 302, PREALC, julio.

—— (1988), "Política de remuneraciones en Chile: Experiencia pasada, instrumentos y opciones a futuro", *Colección Estudios CIEPLAN* 25, Santiago, diciembre (159-190).

SOLIMANO, A. y A. ZUCKER (1988), "El comportamiento de la inversión en Chile: Aspectos conceptuales, evidencia empírica y perspectivas", mimeo, PREALC, Santiago, agosto.

SOLOW, R. (1986), "Unemployment: Getting the questions right", *Economica*, Vol. 53, Supp. (23-34).

STIGLITZ, J. (1990), *La Economía del Sector Público*, Antonio Bosch ed., Madrid.

SUNKEL, O. (1965), "Cambio social y frustración en Chile", en H. Godoy, ed., *op. cit.* (522-536).

SUTULOV, A., L. BLANCO y M. WEISSER (1978), *Del cobre y nuestro desafío*, CIMM, Santiago.

TAGLE, M., ed. (1992), *La crisis de la Democracia en Chile. Antecedentes y causas*, Andrés Bello, Santiago.

TAPIA, D. (1991), "Dos pruebas para la política monetaria", *Cuadernos de Economía* Nº 83, Santiago, abril (131-140).

THORP, R. Y L. WHITEHEAD, eds. (1987), *Latin American Debt and the Adjustment Crisis*, University of Pittsburgh Press, Pittsburgh.

TORCHE, A. (1987), "Distribuir el ingreso para satisfacer las necesidades básicas", en F. Larraín, ed., *Desarrollo Económico en Democracia*, Ediciones Universidad Católica, Santiago (167-214).

VALDES, J. G. (1986), "Cultura y democracia: una mirada desde 'la clase política", en CIEPLAN, *op. cit.* (173-196).
—— (1989), *La escuela de Chicago: operación Chile*, Zeta, Buenos Aires.

VALDES, S. (1992), "Financial liberalization and the capital account: Chile, 1974-84", mimeo, Banco Mundial, marzo.

VALENZUELA, A. (1978), *The Breakdown of Democratic Regimes. Chile*, John Hopkins, Baltimore.

VALENZUELA, A. y S. VALENZUELA (1986), "Party oppositions under the Chilean authoritarian regime", en S. Valenzuela y A. Valenzuela, eds., *Military Rule in Chile*, John Hopkins, Baltimore (184-229).

VARAS, A. (1982), "Fuerzas Armadas y Gobierno Militar: corporativización y politización castrense", *Revista Mexicana de Sociología*, V. XLIV, Nº 2, abril (397-412).

VARGAS, E. (1974), "La nacionalización del cobre y el derecho internacional", en Ffrench-Davis y Tironi, eds., *op. cit.* (159-192).

VELASCO, A. (1988), "Liberalization, crisis, intervention: The Chilean financial system, 1975-1985", *IMF Working Paper*, Washington, D.C., julio.

VELIZ, C. (1963), "La mesa de tres patas", *Desarrollo Económico*, Vol. 3, abril-septiembre; reproducido en H. Godoy, ed., *op. cit.* (232-250).

VERA, M. (1961), *La política económica del cobre en Chile*, Editorial Universidad de Chile, Santiago.

VIAL, G. (1981), *Historia de Chile (1891-1973)*, Vol. I, Editorial Santillana, Santiago.
—— (1986), "Algunas condiciones para una democracia estable en Chile", en CIEPLAN, *op. cit.* (93-116).

VIERA-GALLO, J. A. (1982), "Crisis y reafirmación del ideario democrático: trayectoria de una generación", en CIEPLAN, *op. cit.* (41-56).

VILLALOBOS, S. (1984), "Sugerencias para un enfoque del siglo XIX", *Colección Estudios CIEPLAN* 12, Santiago, marzo (9-36).

VINER, J. (1953), "The economics of development", Conferencia en la Universidad Nacional de Brasil; reproducida en Agarwala y Singh, eds., *op. cit.* (9-31).

VUSKOVIC, P. (1975), "Dos años de política económica del Gobierno popular", en P. Vuskovic (ed.), *El golpe de Estado en Chile*, Fondo de Cultura Económica, México, DF.

WALTON, G. M., ed. (1985), *The National Economic Policies of Chile*, JAI Press, Londres.

WARD, B. (1979a), *The Conservative Economic World View*, Basic Books, Nueva York.
—— (1979b), *The Liberal Economic World View*, Basic Books, Nueva York.

WILLIAMSON, O. (1985), *The Economic Institutions of Capitalism*, Free Press, Nueva York.

WILSON, T. y D. WILSON (1982), *The Political Economy of the Welfare State*, Allen & Unwin, Londres.

WISECARVER, D. (1985), "Economic regulation and deregulation in Chile, 1973-1983", en Walton, *op. cit.*
—— ed. (1992), *El modelo económico chileno*, Instituto de Economía, Universidad Católica de Chile, Santiago.

WOLF, CH. (1989), *Markets of Governments. Choosing between Imperfect Alternatives*, MIT, Cambridge.

ZAHLER, R. (1983), "Recent Southern Cone liberalization reforms and stabilization policies. The Chilean case, 1974-1982", *Journal of Interamerican Studies and World Affairs*, Vol. 25, Nº 4, noviembre (509-562).

ZALAQUETT, J. (1991), "Derechos humanos y limitaciones políticas en las transiciones democráticas del Cono Sur", *Colección Estudios CIEPLAN* 33, Santiago, diciembre (147-186).

ZAMMIT, J. A., ed. (1973), *The Chilean Road to Socialism*, Institute of Development Studies, Sussex.